LA MUJER DEL BOSQUE

Obras de John Connolly en Maxi

Todo lo que muere
El poder de las tinieblas
Perfil asesino
El camino blanco
El ángel negro
Los atormentados
Los Hombres de la Guadaña
Los amantes
Voces que susurran
Cuervos
Más allá del espejo
Malvados
Nocturnos
La ira de los ángeles
El invierno del lobo
La canción de las sombras
Música nocturna
Tiempos oscuros
El frío de la muerte
La mujer del bosque

JOHN CONNOLLY

LA MUJER DEL BOSQUE

Traducción de Vicente Campos

MAXI
TUSQUETS
EDITORES

El papel utilizado para la impresión de este libro está calificado como **papel ecológico** y procede de bosques gestionados de manera **sostenible**.

Título original: *The Woman in the Woods*

1.ª edición en colección Andanzas: junio de 2020
1.ª edición en colección Maxi: junio de 2021
2.ª edición en colección Maxi: febrero de 2022

Adaptación de la cubierta: Maxi Tusquets / Área Editorial Grupo Planeta

Imagen de la cubierta: Cover Kitchen

Fotografía del autor: © Ivan Giménez / Tusquets Editores

Diseño de la colección: Guillemot-Navares

ISBN: 978-84-9066-971-6
Depósito legal: B. 7.794-2021
Impresión y encuadernación: QP Print
Printed in Spain - Impreso en España

Índice

Para Steve Fisher

Primera parte

Y os restituiré los años que comió la langosta...

Joel 2, 25

1

Era uno de los bares más recientes de la zona portuaria de Portland, aunque el término «reciente» era un tanto relativo dada la rapidez con que se estaba desarrollando la ciudad. Parker se preguntaba si, en algún momento, todas las personas llegaban a una edad en que rogaban para que el progreso hiciera una pausa, aunque a menudo le parecía que el progreso tenía mucho de simple lavado de cara, porque la gente tendía a seguir siendo la misma de siempre. Pese a todo, le hubiera gustado que sus conciudadanos no se lavaran la cara con tanta frecuencia, al menos durante un tiempo.

Sólo un rótulo en la acera indicaba la presencia del bar, un rótulo necesario porque el establecimiento estaba apartado de la calle, en la primera planta de un antiguo almacén, y de otro modo habría sido difícil, por no decir imposible, encontrarlo.

Tal vez era eso lo que atraía a Louis. Si de él hubiera dependido, seguramente ni siquiera habría puesto el rótulo, y sólo habría dado indicaciones sobre la localización del bar a aquellos cuya compañía estaba dispuesto a tolerar, lo que suponía, quizá, que habría cargado con la responsabilidad de mantener el negocio en marcha a cinco personas en el mundo.

Esa noche no era necesario ese tipo de tácticas para ofrecer a Louis la paz que deseaba. Sólo había un puñado de clientes: una pareja joven sentada a una mesa en un rincón, dos hombres mayores comiendo hamburguesas en la barra, y Parker y Louis. A Parker acababan de servirle una copa de vino. Louis bebía un martini, muy seco. Es posible que no fuera el primero que se tomaba, pero con Louis nunca se sabía.

—¿Cómo está? —preguntó Parker.

—Confuso. Con dolores.

Unos días antes, al compañero de Louis, Angel, le habían quitado un tumor del tamaño de un huevo en un hospital de Nueva York, junto con un trozo del intestino grueso. La operación no había ido bien del todo, y la recuperación sería difícil, con sesiones de quimioterapia cada tres semanas durante los dos próximos años, mientras durara la amenaza de tumores secundarios. Por eso la llamada por la que supo Parker de la presencia de Louis en Portland fue una sorpresa. Parker había pensado desplazarse a Nueva York para visitar a Angel y ofrecer a Louis el apoyo que pudiera darle. Pero era Louis el que estaba sentado en un bar de Portland mientras su compañero yacía en una cama de hospital, empastillado hasta las cejas.

Aunque, bien pensado, Angel y Louis eran únicos: delincuentes, amantes, asesinos y cruzados de una causa que no tenía nombre, salvo el de Parker. Iban por la vida a su aire.

—Y tú, ¿cómo estás?

—Enfadado —dijo Louis—. Preocupado y asustado, pero sobre todo enfadado.

Parker no dijo nada, se limitó a dar un sorbo de vino y escuchar la sirena de un barco en la noche.

—No esperaba estar de vuelta aquí tan pronto —prosiguió Louis, como si respondiera a una pregunta que Parker no había llegado a plantear—, pero necesitaba recoger algunas cosas del piso. Y, en cualquier caso, sin Angel a mi lado no me siento cómodo en el apartamento de Nueva York. Es como si las paredes se encogieran a mi alrededor. ¿Cómo es posible? ¿Cómo puede parecer más pequeño un espacio del que se ha ido una persona? Portland es distinto. Tiene menos de él, no es su casa. Así que esta tarde he ido a visitarlo y luego me he marchado en coche directo al aeropuerto de La Guardia. Quería escapar.

Bebió un sorbo de su cóctel.

—Soy incapaz de ir al hospital todos los días. Detesto verlo en ese estado. —Se dio la vuelta para mirar a Parker—. Así que háblame de otra cosa.

Parker contempló el mundo a través del filtro de su copa de vino.

—Los Fulci están planteándose comprar un bar —dijo.

Paulie y Tony Fulci eran la versión de Portland de Tweedledum y Tweedledee,* en el caso de que Tweedledum y Tweedledee estuvieran intensa pero infructuosamente hipermedicados contra la psicosis, tuvieran una constitución de camiones blindados y una propensión a los estallidos de una violencia intencionada, que a menudo, aunque no siempre, eran consecuencia de una grave provocación. Para los Fulci, la definición de provocación era más bien fluida, y abarcaba desde la grosería a aparcar mal, pasando por la agresión o el intento de asesinato.

Louis casi escupió la bebida.

—No me jodas, ¿me tomas el pelo? No me han dicho nada.

—A lo mejor temían que te diera un síncope, y no sin motivos.

—Pero un bar es un negocio. Con clientes. Ya sabes, personas normales.

—Bueno, tienen prohibida la entrada en casi todos los antros de esta ciudad donde se sirve alcohol, con la excepción del Bear, y eso sólo porque Dave Evans no quiere herir sus sentimientos. También porque mantienen a los malos clientes a raya, aunque Dave a veces tiene que esforzarse para imaginar a alguien peor que los propios Fulci. Pero Paulie dice que les preocupa caer en la rutina, y tienen algún dinero ahorrado de una antigua herencia que están pensando invertir.

—¿Una herencia? ¿Qué clase de herencia?

—Seguramente una de esas que se reciben a punta de pistola. Parece que han estado ocultándola durante años.

—Dejando que la cosa se enfriara un poco, ¿es eso?

—Que se enfriara del todo.

—¿Piensan llevar ellos mismos el negocio o de verdad les gustaría atraer clientela?

* Personajes gemelos de *Alicia a través del espejo,* de Lewis Carroll, conocidos en español, según las traducciones, como Tarará y Tararí, o Patachunta y Patachún; su origen se remonta a un poema de John Byrom del siglo XVIII. *(N. del T.)*

—Están buscando a alguien que dé la cara.

—Pues tendrán que encontrar a alguien que esté más loco que ellos.

—Creo que ése es precisamente el obstáculo que les impide seguir adelante.

—¿Llevarías tú un bar regentado por los Fulci?

—Al menos tendría la garantía de que no habría problemas.

—No, lo que te garantizaría es que no habría problemas *de fuera*.

—Si consiguen abrir, te verás obligado a apoyarlos. Si no les echas una mano, no les hará gracia. Ya sabes lo encariñados que están contigo y con Angel.

—Por tu culpa.

—Yo me limité a hacer posible que os conocierais.

—Como las ratas hicieron posible que conociéramos la peste.

—No me fastidies.

Louis se acabó la bebida y alzó la copa para pedir otra.

—¿Sabes? —dijo—, esa noticia me ha animado un poco.

—Supuse que lo haría.

—¿Estás trabajando en algo?

—Sólo papeleo para Moxie. Asuntos de rutina.

Moxie Castin era uno de los personajes más variopintos del mundo legal de Portland. Con sus trajes, que siempre le quedaban mal, y sus aires de charlatán, Moxie parecía completamente indigno de confianza, pero Parker sabía por experiencia que sólo los individuos fiables estaban dispuestos a ponerse un uniforme que sugiriera lo contrario. Moxie pagaba bien y cuando tocaba, y eso lo convertía en un *rara avis* no sólo en los círculos legales sino en muchos otros. Por último, Moxie estaba al tanto de la mayoría de los asuntos de Parker, aunque no de todos, incluido el discreto acuerdo por el que el FBI ingresaba un anticipo todos los meses en su cuenta a cambio de servicios de consultoría. No era una situación que Moxie aprobara incondicionalmente, pero al menos Parker también reconocía que aquello era como un pacto con el diablo.

—Pareces cansado para estar trabajando sólo en asuntos de rutina —dijo Louis.

—No he dormido bien últimamente.

—¿Pesadillas?

—No tengo muy claro que sepa diferenciar siempre entre los sueños y la realidad. A veces despertarse es tan malo como seguir durmiendo.

Parker era consciente de que estaba a punto de sufrir una depresión, algo que ya le había incordiado en la adolescencia, pero que se había agravado desde el tiroteo que por poco acaba con su vida. Sabía que pronto tendría que recluirse. Quería —incluso necesitaba— estar a solas, porque era justo en esos momentos cuando su hija muerta se le aparecía con más frecuencia.

—Angel me comentó algo una vez.

Parker esperó y fue como si Louis hubiera leído sus pensamientos, o hubiera atisbado la titilante blancura de la hija perdida en los ojos de Parker.

—Dijo que creía que veías a Jennifer, que ella te hablaba.

—Jennifer está muerta.

—Con todo respeto, no estamos hablando de eso.

—Como te he dicho, me cuesta diferenciar qué son sueños y qué no lo son.

—Pues yo creo que no te cuesta en absoluto.

Por un momento, el tiempo se paralizó antes de que Louis volviera a hablar.

—Yo soñaba con mi padre.

Parker sabía que el padre de Louis había caído en manos de unos fanáticos racistas y violentos que lo habían colgado de un árbol antes de prenderle fuego. Muchos años más tarde, Louis volvió a por los responsables y quemó el árbol en que había muerto su padre.

—Venía a verme en sueños —recordó Louis—, envuelto en llamas, y se le movía la boca como si quisiera hablar, pero nunca dijo nada, al menos nada que yo pudiera entender. Me preguntaba qué estaría diciendo. Al final, imaginé que me estaba avisando. Creo que me pedía que no buscara venganza, porque sabía en qué me convertiría si lo hacía.

»Así que soñaba con él, y sabía que estaba soñando, pero

cuando me despertaba, olía su presencia en la habitación, todo mierda y gasolina, humo y carne carbonizada. Me decía que me lo estaba imaginando, que todos esos olores los conocía de antes, y que la intensidad del sueño me engañaba para mezclarlos. Pero era un olor fuerte, muy fuerte: lo llevaba impregnado en el pelo y en la piel durante el resto del día, y a veces otra gente lo olía también. Me lo comentaban y yo no tenía una respuesta que darles, o al menos no una que ellos quisieran oír, y es posible que ninguna que yo quisiera oír tampoco.

»Me asustaba. Me asustó durante la mayor parte de mi vida. Angel lo sabía, pero nadie más. Él lo olía en mí, lo olía después de mis pesadillas cuando me despertaba sudando en la cama, a su lado, y no quise mentirle, porque nunca le he mentido. Así que se lo conté, igual que ahora te lo estoy contando a ti, y él me creyó, igual que sé que tú me crees.

»Mi padre ya no se me presenta tan a menudo, pero cuando lo hace ya no me inquieta. ¿Sabes por qué? Por ti. Porque he visto y vivido cosas contigo que me han hecho entender que no estaba loco, y que no estaba solo. Más aún, hay un consuelo en esto, en todo esto. Creo que por eso he venido aquí esta noche y por eso te he llamado. Si pierdo a Angel, sé que lo encontraré otra vez. Antes destrozaré este mundo, y tal vez muera quemado, como mi padre, pero eso no será el final para Angel y para mí. Él me esperará al otro lado e iremos juntos allá donde sea lo que nos aguarde. Eso lo sé por ti. He hecho daño a un montón de personas, algunas no merecían lo que les pasó y otras sí, aunque esa distinción no me importaba entonces, y ahora tampoco es que me importe demasiado. Podría haberme cuestionado lo que hice, pero preferí no hacerlo. Tengo las manos manchadas de sangre y derramaré aún más antes de acabar con esta vida, pero la derramaré porque estoy siguiendo un camino distinto, el *tuyo*, y me sacrificaré porque tengo que hacerlo, porque es mi expiación. A cambio, se me permitirá estar con Angel para siempre. Ése es el pacto. Díselo a tu hija la próxima vez que la veas. Dile que se lo cuente a su dios.

Parker lo miraba fijamente.

—¿Cuántos cócteles te has tomado?

La quietud parecía haberse extendido por todo el bar. Los demás clientes se desvanecieron. Estaban sólo ellos dos, y completamente solos.

Y Louis sonrió.

2

Por el bosque impenetrable a causa del hielo, por campos cubiertos de nieve, hacia las afueras de un pueblo en el noroeste del estado, hacia un casa en las lindes de los Grandes Bosques del Norte, hacia...

Hacia un cuento de hadas.

El niño se llamaba Daniel Weaver. Tenía cinco años y su rostro reflejaba ese tipo de gravedad que sólo se ve en los rasgos de los muy pequeños y los muy mayores. Sus ojos, bastante oscuros, no se apartaban de la mujer que tenía delante: Holly, su madre, aunque si hubieran estado separados el uno del otro, nadie que no los conociera los habría relacionado a simple vista. Ella era rubia y Daniel tenía la piel de ébano; ella, rubicunda, él, lánguido; ella, luminosa, frente a la oscuridad que desprendía él. Ella lo amaba —lo había amado desde el primer momento—, pero su temperamento, como el color de su piel, le resultaban ajenos. Un bebé cambiado al nacer, podría haber pensado alguien, dejado en la cuna mientras a su verdadero hijo —menos inquieto que éste, más cariñoso— se lo llevaban a morar en las profundidades de la tierra con seres más viejos, para que iluminara los huecos de sus cuerpos con su espíritu.

Pero no habría sido verdad. Daniel tal vez fuera un bebé robado, pero no de ese modo.

Le entraban berrinches con la fuerza inesperada de las tormentas estivales: una agitación descontrolada acompañada de gritos y lágrimas, y de una violencia que podía estallar en cualquier momento y que sólo descargaba contra los objetos inanimados. En sus rabietas ningún juguete estaba a salvo, ninguna puerta parecía indigna de una patada o un portazo; pero, por terribles que fueran, esos ataques eran raros y breves, y cuando llegaban a su fin, el niño parecía aturdido, como si le asombraran sus propias capacidades.

Que la intensidad de sus momentos de alegría nunca alcanzara la de esas bajadas a las profundidades, bueno, no importaba, aunque a Holly le hubiera gustado que su hijo se sintiera un poco más en paz con el mundo, un poco menos en guardia. Tenía la piel demasiado fina y, fuera de unos pocos entornos familiares —su casa, la de su abuelo, los bosques—, se mostraba siempre cauteloso.

Incluso detrás de la seguridad de las paredes de su propia casa había momentos y situaciones como ésa, en las que un extraño temor lo dominaba, hasta el punto de que no podía quedarse solo, y únicamente encontraba tranquilidad en presencia de su madre, y si ésta le contaba un cuento.

El libro que Holly Weaver tenía entre las manos era una edición de los *Cuentos de hadas de los Grimm* impresa en 1909 por la editorial Constable de Londres, con ilustraciones de Arthur Rackham. Al volumen se le habían añadido algunas páginas en blanco, de textura distinta a las demás, aunque ella no sabía por qué. Era, pese a todo y con diferencia, el libro más valioso que había en la casa, y debía de costar unos cientos de dólares, según había visto en internet. Valdría mucho más si hubiera estado firmado por Rackham en persona: esos ejemplares se vendían por diez o quince mil dólares, más dinero del que Holly había poseído jamás, y ciertamente más de lo que ella habría imaginado siquiera pagar por un libro.

Pero Holly no sabía gran cosa del coleccionismo de libros, y nunca se le habría ocurrido desprenderse de ése en concreto, ni siquiera si hubiera sido suyo para poder venderlo. Era parte de la herencia de su hijo, un punto de conexión con otra mujer, que había fallecido.

Y daba la impresión de que Daniel entendía la importancia de aquello, aunque nunca se la habían explicado. Incluso durante las peores de sus rabietas, el niño tenía cuidado de no tocar sus libros, y éste ocupaba el lugar principal en el estante más alto. Cuando estaba asustado o malhumorado, su madre le leía el libro, y él no tardaba en dormirse. A esas alturas, ella creía que podría recitar la mayoría de los relatos de memoria, pero coger el libro de la estantería y abrirlo formaba parte del ritual, que no podía omitir y tenía que seguir escrupulosamente.

Incluso ahora, cuando la historia que contaba no estaba impresa en sus páginas.

—Cuéntame el cuento especial —le pidió Daniel, y ella supo que era una de esas noches en que él se sentía inquieto, aquejado por emociones demasiado complejas para darles nombre.

—¿Qué cuento? —preguntó ella, porque eso también formaba parte del ritual.

—La historia de «La mujer del bosque».

Holly le había puesto ese título. Considérese un momento de debilidad, o una velada confesión.

—¿No prefieres otra?

Él negó con la cabeza y sin un solo pestañeo de sus negrísimos ojos.

—No, sólo ésa.

Ella no discutió, pero se volvió hacia el libro, donde una hebra de hilo rojo mantenía en su sitio las hojas adicionales. Ella no era Rackham, pero en el colegio siempre se le dio bien el arte, y había puesto todo su corazón en la creación de ese cuento para Daniel. Incluso midió y cortó el papel para ajustarlo a las dimensiones de las páginas del libro original, y el texto lo había escrito a mano con precisión caligráfica.

Se aclaró la garganta. Ésta era su penitencia. Si llegara a descubrirse la verdad alguna vez, ella podría decir que había intentado contársela, a su manera.

—Érase una vez —empezó— una jovencita a la que raptó un ogro...

Al cabo de un rato, cuando Daniel se quedó dormido y el libro se hallaba de nuevo en su sitio, Holly se acostó en su propia cama y se puso a mirar al techo, entonces empezó su castigo.

Porque eso, también, era siempre igual.

Érase una vez una jovencita a la que raptó un ogro. El ogro obligó a la princesa a casarse con él, y ella dio a luz a un niño.

Los ojos de Holly empezaron a cerrarse.

El niño no era feo como el ogro, sino hermoso como su madre. El ogro se enfadó porque quería un hijo que fuera tan vil como él, así que le dijo a la princesa:

El bosque, cinco años antes. Nevaba y la nieve ocultaba lentamente la tierra que había sido removida hacía poco.

—Si no puedo hacer un hijo que sea monstruoso por fuera, entonces lo haré infame por dentro. Seré cruel con él, y de esta forma conseguiré que él lo sea con los demás.

Un hombre se alejaba caminando, con un pico y una pala sobre el hombro derecho, su largo pelo agitándose al viento.

—Seré violento con él, y así lo convertiré en violento. Seré implacable con él, y así él rechazará la misericordia.

Oscuridad y tierra: una sepultura.

—De este modo lo haré a mi imagen y semejanza, y lo convertiré de verdad en mi hijo...

3

Cadillac, en Indiana, estaba tan lejos de ser un lugar interesante como cualquier pueblo que todavía no se ha desvanecido por entero en la grisura. Tenía la infraestructura básica que se requería para un nivel mínimo de satisfacción humana —escuelas, bares, restaurantes, gasolineras, dos pequeños centros comerciales, un par de fábricas—, sin nada que se pareciera ni remotamente a un corazón o un alma, de manera que tenía menos de pueblo que de una versión fantasmagórica de pueblo, recuperado de una decadencia visiblemente inevitable para acabar convertido en un simulacro de vida.

Un cartel en las afueras septentrionales anunciaba su hermanamiento con Cadillac, en Michigan, aunque se rumoreaba que este parentesco podría haber sido una desagradable sorpresa para los ciudadanos de esta última ciudad, como cuando se descubre la existencia de un hermano desconocido hasta entonces que vive asilvestrado y se alimenta devorando a los viajeros de paso, cosa que tal vez explicaba por qué no había tales vallas publicitarias en Michigan.

O tal vez, pensaba Leila Patton, el acuerdo de hermanamiento se pactó antes de que nadie de Michigan se hubiera tomado la molestia de visitar a sus parientes de Indiana, y sólo cuando se rectificó esa deficiencia, los habitantes de Michigan se dieron cuenta del error que habían cometido, cosa que llevó al Cadillac de Michigan a evitar toda mención de aquel hermanamiento. Lo único que sabían todos con seguridad en el Cadillac de Indiana era que nadie del Cadillac de Michigan había respondido a ninguno de sus intentos de comunicación desde hacía muchos años, y no parecía que mereciera la pena enviar a alguien para averiguar la razón, dado que el norte de Michigan quedaba demasiado lejos para ir hasta allí y que te echaran a patadas.

Leila sabía que el Cadillac de Michigan se llamaba así por el explorador francés Antoine de la Mothe, *sieur* de Cadillac, el fundador de Detroit, pero sólo se le puso ese nombre en los últimos años del siglo XIX. Previamente, el pueblo era conocido como Clam Lake (Lago Almeja), que era un nombre de mierda según todos los criterios imaginables. Por su parte, nadie del Cadillac de Indiana sabía por qué el pueblo había recibido ese nombre. La mejor explicación era que un Cadillac había aparecido en lo que ahora era Main Street y que algún palurdo se había quedado tan atónito ante esa manifestación del progreso que no fue capaz de decir nada más durante el resto de su vida. Por esta regla de tres, Cadillac podría haber acabado llamándose Avión, o Feminista, o Judío.

Vale, Leila admitía que tal vez ninguno de los dos últimos.

Leila Patton tenía veinticuatro años, casi veinticinco. Si la juventud de Cadillac se dividía de manera natural en dos grupos —aquellos que esperaban (o se resignaban) a trabajar, casarse, establecerse, procrear y acabar enterrados en Cadillac; y aquellos que pretendían irse a toda leche de la ciudad a la primera ocasión que se les presentara—, Leila se contaba entre el ala extremista del segundo grupo. Su padre había fallecido cuando ella tenía diecisiete años: sufrió un aneurisma en el taller de la fábrica de metal laminado en la que había trabajado en turnos rotativos durante toda su vida, y murió antes de que la ambulancia llegara ni siquiera a las puertas. La madre de Leila tenía menos suerte. Su agonía —a causa de la leucemia— era larga, lenta y todavía se prolongaba. No disponían de bastante dinero para contratar a un cuidador doméstico, así que le correspondía a Leila asumir toda la carga, ayudada por un surtido de amigos y vecinos. Como consecuencia, Leila se había visto obligada a aplazar la beca para entrar en la Jacobs School of Music de la Universidad de Indiana Bloomington. Le habían asegurado que le guardaban la beca para cuando las circunstancias por fin le permitieran comenzar sus estudios, pero Leila había empezado a sentir que ese posible futuro se desvanecía. Eso era lo que hacía la vida: el tiempo transcurría inexorablemente, minuto tras minuto, hora tras hora, cada vez más rápido, hasta que al final había pasado para siempre. Uno percibía cómo se alejaba —ésa era la maldición—, y cuanto más fuerte intentabas aferrarte a él, más rápido pasaba.

Por eso Leila Patton tenía en las palmas de las manos unas quemaduras invisibles de cuerdas.

Toda su experiencia vital —muerte, enfermedad, oportunidades pospuestas o perdidas— había hecho que Leila se sintiese aún menos encariñada con su pueblo natal, sobre todo desde que trabajaba como camarera en el Dobey's Diner. Eso implicaba que debía servir, un día cualquiera, al menos a la mitad de los gilipollas de Cadillac, y a la otra mitad el día siguiente. Pero Leila necesitaba el dinero: la beca era generosa, aunque no tanto como para no necesitar fondos adicionales si no quería vivir sólo de arroz y judías. Ahorraba cuanto podía, pero la enfermedad de su madre absorbía el dinero como una aspiradora, y a los pobres les costaba más morir que a los ricos.

De manera que así pasaba su tiempo: limpiando, riendo gracias sin gracia, cocinando, durmiendo, sirviendo y practicando en el piano en casa; o, gracias a la indulgencia de su antiguo profesor de música del instituto, en el mejor instrumento de la sala de música de la escuela. Y rezando: suplicando que se produjera un milagro; suplicando que acabara el sufrimiento de su madre; suplicando que Jacobs siguiera siendo paciente; suplicando perder algún día Cadillac de vista en el retrovisor, antes de desaparecer del todo, para no volver a verlo nunca.

Oh, y cociéndose a fuego lento. Leila Patton estaba muy cabreada porque, por si todavía no estaba claro, ella odiaba Cadillac, Indiana, con todas sus fuerzas.

Faltaba poco para las nueve y media de esa noche de sábado y el Dobey's cerraría en breve. Leila era una de las camareras que trabajaba habitualmente los fines de semana. No le molestaba demasiado; no tenía muchos amigos, así que los fines de semana no se parecían en nada a un torbellino social. Además, se llevaba bien con Carlos, el chef, y sobre todo con el propio Dobey, que nunca se tomaba un día libre y vivía en una de las caravanas aparcadas detrás del local, donde esporádicamente recibía a una viuda local llamada Esther Bachmeier.

Dobey era un hombre bajo y grueso que ya pasaba de los sesenta, con una abundante cabellera de pelo muy fino que, cuando el tiempo le obligaba a llevar sombrero, se le ponía de punta en cuanto se lo quitaba. Dobey había nacido en Elkhart, pero se había mudado a Cadillac de adolescente, cuando su madre se lio con un mecánico llamado Lennart, uno de los dueños de lo que por entonces era el único garaje de la ciudad. Dobey empezó a trabajar para el hermano de Lennart, que era el dueño de uno de los ocho restaurantes de Cadillac, aunque hoy sólo pervivían cuatro. Cuando el hermano de Lennart decidió dejar el negocio de las comidas, Dobey llevaba ya mucho tiempo señalado como su heredero.

Él era el único habitante en Cadillac al que le llevaban *The New York Times* cada mañana a la puerta, y también estaba suscrito a *The New Republic* y a la *National Review*, así como a *The New Yorker*, del que recortaba viñetas que pegaba al plexiglás que rodeaba la caja registradora. Dobey poseía, además de la gran caravana en la que vivía, tres caravanas más pequeñas que albergaban su biblioteca y libros asociados, dado que era un consumado vendedor de libros antiguos y raros. En esas caravanas también había varias camas plegables en las que, en el curso de los años, había permitido dormir a diversos chicos y chicas sin hogar y a vagabundos a cambio de que le hicieran tareas domésticas ligeras. Algunos se quedaban sólo un par de noches, otros, una o dos semanas, pero había quienes se instalaban más tiempo. La mayoría eran chicas jóvenes, y todas estaban agotadas y asustadas. Leila se había hecho amiga de varias de ellas, pero de poco servía curiosear en sus vidas, y raramente descubría nada acerca de ellas. Si bien había excepciones: una chica que se llamaba Alyce, que le enseñó a Leila las marcas de quemaduras en el vientre y los pechos, donde a su padre le gustaba apagar las colillas; o Hanna, a cuyo marido le gustaba castigar sus transgresiones más extremas, reales o imaginarias, arrancándole un diente por cada delito; y también estaba...

Pero, no: mejor no hablar de ella, no vaya a ser que Leila pronuncie su nombre en voz alta.

Con el tiempo, las chicas seguían su camino, o se presentaban mujeres mayores en coches o furgonetas para llevárselas a otra parte. No había la menor insinuación de indecencia en lo que hacía Dobey, y la gente de Cadillac —en una demostración de humanidad que Leila se esforzaba por no tener en cuenta para salvaguardar sus propios prejuicios— o bien hacía la vista gorda, o bien ayudaba como podía asegurándose de que Dobey tuviese un suministro regular de ropa femenina apropiada, así como artículos de aseo e higiene.

Esther Bachmeier también participaba. Era voluntaria de Planificación Familiar en New Albany, donde sí suponía una gran diferencia ayudar a algunas de las mujeres. Esther era corpulenta, desenvuelta y no le toleraba ninguna tontería a nadie. Algunos, en Cadillac, no apreciaban el estilo de Esther, pero ellos no la habían visto consolando a una adolescente de dieciséis años a la que su padrastro había contagiado una enfermedad venérea. Dobey, a su modo, amaba a Esther silenciosamente, y ella, a su modo, lo amaba a él con fiereza.

A veces, por lo general después de haberse tomado varias cervezas, Dobey le hablaba con melancolía a Leila de que le gustaría hacer una visita a Nueva York o Washington D.C., pero luego se acostaba y olvidaba la atracción de las grandes ciudades. Dobey había estado una vez en Chicago. Contaba que le había parecido una experiencia interesante, aunque decía que era cara y que la cerveza no sabía como debía. Leila le preguntaba por qué se había pasado la mayor parte de la vida en Cadillac, porque por lo que se veía a él no parecía importarle el pueblo más que a ella.

—Oh —decía él—, he visto a la gente ir de aquí para allá, pensando que va a ser más feliz en Fort Wayne o South Bend...

Eso, en opinión de Leila, decía mucho de la mentalidad que inculcaba Cadillac: incluso cuando Dobey evocaba imágenes de fuga, no iban más allá del propio estado de Indiana. Lo que ella no podía entender, y Dobey no quería o no sabía explicar, era cómo un hombre que proporcionaba un lugar de refugio para los necesitados, y al que preocupaba lo bastante el mundo en general para estar suscrito a *The New York Times* y a tantas revistas en papel como para talar un bosque, sólo podía plantearse la aventura de traspasar físicamente la frontera del estado cuando había bebido, y siempre acababa optando por quedarse donde estaba en cuanto recobraba la sobriedad.

Aunque, bien pensado, Leila Patton todavía era muy joven.

—... lo que pasa es que la gente no se da cuenta de que en realidad intenta huir de sí misma. Yo me siento aquí tan feliz como me sentiría en cualquier otra parte. Tengo mi negocio, mis libros y a Esther. Cuando me muera, unas pocas almas se reunirán para procurarme reposo, y dirán que mi comida era buena y que siempre devolvía el cambio correcto. Tú eres distinta. Tienes talento, y si te quedas aquí, te marchitarás y morirás. Pero recuerda esto: cuando por fin te vayas y dejes atrás esta ciudad, deshazte de tu amargura. No tienes que cargar con ella allá donde vayas.

Leila no creía que Dobey hablara de ese modo con nadie más del personal del servicio, y menos aún con Corbie Brady, que era la otra camarera que cerraba con ella esa noche. Corbie fumaba demasiado, comía basura, sólo se acostaba con gilipollas y poseía el tipo de astucia maliciosa que en algunos círculos se consideraba inteligencia. Leila y ella se toleraban mutuamente, pero poco más.

En ese momento, Corbie no le quitaba el ojo a uno de los clientes con lo que ella casi consideraría fascinación. Ese hombre había llegado solo, se había sentado en un reservado junto a la ventana con la pared detrás, y había pedido café y un trozo del famoso bizcocho de manzana de Dobey. Llevaba una chaqueta de *tweed* gris a cuadros no muy marcados, sobre un chaleco de terciopelo azul, una camisa blanca de cuello abierto y pantalones de pana oscuros. Había un gabán azul marino doblado a su lado, pero se había dejado puesto el pañuelo, una prenda fina de seda roja anudada pero suelta alrededor del cuello, y claramente elegida más por su aspecto que por su funcionalidad. Leila, que era una de las chicas más altas de su edad, había tenido que levantar la mirada cuando entró en el bar, de modo que supuso que él debía de sobrepasar con creces el metro ochenta. Parecía rondar los cincuenta y muchos, y llevaba el pelo oscuro teñido, con una raya a la izquierda para que le cayera suelto sobre la frente. Tenía los pómulos altos, los ojos marrones y hundidos, ocultos en parte por sus gafas de cristal levemente oscuro, a través de las que leía lo que Corbie había identificado, para su sorpresa, como un volumen de poesía. «Bohemio» era la palabra que Leila creyó que mejor lo describía: lo bastante exótico para que, de haber pasado por esa zona un siglo atrás, fuera perfectamente posible que la ciudad se hubiera llamado así.

Dobey, pensó Leila, también lo estaba observando con atención y daba la impresión de que lo que veía no le tranquilizaba.

—Id avisando de que cerramos dentro de unos minutos —les dijo a las camareras. Leila miró el reloj. Faltaban todavía veinte minutos para la hora de cierre, y Dobey solía ser puntilloso en esos detalles.

—¿Estás seguro?

—¿Es que ahora diriges el bar?

No lo preguntaba en broma. Dobey raramente hablaba con brusquedad, pero cuando lo hacía, era mejor atenderle y hacer lo que pedía.

Leila tenía dos cuentas pendientes en su sección, ambas parejas mayores que ella conocía y que ya se disponían a irse, mientras que Corbie sólo tenía al desconocido. Leila vio que Corbie le llevaba la cuenta a la mesa. Los dedos delgados del hombre se alargaron hacia ella como las patas delanteras de una araña palpando el aire, cerniéndose sobre el papel sin llegar a tocarlo. Tampoco levantó la mirada del libro.

—No quisiera molestarle —dijo Corbie—, pero esta noche cerramos temprano.

El hombre alzó el índice de su mano izquierda, una petición de paciencia y silencio, hasta que acabó el poema que estaba leyendo, señaló la página del libro con un marcapáginas de color rojo, un rojo no muy distinto al color y la textura de su pañuelo, y cerró el libro.

—¿Y a qué se debe?

—Hay poco movimiento.

Él miró alrededor, como si observara el entorno por primera vez.

—Lo siento —se disculpó—, no pretendía entretenerla.

Miró más allá de Corbie, hacia donde estaba Dobey, contando el efectivo que había en la caja. Dobey le devolvió la mirada, como si percibiera los ojos del otro, pero enseguida la desvió.

—Oh, no nos entretiene —dijo Corbie—. Todavía tenemos que limpiar. ¿Qué está leyendo?

—Robert Browning.

—No me suena.

—¿Lee poesía?

—No mucha.

—Bueno, será por eso por lo que no le suena.

Sonrió, y la sonrisa no era desagradable, pero a Leila no le pareció que desprendiera mucha calidez. Era como ver a una nevera intentando expresar sentimientos.

—Me gusta su acento —dijo Corbie—, ¿es usted británico?

—Inglés.

—¿Hay alguna diferencia?

—El carácter. El bizcocho estaba muy bueno.

Metió la mano en la chaqueta, sacó una cartera de cuero marrón y dejó un billete de diez y otro de cinco sobre la factura.

—Es demasiado. La cuenta no pasa de los siete.

—Quédeselo. Me gusta la paz y la tranquilidad. Ha sido un momento de sosiego agradable.

Corbie no sabía lo que significaba «sosiego», pero supuso que seguramente era algo bueno, por las otras bonitas palabras que la acompañaban.

—Bueno, gracias. ¿Se queda en la ciudad esta noche?

Leila pensó que la pregunta sonó más insinuante de lo que pretendía, aunque con Corbie una nunca estaba segura.

—Eso depende. Tengo que acabar unos asuntos, pero creo que no me llevará mucho, y el éxito de un minuto compensa el fracaso de años.

La sonrisa que Corbie había lucido a lo largo de toda la conversación hizo cuanto pudo por resistir al envite de la incomprensión.

—Bueno, conduzca con cuidado. —Corbie le dio la espalda, luego se detuvo y se volvió para mirarlo. De repente se le había ocurrido algo—. Una cosa, ¿es usted actor?

—Señorita, todos somos actores.

Corbie se lo pensó un momento.

—Yo no —dijo.

—En ese caso —comentó el desconocido, sin dejar el tono de condescendencia divertida—, está jodida.

Corbie se quedó sin palabras mientras él se levantaba, se ponía el abrigo, daba las buenas noches con un gesto de la cabeza a Leila y Dobey, y salía a la noche. Leila no pudo contener la risa.

—Por Dios, Corbie —dijo.

—Menudo imbécil de mierda.

Eso hizo que Leila se riera todavía con más ganas, porque Corbie, pese a todos sus defectos, casi nunca soltaba tacos. Todavía acudía al First Missionary todos los domingos, aunque se rumoreaba que Corbie Brady pasaba más tiempo de rodillas fuera de la iglesia que dentro, y con la boca llena de algo que no eran precisamente oraciones.

Leila se dio la vuelta para ver la reacción de Dobey, pero éste se había encaminado a su oficina después de que el desconocido se hubiera marchado.

—Es curioso —dijo Leila.

—¿El qué?

—Le has dicho que conduzca con cuidado, pero yo no he oído ningún coche.

Leila se acercó a la ventana y miró al aparcamiento delantero. Estaba vacío, y Corbie confirmó que los únicos vehículos que había atrás eran los del personal. El restaurante se hallaba en las lindes de Cadillac, que no tenía aceras fuera de los límites urbanos. Varias farolas iluminaban la parte de la ciudad, pero Leila no pudo detectar bajo ellas el menor rastro del hombre que acababa de salir. Se acercó a la puerta y la cerró con llave justo cuando Dobey reapareció.

—Yo me encargaré de cerrar —dijo—. Vosotras idos a casa ahora.

Eso también era poco habitual. Los sábados por la noche Dobey solía tomarse un par de cervezas con el personal, y tal vez una bandeja de hamburguesas preparadas por él mismo.

Le hizo un gesto a Carlos.

—Carlos, asegúrate de que las chicas lleguen a donde quiera que vayan. Síguelas, ¿me oyes?

Tanto Leila como Corbie vivían en el oeste de la ciudad, mientras que Carlos residía en el este. Eso apartaba al chef de su camino sin que pareciese que hubiera un buen motivo para ello. Cadillac podía ser muchas cosas, pero no peligrosa. Hacía más de una década que no se había cometido ningún asesinato en la zona, y el mayor riesgo para la vida era que te atropellara un conductor borracho, una forma de mortalidad con la que, como muchos pueblos, estaba tristemente familiarizada.

Leila se acercó a Dobey.

—¿Va todo bien? —preguntó en voz baja.

—Todo bien. Sólo hacedme caso, nada más.

—¿Conocías a ese hombre?

Dobey se pensó la respuesta.

—No lo había visto en mi vida.

—Bueno, pues seguro que has recuperado el tiempo perdido esta noche. Lo estabas mirando como si hubiera planeado robar la cubertería.

—Simplemente no me ha gustado. Sin más.

—¿Llamamos a la policía?

—¿Y qué decimos? ¿Que ha entrado un cliente que leía poesía? Por lo que yo sé, eso todavía no va contra la ley. Sólo estoy inquieto. Son cosas que pasan con la edad. Y ahora vete, pesada. Has acabado, y soy demasiado pobre para pagar horas extra.

Sin nada más que decir, Leila cogió su abrigo y su bolso del armario del personal y se unió a Carlos y Corbie en la puerta de atrás.

—¿Crees que era marica? —le preguntó Corbie.

—¿Quién?

—El británico ese. Vestía como uno de ellos y, ya sabes, leía poesía.

—Por Dios, Corbie, eres tan...

Dobey se acercó a cerrar detrás de ellos antes de que pudiera decir nada más, y Leila oyó los cerrojos encajando en su sitio en cuanto se cerró la puerta. Cuando ella salió en coche del aparcamiento, siguiendo las luces del Dodge de Corbie y con Carlos conduciendo en su retrovisor, el Dobey's ya estaba a oscuras. Primero llegaron a casa de Corbie, y Leila y Carlos esperaron a que entrara en la seguridad del hogar antes de seguir poco más de un kilómetro hasta la casa de las Patton. Leila detuvo su coche, se bajó y se acercó a Carlos.

—Estoy preocupada por Dobey.

Carlos llevaba diez horas de pie, y al día siguiente le tocaba el primer turno. Sólo pensaba en meterse en la cama, pero Leila le caía bien, y Dobey, todavía mejor.

—Si quieres, me paso a ver cómo anda.

—Gracias.

Leila volvió a su coche, lo aparcó y caminó hasta la puerta delantera. Sólo cuando la puerta estuvo cerrada, Carlos dio la vuelta a la furgoneta y regresó al restaurante.

4

Parker y Louis salieron juntos del bar. Louis había bajado caminando desde la colina donde estaba su apartamento hasta la zona portuaria, pero no se veía con ánimo para volver andando cuesta arriba. Eran los últimos clientes, y las calles de la ciudad estaban muy tranquilas, aparte de los esporádicos coches que pasaban por Commercial.

—Hace más calor —comentó Louis, y era verdad, incluso se notaba la diferencia a pesar del breve rato que habían estado dentro. Parker oía el agua que goteaba de los tejados.

—El invierno ha acabado —dijo.

—¿Así de fácil?

—Tal cual.

El coche de Parker estaba junto al bordillo, pero todavía quedaba un vehículo en el aparcamiento al aire libre que había frente al bar. Era una Chevy Silverado nueva, muy customizada, con ruedas enormes y una caja de seguridad en la plataforma: una camioneta que amenazaba con joder a cualquiera. Había partes del país, y ciertamente del estado —aunque no muchas—, donde la propiedad de una camioneta como ésa podría haber estado justificada por el terreno y la necesidad, pero era obvio que ese vehículo en concreto no había sido comprado como herramienta de trabajo. Su simple existencia era un acto de chulería, una tentativa de intimidar. Y, por si quedaba alguna duda sobre las intenciones de su dueño, un par de pequeñas banderas confederadas se agitaban en los retrovisores exteriores, con una versión mayor pegada al cristal de la luna trasera. La camioneta podía verse desde donde estaban sentados, pero no pertenecía a ninguno de los clientes del bar. Parker había notado que Louis se había fijado en ella varias veces durante el rato que habían pasado dentro, y que la miraba con una expresión indescifrable. Louis se detuvo entonces delante de la camioneta, fijándose en cada detalle.

—¿Cuánto crees que cuesta uno de esos cacharros? —preguntó.

—Yo diría que unos treinta mil el modelo básico, pero este monstruo dista mucho de ser uno estándar. Supongo que saldrá por sesenta o setenta mil, antes de la customización, y cinco pavos más por las banderas.

—Menudo gasto para hacer publicidad de la propia ignorancia.

—Está claro que uno puede hacer muchas cosas con cinco dólares.

—Al sur de la Línea,* podría entenderlo. Puede que no me hiciera gracia, pero podría entenderlo. Mi pregunta es: ¿qué pinta esto aquí arriba?

—La estupidez no tiene fronteras.

—¿Crees que se trata sólo de estupidez?

—No, creo que pertenece a alguien para quien un buen día depende de cuánto ha fastidiado el día de otros.

No era la primera bandera rebelde que Parker había visto por ahí últimamente, y sabía que no sería la última. No era tan ingenuo como para creer que la rabia y la intolerancia eran algo nuevo en el estado, pero no recordaba que se lucieran tan abiertamente como insignias de orgullo. El fanatismo y el odio parecían haber recuperado ímpetu desde hacía poco.

—Ésta es la era de los ignorantes —dijo Louis.

—Tal vez, pero a éste en concreto vale la pena esperarlo.

—¿Lo conoces?

—Sólo a los de su clase. Escucharlos es como meterte alambre de espino en las orejas.

* Se refiere a la Línea Mason-Dixon, demarcación trazada a finales del siglo XVIII en el este del país que separa, aproximadamente, los estados esclavistas (el Sur) y los abolicionistas (el Norte). *(N. del T.)*

Louis echó un vistazo a las calles vacías.

—Estaré contigo dentro de un momento —dijo.

—¿Pongo el coche en marcha?

—Creo que sería aconsejable.

Parker empezó a andar. Su Mustang había pasado el invierno a cubierto, así que conducía un Taurus plateado de 2009, uno de esos coches que no llamaba la atención y que utilizaba en las ocasiones en que un trabajo requería cierta discreción. Detestaba el Taurus, y ya había decidido cambiarlo por algo que fuera un poco menos funcional en cuanto llegara la primavera, pero de repente se alegró mucho de disponer de él esa noche. A veces, incluso a él le costaba acordarse de cómo era el coche, así que probablemente nadie lo recordara. Se sentó al volante, puso el motor en marcha y esperó. Al cabo de dos minutos, Louis abrió la puerta del pasajero y subió. Le daba vueltas a una pequeña bandera confederada en la mano derecha.

—¿Qué coño es esto? —preguntó señalando el coche.

—Un Taurus —dijo Parker mientras se apartaba del bordillo. Se resistió a pisar a fondo el acelerador por temor a acabar sobre un montón de hielo sucio, pero deseaba con todas sus fuerzas que el Taurus tuviera un poco más de fuego en las entrañas.

—¿Lo conduces por una apuesta? Me habría ido mejor yendo a pie.

—¿Puedo preguntar qué has hecho?

No fue necesario que Louis respondiera, porque al cabo de unos segundos Parker oyó el sonido inconfundible de una camioneta explotando. Siguió conduciendo, con un ojo atento a cualquier coche patrulla del Departamento de Policía de Portland, pero no vio ninguno. No tardarían mucho en llegar. Sólo esperaba que los alrededores del bar estuvieran tan vacíos como parecían.

—Apuesto a que ahora desearía haber usado diésel —dijo Parker.

—Puede tomárselo como una lección aprendida.

Parker señaló la bandera.

—¿Te la guardas como recuerdo?

—He anotado su número de matrícula. A lo mejor me entero de dónde vive y se la devuelvo.

—¿Por correo?

Louis examinó la bandera con expresión pensativa.

—Si tiene suerte.

5

Carlos volvió al restaurante y se encontró todas las luces apagadas, incluso la de la oficina trasera. Condujo hasta el aparcamiento del personal y atisbó un cálido resplandor que salía del interior de la caravana doble de Dobey, y al momento vio al propio Dobey en la puerta.

—¿Qué haces aquí? —preguntó Dobey.

—La señorita Leila me lo pidió —dijo Carlos—. *Inquieta.** Está preocupada por usted.

—¿Las dos llegaron bien a casa?

—*Sí.*

—En ese caso, tú también debes irte.

Carlos se demoraba, apoyándose, vacilante, primero en un pie y luego en el otro. Llevaba más de diez años trabajando en Dobey's y le debía mucho a aquel hombre. Dobey le pagaba bien, y se había ofrecido a avalarle cuando Carlos quiso comprar una vivienda para su familia. Dobey era tal vez la mejor persona que Carlos había conocido en su vida, y habían pasado tantas horas trabajando juntos que ahora podía anticiparse a los deseos de Dobey casi por telepatía, y sabía valorar sus estados de ánimo con una precisión que ni siquiera Esther Bachmeier podía igualar. Ahora mismo, Carlos habría dicho que Dobey estaba asustado, exactamente eso; sí, tenía miedo, pero un miedo que bordeaba la rabia.

—Carlos, te lo juro, si no te veo a ti y a tu furgoneta perdién-

* En español en el original, como el resto de las cursivas que siguen en este capítulo. *(N. del T.)*

doos en la noche en los próximos treinta segundos, te pondré a fregar tantas sartenes la semana que viene que el último día te estarás limpiando el culo con un muñón, ¿me has oído?

—*Entiendo.*

—Y Carlos, nada de tonterías. No hay de qué preocuparse.

—*Entiendo* —repitió Carlos. No quería ningún lío con la policía. Él y su familia más cercana tenían todos la tarjeta verde de residencia permanente, pero dos primos que vivían con ellos no la habían conseguido. Se dijo que Dobey sabía qué estaba haciendo, porque Dobey siempre sabía lo que hacía, aunque esa mentira pareció cobrar cuerpo físico y atascarle la lengua y la garganta, de manera que no pudo articular ninguna palabra más, ni siquiera despedirse.

Dobey esperó hasta asegurarse de que Carlos se había marchado antes de cerrar la puerta tras de sí. Se volvió para encarar al hombre sentado en su sillón favorito, que hojeaba despreocupadamente un ejemplar de Marco Aurelio que había cogido de la estantería y tenía su gabán azul marino doblado de nuevo cuidadosamente al lado; sus zapatos reflejaban la luz de la lámpara. Detrás de Dobey se movió otra figura, ésta más baja que el hombre, muy pequeña, pero que desprendía el olor a leche agria de esperma viejo.

—Muy bien —dijo el hombre del sillón—. Ahora, si toma asiento, podemos empezar.

6

Parker dejó a Louis en el apartamento de éste en el Eastern Promenade de Portland, aunque había tomado la pintoresca ruta a través de South Portland, sintiendo que su estómago se tensaba cada vez que se cruzaban con un coche patrulla. Se acercó a su casa en Scarborough con similar cautela, previendo la presencia de policía, pero parecía que nadie había visto lo que había sido, en todos los sentidos, un acto de vandalismo bastante espectacular.

Tenía que reunirse con Moxie Castin para desayunar a la mañana siguiente. Parker no tenía problemas de dinero, pero estaba aburrido. Las últimas semanas habían sido tranquilas, y se había entretenido entregando notificaciones judiciales y comprobando historiales de empleados. Temía que si no surgían pronto casos más interesantes, se vería obligado a convertir en costumbre sacar a pasear a Louis para que pudiera prender fuego a lo que le molestara.

Parker estaba preocupado por Louis. Desde que lo conocía, Louis siempre había estado con Angel, y ninguno de los dos se alejaba del otro salvo en contadas ocasiones. Podían discutir, incluso pelearse alguna vez, pero su amor y lealtad quedaban fuera de duda. Louis daba fuerzas a Angel, y Angel templaba la dureza de Louis, pero Parker siempre había creído en secreto que mientras que Angel podría sobrevivir sin Louis —no sin daños, y cargando con una enorme aflicción, pero sobrevivir pese a todo—, Louis no viviría mucho sin Angel. Louis era un hombre de extremos, y Angel lo ataba con suavidad a la normalidad y a la vida doméstica, por más que lo hiciera de una forma irreconocible para la mayoría de las personas.

Si Louis perdía a Angel, Parker pensaba que acabaría perdiéndose él, y que moriría derramando su dolor sobre el mundo. Parker lo percibía porque, aunque se sentía más próximo a Angel que a Louis, compartía tanto con el segundo como con el primero. Parker lo sabía todo sobre el dolor, y del precio que había que pagar por sufrirlo.

Así que rezó una oración por los dos hombres, una oración a un Dios cuya existencia —sin entrar en la bondad de Su naturaleza— ya no ponía en duda. Rezó también por su hija viva y por la que había muerto antes que ella, la hija que todavía vagaba por las marismas, que se desplazaba entre los mundos.

Consultó la previsión del tiempo antes de acostarse. La temperatura iba a subir durante la siguiente semana. El invierno ya había pasado por el estado. Bien, pensó Parker. Aunque era hijo del Norte y se sentía más cómodo en la oscuridad y el frío que en la luz y el calor, ese año hacía mucho que había sobrepasado el límite de la fatiga que le producía aquel clima y anhelaba ver extensiones de tierra y hierba sin mancillar por los trechos de hielo grisáceo.

Se durmió, bendecido por la ausencia de sueños.

7

Dobey tomó asiento en el borde de la cama y sus rodillas casi rozaban las del hombre sentado frente a él. Estaba tan cerca que a Dobey le llegaba su aroma. Un perfume sutil, limpio y caro, incluso para una nariz inexperta como la suya. Le recordaba al tabaco de pipa y a los servicios religiosos en la High Church de su infancia.

Dobey imaginó que, por su parte, él sólo olía a grasa y sudor. Había dejado de percibir el particular olor del restaurante que le impregnaba la ropa y la piel, pero de repente le avergonzó, como si, pese a ser la víctima de una intrusión, incluso una invasión, fuera culpable de una falta de modales e higiene.

El visitante no dio la menor muestra de sentirse incómodo por la intimidad forzada. Al contrario, pese a su anterior indicación de que deseaba comenzar, siguió pasando las páginas de los *Comentarios* concentrándose en ellas. Por último, levantó el libro con un gesto triunfal.

—Es notable —empezó a decir— lo que llegan a obsesionarnos algunas cosas de las que tenemos un vago recuerdo. Hacía muchos años que no abría un ejemplar de Marco Aurelio, pero el eco de su sabiduría ha perdurado. Déjeme compartir esto con usted, en parte porque su pertinencia es ineludible dadas las actuales circunstancias. —Respiró hondo y empezó a leer—: «Si estás alterado por algo externo, el dolor no se debe a la cosa en sí, sino al valor que tú le des; y eso tienes la potestad de cambiarlo en cualquier momento». ¿No es espléndido? De lo anterior podemos inferir que aumentamos el dolor con nuestras respuestas al mismo. En lugar de obsesionarnos con la naturaleza del sufrimiento, y culpar a los demás o a uno mismo, lo mejor es establecer la causa y luego trabajar para eliminarla. ¿No le lleva a cuestionarse algo?

—¿Qué quiere? —preguntó Dobey.

—Me refería a la pregunta sobre Marco Aurelio. Dicho sea de paso, éste es un ejemplar de calidad: editado por Parker, en Londres, en 1747. Vaya, vaya. —Pasó los dedos por la encuadernación—. ¿Cuero?

Dobey asintió.

—Hermoso. Para alguien que se pasa la vida sirviendo bazofia a paletos, parece poseer unos gustos literarios llamativamente cultivados.

—Todavía no me ha dicho su nombre —dijo Dobey—, ni por qué está aquí.

—Oh, el «porqué» probablemente lo puede adivinar. Hemos venido para averiguar el actual paradero de una de las muchas perras callejeras que han pasado por aquí durante los últimos años, pero enseguida hablaremos de ella. En cuanto a quién soy, me llaman Quayle. Soy abogado..., o lo era hace tiempo.

—¿Y ella?

La mujer no se había movido de su sitio junto a la ventana. Aunque era joven, su cabello tenía un color platino que no era fruto del tinte, y su piel de porcelana brillaba sólo muy levemente. Incluso sus ojos eran grises. Dobey se imaginó que le clavaba un cuchillo y que observaba cómo éste salía rebotado sin causar daños, dejando tan sólo unos leves rasguños.

—Si alguna vez tuvo un nombre genuino —dijo Quayle—, ha caído en el olvido, incluso para ella. Vamos a poner a prueba sus conocimientos para establecer si es usted un verdadero estudioso o simplemente un vendedor. Si le dijera que alguien decidió bautizarla como «Pallida», ¿qué apellido le añadiría?

Dobey miró fijamente el rostro de Quayle mientras respondía.

—Mors.

Quayle aplaudió despacio para mostrar su admiración.

—Impresionante. ¿Se me ha pasado Horacio al mirar sus estanterías?

—Está detrás de su cabeza.

Quayle se dio la vuelta y revisó cuidadosamente las estanterías hasta que dio con un antiguo ejemplar de los *Carmina.*

—Usted es —dijo en voz baja— un placer muy inesperado, pero me temo que habrá que pedirle que admita lo acertado de la nomenclatura usada con ella. Ella es la encarnación misma de la muerte.

Dobey cruzó sus manos sobre el regazo.

—Habla rebuscadamente —dijo—. Mi padre me enseñó a no fiarme nunca de un hombre que hablara así.

—Muy sensato. Y admiro su ecuanimidad, ¿o tal vez cree que estoy bromeando acerca de la inminencia de su muerte?

—He visto sus caras. Sé lo que se avecina. Quizá debería mandarlos a la mierda. Es más, ¿por qué no? Usted y la mujer de hojalata de ahí pueden irse a la mierda ahora mismo y no volver jamás.

—Bueno —dijo Quayle—, permítame explicarle por qué no va a pasar eso. Usted no es el único que me ha visto la cara esta noche. Es sólo uno de los cuatro, contando a su personal, pero excluyendo a los palurdos de sus clientes, y serán cinco si me obliga a hacerle una visita a la señora Bachmeier, la dama que, según creo, comparte tanto su vocación como su cama. Si me dice lo que quiero saber, no molestaremos a ninguno de ellos. Si no, esta noche, un poco más tarde, mi colega destripará a su amigo Carlos y enterrará viva a la viuda Bachmeier. Y a mí me gustó la camarera, no la que me sirvió, sino la otra. Me fijé en el modo en que lo miraba. Ella le tiene cariño a usted, y usted a ella. No de una manera indecente, claro, pero distinguí el lazo que hay entre ustedes. Leila: así se llamaba. Lo vi en la placa. Nunca me ha atraído la violación, pero en su caso haré una excepción. Cuando haya acabado con ella, dejaré que Mors empiece a cortar.

Dobey cerró los ojos.

—¿Y cómo sé que no van a matarlos de todos modos?

—Si quisiéramos hacerlo, habríamos empezado por Carlos cuando estaba delante de su puerta.

—¿No teme que los identifiquen?

—Señor Dobey, llevo haciendo esto desde hace mucho tiempo, más del que imagina. Me ha visto mucha gente, algunas personas en circunstancias similares a sus empleados, y sigo aquí, así que no me preocupa. El rostro de mi colega, por otro lado, suele ser el último que ven.

Quayle puso una mano sobre la rodilla de Dobey y apretó con suavidad, un gesto que tenía tanto de tranquilizador como de amenazante.

—La chica, o la mujer, si lo prefiere, que buscamos se llama Karis Lamb.

8

Muy al nordeste, empezó a caer una lluvia intensa y cálida sobre la nieve compacta y el persistente hielo. A medida que el agua hacía su trabajo, los mares blancos se agrietaban para revelar los verdes y marrones que había debajo. La tierra endurecida fue ablandándose lentamente y el sonido de la lluvia convocaba al brote y la rama, a la semilla y la raíz.

Convocaba a cuanto hubiera allí enterrado.

9

Salvo en circunstancias excepcionales, Dobey raramente preguntaba a las chicas que acudían a él cómo habían conseguido su número o cómo se habían enterado de dónde encontrarlo. No es que hiciera publicidad, dejando su tarjeta metida entre los ladrillos de las esquinas de las calles o introduciéndola detrás de los espejos de los lavabos. Pero a medida que pasaban los años, acabó comprendiendo que aquellos a los que ayudaba a buscar un sitio mejor a menudo consideraban su deber ayudar a otros a su vez («Hay un hombre en Indiana...»). Los amigos y socios de Esther también tenían su número y su dirección para darlos cuando se los pidieran.

Lo que le convertía en especial —no, se corregiría Dobey (porque la vanidad, si se adueña de una mente crédula, puede hacer todo tipo de trastadas), lo que convertía su posición en especial— era que no formaba parte de la red habitual de refugios y obras de caridad. Se mantenía alejado de ella, y así proporcionaba un refugio anómalo para aquellos que, por las razones que fuera, todavía no estaban preparados para que los absorbiera el sistema.

Pero era plenamente consciente de cómo había empezado todo.

La chica estaba sentada en el banco delante de una farmacia CVS de la Main Street de Cadillac, con una mochila a sus pies y las manos metidas hasta el fondo de los bolsillos del abrigo para combatir el frío. Un rótulo descolorido sujeto a la farola a su lado aseguraba que eso era una parada de autobús, pero hacía dos años que no pasaban autobuses por Cadillac, no desde que los recortes en los fondos públicos interrumpieron la ruta. La chica, una desconocida para Dobey, no debía de haber cumplido los veinte, pero su cara no se había desarrollado al mismo ritmo que el resto de su cuerpo y parecía la de una niña. Era bonita, casi hermosa, pero de una gracia frágil, quebradiza. Tal vez por eso se detuvo Dobey. Si hubiera tenido un aspecto más curtido, habría seguido conduciendo, y su vida habría tomado una dirección distinta.

Por entonces, Dobey tenía cincuenta y pocos, y sabía que nunca sería padre. Había estado a punto de casarse un par de veces, pero el paso definitivo había resultado difícil en ambos casos, una vez por él y la segunda por la otra parte. No sentía remordimientos al respecto: más valía que las dudas y dificultades se manifestaran antes que después de la ceremonia. Si las hubiera podido superar, podría haberse encontrado de nuevo en otro viaje. Pero ahora la viuda Bachmeier lo estaba rondando, y lo que había sido una danza casta que comenzó durante la enfermedad terminal de su marido estaba a punto de convertirse en un compromiso más íntimo.

Incluso reconociendo la delicadeza de la chica, Dobey todavía estaba tentado de seguir su camino y dejar que algún otro cuidara de ella, una persona más preparada para tratar con una adolescente. También se daba cuenta de que lo último que querría una joven con problemas era que un tipo de mediana edad y más bien gordo al volante de una furgoneta se detuviera a ofrecerle ayuda. En el mejor de los casos, ella tendría todo el derecho a mostrarse cautelosa, y, si tenía el menor sentido común, empezaría a gritar a pleno pulmón hasta que llegara la policía.

Pero si todo el mundo lo viera así, en todas partes los senderos estarían más alfombrados todavía de lo que ya estaban con los restos de indigentes y gente perdida, y Dobey no quería ser responsable de añadir otra víctima a la lista; ni ese día, ni ningún otro. Así que dio media vuelta, se detuvo unos metros por delante de la joven y se bajó de la furgoneta. Una vez tomada la decisión, no sabía muy bien cuál era la distancia correcta a la que debía mantenerse, ni qué hacer con las manos, y se preguntó si la proximidad y belleza de la chica le habían hecho retroceder a la adolescencia.

La chica lanzó una mirada de soslayo en dirección a Dobey, como un animal que captara el acercamiento de una potencial amenaza y evidenciara su percepción como preludio a una posible huida.

—¿Te ha dicho alguien que esto era una parada de autobús? —preguntó Dobey.

La chica se encogió de hombros y cerró brevemente los ojos. Ya sabía, sin que se lo dijeran, que se la habían colado. Sólo era cuestión de esperar para ver si alguien intentaba de nuevo ofrecerle ayuda.

—¿Está diciendo que no lo es?

—Lo dice la compañía de autobuses. Y, sea como sea, no tengo mucha influencia.

—Entonces, ¿por qué sigue ese rótulo ahí arriba?

—Eso —dijo Dobey— es una buena pregunta. La respuesta, supongo, es que o bien nadie se tomó la molestia de quitarlo, o bien alguien se ha tomado demasiadas molestias.

La chica se tapó la boca con el cuello del abrigo y miró hacia el norte. Durante el curso de su breve conversación, no había mirado a Dobey directamente.

—¿Adónde quieres ir? —preguntó él.

—Chicago.

—¿Tienes familia allí?

—Un amigo.

—¿De dónde vienes?

—De Carolina.

—Dios mío. ¿Del Norte o del Sur?

—Del Sur.

—En ese caso, Dios mío al cuadrado.

Aunque no le veía la cara, supo por las arrugas que se le formaron junto a los ojos que había sonreído.

—¿Y cómo has acabado —preguntó Dobey— sentada en un banco aquí, donde, oficialmente, no pasan autobuses?

Los ojos de la chica buscaron por fin los suyos.

—Porque un tipo me recogió en una furgoneta a unos treinta kilómetros al sur de aquí, me dijo que me daría diez dólares por hacerle una paja, y luego me echó cuando no me abrí de piernas.

Dobey palmeó su propio vehículo.

—En ese caso supongo que evitarás las furgonetas durante un tiempo —dijo, porque no se le ocurría nada más que decir—. Lo siento. —No parecía que mereciera la pena desperdiciar más oxígeno.

—Supongo que sí —dijo la chica.

Dobey miró hacia el norte. Con el rabillo del ojo, vio que la chica volvía la cabeza de nuevo en la misma dirección.

—Si miras carretera arriba —dijo—, verás el rótulo de un restaurante llamado Dobey's. Es mío, yo soy Dobey. Suponiendo que puedas levantarte de ese banco, puedo ofrecerte un plato de comida, una taza de café y hasta es posible que un trozo de pastel para acabar. Y mientras te olvidas de todo, puedo hacer algunas llamadas y ver si alguien de confianza, y preferiblemente mujer, va a ir a Indianápolis, o al menos a algún sitio con una ruta de autobús que te ponga en camino hacia donde quieres ir. ¿Qué te parece?

La chica se lo pensó un poco.

—Me parece bien.

—¿Quieres que te lleve la mochila y te ahorre el trabajo de cargarla hasta allí?

—No, la llevo yo. —Y al momento añadió—: Gracias.

—Muy prudente por tu parte, y de nada —dijo Dobey—. ¿Tienes un nombre para hacerte la reserva?

Otra vez arrugas en los ojos.

—Mae.

—¿Como el mes?

—No, Mae con e final.*

—Bueno, Mae con e final, espero volver a verte muy pronto.

Dobey se subió a la furgoneta y arrancó, y un cuarto de hora más tarde Mae con e abrió la puerta del restaurante, se acomodó

* La pronunciación es muy parecida a *May*, «mayo». *(N. del T.)*

en un taburete tras la barra y comió tanto como para poner el negocio de Dobey en números rojos por un instante, mientras él llamaba a Esther Bachmeier. Esther acudió y fue a sentarse con la chica en un apartado del rincón durante una hora. Cuando volvió junto a Dobey, Mae con e estaba llorando, y a ella tampoco le faltaba mucho.

Mae con e no fue a Chicago ni a Indianápolis ni a ninguna otra parte ese día, ni el siguiente, ni el de después. De hecho, Mae con e se instaló en la segunda caravana de Dobey, la que se había comprado para su creciente colección de libros, durante tres semanas, más tiempo del que se quedaría ninguna de las demás mujeres. Cuando finalmente se fue, lo hizo camino de un refugio en Chicago, y Dobey sintió su ausencia como la de un miembro amputado. Más adelante, Mae con e cambió el refugio por un apartamento tan pequeño que tenía que salir para cambiarse de ropa y hasta de opinión, pero era un lugar seguro, y cálido, y su propio espacio. Ahora vivía en un apartamento más grande en St. Paul, en Minnesota, tenía un bebé con un hombre que no conducía una furgoneta ni era un gilipollas. Le mandaba una postal todas las navidades a Dobey y lo llamaba de vez en cuando, y hacía unos años había vuelto a la caravana en el mes de noviembre para ayudar en la celebración del sesenta cumpleaños de Dobey.

De manera que Mae con e fue la primera, y las demás llegaron después. Dobey las recordaba a todas, sin excepción, incluso a aquellas que sólo pasaron una noche, pero a Karis Lamb la recordaba mejor que a la mayoría, porque Karis Lamb estaba muy muy asustada.

Y muy muy embarazada.

10

Una lluvia cálida caía con fuerza sobre los bosques de Maine, sobre los campos y la marisma; el canto de la primavera.

¿Qué es lo que diferencia una arboleda de otra?, ¿una disposición concreta de los árboles?, ¿una combinación rara de arbustos? En este caso, una incisión en la corteza de una pícea negra, como una herida desgastada sobre una piel envejecida, cicatrizada hace mucho pero todavía visible, si uno sabía dónde mirar. Podría ser una estrella, cortada bajo una hiedra, con la intención de dejar algún recuerdo pero sin atraer la atención de curiosos.

Una marca, una tumba.

La voz de la lluvia salmodiando un nombre.

Era la estación de los despertares.

Durmiente, despierta.

11

Quayle observaba los rasgos de Dobey como quien ve una película proyectada sobre una pantalla, anticipando las revelaciones —o las ficciones— que vendrían. Dobey nunca había alardeado de saber poner cara de póquer, pero estaba seguro de que, aunque hubiera poseído ese talento, Quayle habría sido capaz de calarle con facilidad. Dobey pensó que los ojos de Quayle decían mucho de ese hombre —una perspicacia incuestionable, incluso cierto sentido de un humor cruel—, pero eran totalmente ajenos a la humanidad. Sentarse ante él era como encontrarse bajo el escrutinio de un dios menor.

—Demos por sentado —dijo Quayle— que usted ha intentado negar que conoce a Karis, y que, como respuesta, yo he manifestado que no le creo, y le he hecho algunas advertencias que sería insensato que subestimara. Así nos ahorraremos muchas molestias.

—No sé adónde se fue —dijo Dobey.

—Nos estamos adelantando. ¿Cuándo llegó y cuánto tiempo se quedó?

Dobey había llegado a la conclusión de que su mayor esperanza, acaso la única, era responder todas las preguntas lo más extensamente que pudiera y, a la vez, dar la menor información posible, para así ganar tiempo. Rezaba para que Carlos hubiera hecho caso a su instinto y hubiera llamado a la policía, de forma que ahora el jefe Dwight Hillick podría estar convocando a sus hombres. Suponía que podría haber intentado darle a Carlos alguna señal de que pasaba algo anómalo, hacerle un pequeño guiño o gesto, pero, desde el lugar donde se ocultaba, la mujer había susurrado a Dobey lo que tenía que decir exactamente, y se había asegurado de que su cara y sus manos estuvieran a la vista mientras hablaba. La voz de la mujer le había sonado sorprendentemente suave, pero el aliento le olía todavía peor que su cuerpo, como si se pasara las horas muertas haciendo mamadas a camioneros enfermos en sórdidas paradas de camiones sin detenerse siquiera a lavarse la boca entre una y otra.

Quayle chasqueó los dedos delante de Dobey.

—Vuelva conmigo —dijo—. Espero que se haya tomado un momento para recordar con precisión y no para darme largas o inventarse una mentira.

—Se quedó unos días.

—¿Cuándo?

—Hará unos cinco años, puede que más. No recuerdo la fecha exacta, pero era por esta época del año. Todavía hacía frío.

—¿Por qué no se quedó más tiempo?

—Unas se quedan más que otras. Las chicas que aparecen necesitan tiempo para descansar y pensar cómo cambiar sus vidas, encontrar un empleo y ganar un poco de dinero. Yo siempre puedo darles unas horas aquí o allí. Luego hay otras a las que les da miedo quedarse. Quieren seguir huyendo porque temen que lo que las persigue pueda alcanzarlas si se detienen.

—¿Y qué las persigue?

—Malos recuerdos, mala gente.

—¿Y qué cree que represento yo?

—Seguramente ambas cosas.

—¿Sabe qué le digo? Ha desperdiciado su vida sirviendo comidas. Tendría que haber ido a la universidad. Tenía futuro en el análisis psicológico. Ahora ya no le queda futuro. ¿Le contó Karis por qué huía? Piénselo bien. Si me surge la menor duda acerca de la veracidad de lo que cuenta, tendré que verificar sus respuestas con la señora Bachmeier.

—De un hombre —dijo Dobey—. Huía de un hombre. ¿De qué otra cosa, si no?

—¿Le dijo cómo se llamaba?

—No pregunté. Raramente lo hago.

—¿Está seguro?

—Sí. Dejo que me cuenten lo que quieran, pero no agobio a nadie pidiendo detalles.

—¿Por qué no?

—Porque ya he oído bastante, y sólo puedo soportar cierta cantidad.

—¿Sensible? —preguntó Quayle.

—Culpable —repuso Dobey—. Lo que algunos hombres les hacen a las mujeres hace que me avergüence de mi sexo.

La centinela en la puerta seguía observando el aparcamiento, tenía una pistola con silenciador colgada de su costado. Dobey se preguntó por un instante qué la habría convertido en la criatura que era, qué le habrían hecho los hombres, porque tenían que haber sido hombres: Dobey había llegado a ser un experto en identificar su huella. Fuera lo que fuese lo que hubiera sufrido, la había transformado en algo horrible, pero eso no impediría que él le hiciera daño si tenía que hacerlo. No creía que pudiera llegar hasta ella antes de que disparara su arma, pero seguramente podía derribar a Quayle. La pequeña mesita de noche que había junto a la cama contenía un montón de basura inútil —monedas antiguas, cargadores de móviles que ya ni siquiera se fabricaban, lápices rotos, sedantes caducados—, pero también había un cuchillo Ka-Bar de hoja fija y un revólver Sidewinder Magnum del calibre 22. Si pudiera derribar a Quayle, utilizarlo fugazmente como escudo y meter la mano en la mesita...

—No —dijo Quayle.

—No entiendo.

Quayle se metió una mano en uno de los bolsillos de los pantalones, sacó una moneda y la lanzó al aire hacia Dobey, que la atrapó instintivamente.

—Mírela —dijo Quayle.

Dobey la miró. Era una moneda de veinticinco centavos de 2005, conmemorativa del estado de Kansas, ligeramente desgastada y rayada, con las palabras *«In God We rust»* porque una mancha de grasa había impedido una impresión limpia.* En

* Debería llevar inscrito *«In God We Trust»* («En Dios confiamos») y no *«In God We rust»* («En Dios nos oxidamos»). *(N. del T.)*

buen estado, probablemente valdría unos cien dólares, pero no tanto tal como estaba ahora. Dobey la reconoció, era una de las monedas que guardaba en la mesita de noche, una pieza que había sacado de la caja registradora y había añadido a otras rarezas que guardaba allí con la intención de venderlas algún día.

—Mi colega se quedó con la pistola y el cuchillo, pero sus conocimientos no llegan a la numismática —dijo Quayle—. Dígame, señor Dobey, ¿conoce el cuento del conde de Chalais?

Dobey tardó un poco en responder. Si Carlos hubiera acudido a la policía, ya estarían ahí a esas alturas. Dio por perdidas la pistola y el cuchillo. Y su vida.

—No, señor —dijo por fin—, no lo conozco.

—Henri de Talleyrand-Périgord, el conde en cuestión, era un noble francés, cercano a Luis XIII, que cometió el error de conspirar contra el cardenal Richelieu, un caballero al que, al estilo de muchos grandes conspiradores, no le hacía gracia que conspiraran contra él. Richelieu ordenó que Henri fuera ejecutado, pero los cómplices de éste sobornaron al verdugo para que no se presentara con la esperanza de salvar la vida de Henri. En lugar de eso, Richelieu confió la tarea a otro prisionero, también condenado a muerte, pero que, desgraciadamente, carecía de las habilidades requeridas para realizar una decapitación limpia. Necesitó treinta y cuatro hachazos para cercenar la cabeza de Henri, que vivió hasta el vigésimo. La lección para usted, señor Dobey, es que incluso si uno está seguro de su muerte, puede morir con facilidad o sufriendo lo indecible. Bien, Karis Lamb: ¿qué... le... dijo... exactamente?

—Dijo —respondió Dobey— que huía del diablo en persona.

Quayle se recostó en el sillón.

—Me gustaría poder asegurarle que ella no hablaba literalmente —dijo—, pero le mentiría.

12

La tierra nunca es la misma después del invierno. La estación sella brevemente el paisaje, manteniéndolo en suspensión, pero sólo al precio de una mayor transformación con la llegada de la primavera.

A medida que el suelo helado se derrite, lo hace también el hielo de debajo y la tierra se hunde para llenar los espacios creados. Pero este proceso no sigue una lógica: las cantidades de hielo y el ritmo al que se derriten variarán, con la consecuencia de que una superficie que antes era lisa podría acabar irregular y salpicada de hoyos en el curso de los años, con su fragilidad puesta al descubierto.

La pícea era uno de los árboles más viejos del bosquecillo. Sólo cabía esperar que algún día cayera, o eso se diría más tarde, como si la inminente revelación entrara por entero en el orden natural de las cosas.

Pero no todo el mundo estaría de acuerdo con esa opinión. El árbol, susurraban aquellos que sabían de esas cosas, no era tan viejo, y la pendiente sobre la que se alzaba permanecía relativamente estable. El terreno se hundía un poco, pero no tanto como para provocar que la pícea se desprendiera de la tierra tan fatalmente, y menos aún de forma tan abrupta, cuando el deshielo apenas había comenzado.

Pero el árbol cayó, y al caer, la lluvia amainó, y llovió con más suavidad, como si los cielos hubieran sido cómplices de lo que estaba a punto de suceder.

13

Karis Lamb había podido llegar hasta Seymour, en Indiana, cuando llamó al restaurante preguntando por Dobey, pero él estaba en un almacén en Columbus buscando parrillas. Wanda Brady, la madre de Corbie, tenía experiencia laboral en catering y cubría la ausencia de Dobey un par de tardes a la semana, y fue ella la que respondió al teléfono. Wanda percibió la urgencia en el tono de la mujer y, aunque no le dio el número personal de Dobey, sí aceptó transmitirle el recado.

—Dice que ha huido de una mala situación, y que está embarazada —le transmitió Wanda a Dobey cuando éste respondió al móvil—. Está sentada en un Starbucks en Seymour.

Así que Dobey marcó el número que le dio Wanda, y respondió una mujer que dijo llamarse Karis y que había oído que Dobey ayudaba a personas como ella.

Dobey no se tenía por un buen hombre. Se comportaba de aquella manera porque era inadmisible hacerlo de otro modo, pero la experiencia le había enseñado a tener un mínimo de cuidado. En más de una ocasión, los novios, los maridos o la familia de las mujeres y las chicas a las que había ayudado las habían encontrado, y ellas o bien se vieron forzadas por sus torturadores a regresar, o bien volvieron por voluntad propia, en algunos casos por razones que Dobey prefería ni plantearse.

Al menos dos de esas mujeres hicieron lo que Dobey les pedía a todas las que recibían su ayuda que no hicieran, a saber: hablar del refugio con alguien que no se hallara en una situación similar a la que las había impulsado a ellas a huir. La consecuencia, en el primer caso, fue una llamada telefónica insultante. En el segundo, que un hombre llamado Derrick Flinn —cuya familia de paletos parecía no saber deletrear siquiera un puto nombre de pila, ni de chico ni de chica— se presentara en el restaurante con una pistola Ruger en la cadera, gracias a que el estado de Indiana no se había pronunciado acerca de llevar armas de fuego a la vista en lugares públicos. Dobey era un convencido partidario de la Segunda Enmienda, pero incluso en el mejor de los casos consideraba a cualquiera que entrara en un restaurante, una tienda o un parque público haciendo ostentación de un arma un gilipollas de primera, y eso lo aplicaba doblemente en su propio negocio.

De manera que Derrick Flinn se sentó en un taburete, pidió un café y entabló conversación con Dobey, al principio sobre temas generales, pero luego la fue conduciendo al hecho de que hay gente que se mete en la vida personal de otros hombres, y en especial en su relación con sus mujeres, que fue cuando Dobey empezó a recordar a una mujer de treinta y cinco años llamada Petra Flinn. Petra había acudido a él un par de meses antes con tantos moratones en el torso y los muslos que, con poca luz, Dobey la habría tomado por negra, si no fuera porque la cara, los brazos y las piernas por debajo de las rodillas estaban intactas, de manera que todavía podía lucir vestidos en público, le dijo ella, y no avergonzar a su marido en los actos sociales.

Derrick Flinn no se mostró violento con Dobey, no le amenazó, ni siquiera le alzó la voz, pero los cuarenta minutos que se quedó en el restaurante se contaban entre los más desagradables que había pasado Dobey en su vida; mientras Flinn permanecía sentado y encogido en el taburete, con ropa de camuflaje, como un sapo armado, Dobey se preguntaba si, cuando Flinn empezase a disparar, se limitaría a matarlo a él dejando al margen al personal.

Finalmente, Flinn le dio las gracias a Dobey por su atención, pagó el café y se marchó. Volvió a casa en coche y, ya puestos, golpeó a su recién retornada esposa con tal violencia que se le paró el corazón, y ahora él cumplía cadena perpetua en la prisión estatal de Michigan City. Por eso, hombres como Derrick Flinn se contaban entre las razones por las que Dobey era muy cauteloso cuando una mujer preguntaba si podía ir a buscarla en lugar de tener que desplazarse ella.

—¿Quién te ha dado mi nombre? —preguntó Dobey.

—Una chica que trabaja en una cafetería en Covington, Kentucky —respondió Karis—. Se llama Doreen: Doreen *Pastel de Melocotón*. Así dijo que la recordaría usted.

Dobey se acordaba. Por lo que sabía, Doreen había subsistido exclusivamente a base de café y trozos de pastel de melocotón mientras estuvo con él. Con todo el azúcar y la grasa que tomaba tendría que haber pesado noventa kilos, pero apenas engordaba. Dobey pensaba que la energía generada por las inmensas cantidades de cafeína compensaba lo demás.

—¿Y estás embarazada?

—De ocho meses. Señor Dobey, tengo que alejarme más de Covington. He llegado hasta aquí gracias a la amabilidad de desconocidos, pero no es lo bastante lejos. Seguramente él ya está persiguiéndome, y me encontrará si no me ayudan. Es posible que acabe dando conmigo de todos modos, pero ahora no puedo detenerme. Si lo hago, me llevará de vuelta y me matará. Esperará hasta que haya dado a luz a su hijo, pero me matará.

—¿Quién es «él»?

—Prefiero no decirle su nombre. Es malo, pero algunos de los hombres con los que se relaciona son todavía peores. No quiero contarle más de lo que sea necesario. Se lo digo de verdad, es mejor así.

Y Dobey la creyó. A veces, uno simplemente sabía esas cosas. Le dijo a Karis Lamb que se quedara en el Starbucks y que él iría a recogerla, y así lo hizo. Era una chica delgada y de cabello moreno, con unos ojos demasiado grandes para su cara, pero que también tenía una gran capacidad de resistencia, una veta de dureza. Dobey la invitó a subir a la furgoneta y la llevó al restaurante. Durante los días y noches de su estancia allí, les contó a Dobey y a Esther la siguiente historia: había conocido a un hombre que al principio parecía amable y distinto, alguien algo mayor para ella, culto, que enseñaba literatura en una universidad privada; que era acaudalado de por sí y coleccionaba libros; que, cuando finalmente ella se fue a vivir con él, la tuvo prisionera en su casa; que entonces se dio cuenta de que la había preparado precisamente para ese propósito, porque se crecía con la violación; que la avisó de que, si intentaba escapar, mataría a su madre y a su hermana antes de destriparla con unas tijeras de podar; que afirmaba que se relacionaba con espíritus, que...

Quayle interrumpió a Dobey.

—Mi propia Scherezade —dijo—, inventando historias, en su caso salpicadas de verdades, para comprar unas horas hasta que amanezca.

—Me ha preguntado por Karis Lamb —dijo Dobey—, y yo le respondo.

—Y cuenta mentiras: no muchas, pero las suficientes. Karis sí le dio el nombre del hombre del que huía: Vernay. La chica de Covington no se llamaba Doreen sino Ava, aunque no puedo corroborar las peculiaridades de su dieta. Fue Ava, preocupada por Karis, la que se puso en contacto con usted; Karis frecuentaba el establecimiento donde trabajaba Ava, aunque era una tienda de comida sana, no una cafetería. Vernay creía que había agotado a Karis y que dominaba su voluntad, razón por la que le permitía ciertas libertades limitadas, aunque siempre estando él cerca. Y Ava, que había sido maltratada también, percibió que algo parecido le pasaba a Karis, y poco a poco, cautelosamente, empezó a sonsacarle información, comunicándose con ella a través de notas escritas en el dorso de recetas de cocina, que bastaron para confirmar las sospechas de Ava, aunque no bastaban para recurrir a la ley. Pero Karis seguía mostrándose contraria, o puede que temerosa, a la posibilidad de huir.

»Y entonces la madre y la hermana de Karis murieron en un accidente de coche, y de repente parte del control que Vernay ejercía sobre ella se desvaneció. Seguramente fue la chispa de lo que estaba por venir, eso y el embarazo. Karis seguía preocupada por si la policía no creía sus denuncias de violación y reclusión. Se trataría de su palabra contra la de Vernay, y si no la creían a ella, sería su final. Incluso si conseguía salir adelante, temía que

Vernay o sus amigos la persiguieran. Fue entonces cuando Ava le sugirió que recurriera a usted.

»Karis no podía contactar con usted directamente porque Vernay no le permitía acceder a ningún teléfono, pero usted, señor Dobey, sí podía contactar con Vernay. Así que hizo el primer acercamiento, utilizando la pasión compartida por los libros raros como vía de entrada en su vida. Como muchos coleccionistas, Vernay compraba y vendía. Usted le hizo algunas compras, empezó una correspondencia, y al final ambos se encontraron. Vernay tenía unos intereses muy particulares, básicamente libros eróticos y ocultistas. Y usted, desde su biblioteca caravana, había planeado convertirse en todo un experto en volúmenes esotéricos, todo un bibliófilo.

»Requirió mucho esfuerzo y paciencia por parte de todos conseguir lo que finalmente consiguió: darle un móvil a Karis; seguir las rutinas de Vernay para buscar la mejor oportunidad para apartar a Karis de él, estar siempre disponible para desplazarse con poco margen de tiempo; pero Vernay siempre estaba alerta. Su casa era segura y él trabajaba a menos de cinco minutos de ella. Fue a Ava a quien se le ocurrió la idea de una emergencia médica, un dolor inesperado durante el embarazo y una visita a la clínica de Planificación Familiar, allí, gracias a los contactos de la señora Bachmeier, Karis pudo huir por la puerta de atrás, donde la esperaba Ava para llevarla al norte hasta Seymour, que fue donde, de hecho, usted pasó a recogerla.

»Y todo eso lo hizo con tal precisión que he tardado años en dar con el hilo correcto y empezar a tirar. No se me ocurrió revisar la afición a los libros de Vernay, lo cual fue una estupidez por mi parte, pero entonces su amiga Ava se mudó al norte y ayudó a una mujer en Terre Haute, una mujer casada llamada Petra Flinn. Es posible que recuerde a su marido, Derrick. Él sí se acuerda de usted. Así que entonces tenía a Ava y lo tenía a usted. Ava, dicho sea de paso, llenó muchos de los huecos. Lamentablemente, ahora hay un puesto vacante en la tienda de comida sana.

Dobey no pudo contenerse. Se abalanzó sobre Quayle y llegó a echarle las manos al cuello, pero Mors, más rápida y más fuerte de lo que parecía, se le echó encima inmediatamente. Dobey recibió un golpe en la cabeza que lo tumbó sobre la cama, y al momento tenía a Quayle detrás, sujetándolo, mientras la mujer se acuclillaba encima de su barriga como en el cuadro *La pesadilla* de Füssli. Miró a Quayle esperando órdenes, y, a través sus ojos borrosos, Dobey vio que Quayle asentía.

Mors dejó a un lado la pistola. De la chaqueta sacó una bolsa de cuero y, al abrirla, dejó a la vista un conjunto de afilados instrumentos quirúrgicos. Cogió un fino escalpelo entre el pulgar y el índice de la mano izquierda, lo mantuvo en suspensión sobre el rostro de Dobey.

—Se lo advertí —dijo Quayle.

Y Pallida Mors utilizó el escalpelo para pinchar el ojo derecho de Dobey.

14

La lluvia dejó al descubierto raíces retorcidas.

La lluvia dejó al descubierto rocas y tierra oscura, por haberla removido recientemente.

La lluvia dejó al descubierto un cráneo.

15

El dolor se había atenuado, pero sólo en comparación con el sufrido durante el calvario inicial.

Dobey estaba sentado de nuevo en la cama, con la espalda apoyada en la pared y presionando una toalla con hielo sobre lo que quedaba de su ojo derecho, con la tela manchada ya de sangre y fluidos oculares. En la mano libre, sostenía un vaso de bourbon que le había servido Quayle. Mors había reanudado su vigilancia junto a la ventana y Quayle había vuelto al sillón.

—Lo siento —dijo Quayle—, pero se lo ha buscado usted mismo. En cierto sentido, se lo ha buscado todo. Considérelo un castigo por los buenos actos, o por un buen acto. No me importan los demás, sólo Karis. —Quayle repasó con el dedo los lomos de los volúmenes más cercanos—. Nunca imaginé que el interior de una caravana pudiera ser tan elegante —comentó fijándose en las estanterías de roble que había confeccionado y ajustado el propio Dobey; los muebles antiguos comprados a marchantes a lo largo de los años, según el variable estado de las finanzas de Dobey; las alfombras persas; las lámparas ornamentadas.

Y los libros: todos los libros.

—Le dejaremos aquí, entre sus volúmenes —dijo Quayle—. Se lo prometo, casi hemos acabado. —Se inclinó hacia delante y miró la cara vuelta hacia abajo de Dobey—. Vernay está muerto. Me pareció que le gustaría saberlo. Era, incluso según los criterios menos exigentes, un mal bicho, aunque tal vez usted ya lo sepa por lo que Karis le contó sobre él. Se crecía cuando violaba, pero ese gusto por violar podía enviar con el tiempo a un hombre a la cárcel, así que Vernay decidió renunciar al atractivo de la carne fresca por la seguridad de la carne familiar. Creo que Karis debía de ser su segunda o tercera mujer, aunque afirmaba que sentía por ella un afecto genuino. Era lo que la hacía diferente, dijo, aunque con el tiempo habría acabado como las demás, reposando en la tierra bajo el suelo de su sótano. Creo que se estaba planteando dejar vivir al niño. No me molesté en preguntarle por qué, por razones obvias. Como usted mismo ha comentado, las confesiones que un hombre puede soportar oír tienen un límite.

»Por descontado, cabe la posibilidad de que una de las otras se hubiera quedado embarazada de Vernay, pero el caso es que ninguna dio a luz. Tampoco era ése un tema que me interesara. Sin embargo, estaba claro que el embarazo de Karis hizo que Vernay se planteara las cosas de otra manera. Tal vez le atraía la simple idea de criar a su propia víctima, porque a mí nunca me pareció un hombre con instinto paternal.

»Pero cuando Karis desapareció, era importante que Vernay también se desvaneciera. Si ella se ponía a hablar con la gente adecuada, ¿quién sabe qué fuerzas podían presentarse a la puerta de Vernay? Karis, Karis, cuántos problemas nos has causado a todos. —Quayle miró qué hora era en su reloj—. Tenemos que irnos, señor Dobey. Piense en su elegante viuda. Piense en sus jóvenes empleados. Díganos la verdad y estaremos lejos de aquí antes de que se despierten al alba. Pero si descubro más adelante que nos ha mentido, le garantizo que volveré y continuaré nuestras investigaciones con ellos.

Dobey empezó a sollozar. Había conseguido contenerse hasta ese momento, pero todo estaba a punto de acabar, y no quería que su último acto en este mundo fuera traicionar a Karis Lamb.

—La mandamos a un refugio en Chicago —dijo—, pero sólo se quedó una noche. Cuando la voluntaria fue a ver cómo estaba, ella ya se había ido. Pero me llamó una semana más tarde. Quería darme las gracias, y decirme que estaba bien.

—¿Y desde dónde llamó?

—Desde Portland, Maine.

—¿Quién era el contacto allí?

—No tenía ninguno, al menos que yo supiera. A esas alturas, Karis iba por su cuenta. Dijo que se dirigía a Canadá.

—¿Y eso es todo lo que sabe?

—Sí, lo juro.

Quayle se levantó.

—En ese caso, hemos terminado.

Mors se acercó a Dobey por última vez, sosteniendo todavía su bolsa quirúrgica. Dobey intentó apartarse, temiendo el escalpelo, pero Quayle le sujetó mientras la mujer no sacaba nada afilado, sino un frasco y una jeringuilla.

—No dolerá —dijo Quayle—. Será como quedarse dormido.

Mors llenó la jeringuilla, le dio unos golpecitos a la aguja y buscó el brazo izquierdo de Dobey. Y cuando la punta perforaba su piel, Dobey le habló a Quayle.

—Está muerto y ni siquiera lo sabe.

—No sé qué quiere decir.

Dobey sintió que la droga invadía sus venas subiendo rápidamente por el brazo hasta el hombro, pero todavía conservaba la fuerza suficiente para hablar. Cuando empezaron a cerrársele los ojos dijo:

—Ahí fuera hay alguien que acabará con usted. Lo destrozará y a nadie le importará salvo para celebrar su muerte.

Los ojos de Dobey se cerraban.

—Lo siento —dijo Quayle—, pero el mundo no funciona así.

—¿Sabe? —dijo Dobey—, habla demasiado.

Y entonces murió.

16

Ahora no había sólo un cráneo, había también costillas, un fémur, huesos de dedos cruzados sobre una cavidad pélvica femenina, aquí y allá restos amarillentos de saponificación, parcialmente envueltos en una piel gris marronácea y en los jirones de la ropa y el saco con el que había sido enterrada la mujer.

Porque a veces la muerte se levantaba y se despertaba para un sueño de vida.

17

La reunión con Moxie Castin se pospuso unos días debido a una indisposición del abogado, que Parker atribuyó a la ininterrumpida ingestión de refrescos azucarados con gas, pero Moxie afirmó que era un resfriado.

El retraso fue una suerte, porque la depresión se abatió sobre Parker en forma de una tristeza que tiñó el mundo de gris. Se retiró a casa, apagó el teléfono y espero a que se presentara Jennifer.

Y al norte, se reunían cada vez más hombres y mujeres: policías y guardias forestales, expertos en cadáveres y en huesos; todos al servicio de unos restos sin nombre.

Todos por la mujer del bosque.

18

Holly Weaver estaba junto a la cama de Daniel. Esa noche no le había leído ningún cuento, ni tampoco la anterior. Cuando se ofreció a hacerlo, Daniel sólo respondió que estaba cansado, y que ya le leería en otro momento. Holly intentó disimular lo mucho que agradecía el descanso, y sobre todo no tener que recitar la historia que había escrito para él. No estaba segura de que hubiera podido hacerlo sin venirse abajo.

Holly se preguntó si Daniel ya se estaba haciendo mayor y ya no necesitaba que ella estuviera a su lado antes de dormirse, y si ésa sería la primera hebra que se deshilachaba del tejido, anunciando un tiempo en que ella no lo tendría a su lado, cuando él se fuera a la universidad o a trabajar o a la cama de su amante, tal vez para no volver nunca.

Pero ¿y si sucedía antes de ese momento? ¿Y si se lo llevaban?

Le dio un beso a Daniel e intentó acallar la voz que resonaba en su cabeza y que no la había abandonado desde el nacimiento de Daniel, pero que hablaba con más insistencia desde el descubrimiento del cuerpo en el bosque.

¿Y si descubren lo que hicimos?

—Buenas noches, Daniel, te quiero.

—Buenas noches, mamá. Yo también te quiero.

¿Y si vienen?

19

Parker contemplaba cómo el resplandor del sol ascendía sobre las marismas derramando oro sobre el mar. Salía, se ponía y desaparecía. Un día, luego dos. En la casa resonaba el eco de sus pasos, nada más que los suyos. Abrazó la soledad. Era un hombre que todavía estaba de duelo, y un duelo tan antiguo ya no podía compartirse. Tenía que sobrellevarse a solas.

¿Cuánto hacía que le habían arrebatado a su esposa y a su primera hija? ¿Seguía importando acaso? Los años que había vivido con ellas iban desvaneciéndose poco a poco, los meses se fundían en minutos; los días, en segundos. Él percibía cómo iba perdiendo los recuerdos. Susan y Jennifer, madre e hija, se alejaban en el sueño. Por eso había cerrado su puerta a las demandas de los demás, aunque sólo fuera por un breve lapso. En silencio, podía rastrear el recuerdo y devolver a los seres queridos a la memoria.

Y si esperaba lo suficiente, sería un silencio distinto, una quietud atenta a la escucha.

Estaba sentado sin hacer ningún ruido junto a la ventana mientras la luz del día palidecía anunciando el umbral del ocaso, el momento en que las sombras titubeaban a punto de ser absorbidas por la noche, hasta que creyó vislumbrarla: un movimiento donde nada debería moverse, una niña perdida revoloteando como una polilla con el paisaje de fondo, su cara destrozada oculta afortunadamente por el pelo, el bosque y la noche que ya caía.

Jennifer: la hija perdida.

La hija muerta.

Sólo entonces habló Parker.

—Dime.

Y al hablar hizo que el movimiento cesara, salvo por una leve inclinación de la cabeza de la niña al oír las palabras de su padre a través de la barrera de las paredes, de la malla de ramas desnudas, de las brumas que intentaban cubrirlas.

que te diga... ¿qué?

—Dime quién soy.

eres mi padre

—Dime por qué estoy aquí.

para morir

—¿Con qué fin?

no puedo decirlo

—Estoy cansado de no saber.

no debes tener miedo

—Pues lo tengo.

estaré contigo cuando llegue el momento

—¿Y Sam? —Su otra hija, la hija viva, con quien la muerta también hablaba.

ella no estará presente al final

—Pero ¿estará a salvo?

ella siempre lo está

—Siento haberte fallado.

tú no me fallaste

—Siento no haber estado allí para protegerte.

no podrías haberme protegido

—Si hubiera estado contigo...

entonces habrías muerto a mi lado, a nuestro lado

—Eso era lo que quería. Quería que el dolor acabara.

no debes ser egoísta, papá

Papá.

—No lo entiendes.

sí lo entiendo

—No puedo seguir así.

pero debes

—¿Por qué?

porque se están reuniendo

—¿Quiénes?

porque están cerca

—¿Quiénes?

los no-dioses

—¿El No-Dios?

no, papá, no me escuchas

no es uno, sino muchos

—No entiendo.

hay dioses en el interior de dioses, tres entidades en una, espejos de la más antigua

—¿Y qué quieren los No-Dioses?

quieren acabar con todo

—¿Y cómo se supone que voy a impedirlo?

viviendo

—Vivir es difícil.

morir es más difícil todavía

Él se esforzó por verla mejor. Las sombras volvían a reclamarla.

y tú morirás

—Quédate.

habrá dolor, pero yo estaré ahí para compartirlo

—¿Y luego?

iremos juntos, tú y yo, al mar

La negrura se volvió completa y ella desapareció.

Parker cerró los ojos. Todos esos sueños, todos esos pesares. El final no se podía vislumbrar.

Pero se acercaba.

20

Parker se despertó en la cama a la mañana siguiente, sin el menor recuerdo de haberse levantado de la silla junto a la ventana. Se aseó, se vistió y desayunó algo más que café y tostadas por primera vez desde hacía días. El perro negro de la depresión se había retirado.

Porque Jennifer había acudido.

Puso al día algo del papeleo pendiente antes de reservar un vuelo de última hora a Nueva York. Era hora de visitar al paciente.

La habitación de hospital olía a sufrimiento. Angel estaba todavía débil, y fuera lo que fuese lo que le alimentara no entraba en su organismo a través de su boca, pero era capaz de hablar durante unos minutos seguidos sin dormirse, y agarró con fuerza y firmeza la mano de Parker cuando estaban a punto de despedirse.

—Tienes que cuidar de Louis por mí —dijo.

Parker y Angel ya habían mantenido una conversación parecida antes de la operación, pero a Parker no le sorprendió que el otro no recordara nada.

—Si estás planeando morirte, más vale que se lo dejes a otro en tu testamento —dijo Parker.

Angel no hizo caso del comentario.

—Sólo durante un tiempo, hasta que pueda mantenerme en pie de nuevo.

—Lo lleva bien. El mundo no ha dejado de girar porque ahora peses un poco menos.

—Hablo en serio.
—Lo sé.
—Está enfadado. No le dejes cometer ninguna estupidez.
—De momento sólo ha volado una camioneta. ¿Eso cuenta?
Angel se lo pensó un momento.
—Vale, algo más estúpido.
—Haré cuanto pueda.
Louis esperaba fuera cuando Parker salió de la habitación. Al margen del personal, Angel nunca se quedaba verdaderamente solo en el hospital. Cuando Louis no estaba presente, un par de improbables pero eficaces vigilantes —los hermanos Fulci— mantenían guardias alternas junto a la cama de Angel. Louis se había ganado un buen grupo de enemigos a lo largo de los años, algunos de ellos por su vínculo con Parker, y no era descabellado pensar que intentaran castigarlo a través de Angel.
—¿Y bien? —dijo Louis.
—Parece bastante lúcido.
—¿Sí? Ayer se puso a hablar de religión, pero es posible que fuera por los opiáceos. No quiero que encuentre a Jesús.
—Yo no me preocuparía por eso. Si Jesús cree que Angel lo está buscando, se cambiará de nombre.
Eso pareció tranquilizar a Louis. Fuera lo que fuese lo que entrañara la concepción que tenía Louis del otro mundo —y Parker se hacía una idea más clara después de la conversación que habían mantenido en Maine—, dejaba poco margen para fanáticos religiosos en éste.

Louis se quedó con Angel y Parker se fue a cenar con su antiguo socio, Walter Cole, y la esposa de éste, Lee. Ella envejecía poco a poco; Walter no tan despacio, pero ambos parecían felices y satisfechos. Gracias a su hija, Ellen, eran abuelos y disfrutaban de los beneficios de la compañía de un niño pequeño sin sufrir la mayoría de los inconvenientes. Ellen había pedido a Parker que fuera el padrino de la niña, Melanie. Él se había negado educadamente, pero sabía que ella entendía sus razones. Años antes, Parker la había salvado de un depredador sexual llamado Caleb Kyle, y el trauma de aquello todavía perduraba en ambos. Aun así, le conmovió que Ellen pensara en él de ese modo, y sabía que siempre existiría un lazo entre ellos dos, un lazo que ahora se extendía a su hija.

Había más personas a quienes Parker podía haber visto mientras estaba en la ciudad, incluido el rabino Epstein y su sombra, la hermosa muda Liat, con la que Parker había pasado una única e interesante noche en la cama. No quería convertir este viaje en una versión de las Estaciones de la Cruz, así que se contentó con pasar por Nicola's en la Primera Avenida para saludar y comprar algunas exquisiteces italianas de importación antes de coger un taxi al JFK para su vuelo de regreso a Portland en JetBlue, la compañía de bajo coste.

Al llegar al Jetport de Portland, compró un ejemplar del *Press Herald* con la intención de leerlo al llegar a casa, pero el cansancio hizo mella en él y se acostó sin leer nada sobre los restos relativamente bien conservados de una mujer encontrados en los bosques de Maine.

Segunda parte

Los únicos fantasmas que, creo, se arrastran por este mundo son madres que han muerto jóvenes y han vuelto para ver cómo les va a sus hijos.

J.M. Barrie, *El pajarito blanco*

21

Daniel abrió los ojos. Su habitación estaba a oscuras salvo por la luz del aplique con forma de nave espacial —que seguía encendida—, enchufado junto a la puerta para que pudiera ir al lavabo si le hacía falta.

En la mesita de noche junto a su cama había un vaso de agua, una lamparita y un teléfono de juguete hecho de madera y plástico. Su madre se lo había comprado cuando era muy pequeño porque se había quedado mirándolo fascinado en la tienda. En los botones había dibujos de animales en lugar de números, de manera que cuando Daniel se llevaba el auricular a la oreja y pulsaba el botón de la gallina oía cacarear, balar si apretaba el de la oveja, y mugir si tocaba el de la vaca. El teléfono sonaba al girar la manivela que tenía a un costado.

Pero Daniel no había utilizado el teléfono hacía mucho tiempo. La verdad sea dicha, el interés por la novedad de escuchar animales al otro lado de la línea había durado muy poco, aunque Daniel todavía no había llegado a la etapa en que estuviera dispuesto a deshacerse de un juguete, por muy olvidado que lo tuviera, y por eso el teléfono reposaba al fondo de la segunda caja de juguetes que había en su armario. Y allí habría seguido seguramente hasta que llegara el momento de tirar la caja entera o de llevarla a una tienda de segunda mano Goodwill.

Pero, dos noches antes, el teléfono había empezado a sonar.

Daniel se dio la vuelta sobre la almohada para mirar el juguete. La base era una cara risueña, cuya nariz resplandecía rojiza cuando sonaba el teléfono o un animal hacía ruidos, pero ahora permanecía en silencio y la luz no se encendía.

Daniel había tardado en percibir el sonido la primera vez que se produjo. Dormía tan profundamente que la llamada tuvo que atravesar varias capas de inconsciencia para llegar hasta él, y cuando se despertó, estaba confuso. Al principio pensó que el sonido procedía de la alarma de humos del recibidor, y estuvo a punto de llamar a su madre, pero pronto quedó claro que la fuente del tintineo amortiguado se encontraba dentro de la habitación. Supuso que se trataba de uno de los juguetes que se activaba para avisar cuando se acababan las pilas, pero no pudo reconciliar el sueño mientras continuaba el incordio. Se levantó de la cama y fue hasta el armario temblando; el radiador funcionaba con temporizador, y le dio la sensación de que la temperatura había descendido a su punto más bajo. La luz del armario se encendió automáticamente al abrir las puertas y tuvo que apartar zapatillas deportivas y un par de chaquetas para llegar a la caja. Una vez la encontró, no tardó nada en dar con el teléfono.

El juguete no tenía pilas —se las habían quitado hacía mucho— y pese a todo seguía sonando. Pero incluso con pilas no debería haber emitido ningún sonido porque nadie había girado la manivela. No obstante, ahí estaba, sin parar de sonar, y la nariz roja parpadeaba, reclamando que cogiera el aparato y escuchara la voz del guarda del zoo pidiéndole que identificara si era una vaca o un león pulsando el botón correcto, que era lo que uno oía si contestaba la llamada, aunque, incluso de más pequeño, Daniel ya se preguntaba qué clase de zoo tenía gallinas y vacas junto a leones.

Fue entonces cuando Daniel llegó a la conclusión, bastante lógica, de que la única forma de que el teléfono dejara de sonar era responder la llamada.

Desde el exterior, al otro lado de la ventana de Daniel, llegaba el sonido del goteo continuo de hielo derritiéndose en el tejado. A él no le molestaba el ruido que hacía el hielo. Era tranquilizador, como la lluvia.

Quería que sonara el teléfono.

No quería que sonara el teléfono.

Cuando sonó aquella primera vez, no tenía la menor intención de llevarse el aparato a la oreja. Sencillamente imaginó que el ruido se detendría solo con descolgar, después de lo cual podría dejar el juguete a un lado y pedirle a su madre que lo arreglara por la mañana, o que se deshiciera de él, aunque le preocupaba que eso pudiera precipitar que su madre emprendiera una reducción más generalizada de su colección, y Daniel era reacio a animarla a que lo hiciera. Finalmente decidió que lo mejor sería apartarse del aparato y dejarlo en paz.

Pero cuando se llevó el auricular a la oreja no oyó al guarda del zoo sino lluvia, y enterrada en algún punto dentro de ella, como una señal que quisiera abrirse paso a través de la estática, la voz de una mujer.

¿hola?, dijo la mujer, *¿hola?*

Daniel dejó caer el auricular y corrió de vuelta a la cama, pero todavía oía la voz.

¿me oyes?

Podía haber ido a avisar a su madre, pero estaba tan intrigado como asustado. Que hubiera un hombre al otro lado del teléfono sin esperárselo, simplemente habría sido inquietante, pero eso era muy extraño, y aquella voz tenía algo que le resultaba casi familiar.

Daniel cogió el auricular.

—Diga.

La voz de la mujer pareció entrecortarse, como si tuviera que esforzarse por no llorar.

¿eres tú?

—¿Quién llama?

¿qué nombre te pusieron?

No estaba seguro de si debía responder. Cualquier conversación entraría, sin duda, en la categoría de hablar con desconocidos, algo que su madre siempre le había dicho que no debía hacer; pero esta vez el desconocido estaba al otro lado de la línea telefónica, por lo que hablar con él no era tan malo como hacerlo con alguien en persona, y además se trataba de una mujer, lo que resultaba menos peligroso.

—Daniel —dijo.

La mujer repitió el nombre, una y otra vez, saboreándolo como si fuera un caramelo.

me alegro mucho de hablar contigo por fin

Daniel no estaba seguro de que sintiera lo mismo, pero ya que había llegado hasta ahí...

—¿Cómo te llamas? —preguntó.

me llamo, dijo la mujer, *karis*

22

Parker se reunió con Moxie en la Bayou Kitchen de Deering Avenue. Moxie disfrutaba del sol matinal en la mesa junto a la ventana, que por lo general se reservaba para grupos más numerosos, pero como el abogado constituía por sí solo poco menos que una pandilla, habían hecho una excepción con él. Parker reparó en que eso parecía suceder muchas veces allá donde apareciera Moxie: las normas se ajustaban discretamente a sus necesidades, tal vez porque se negaba a admitir, ni que decir tiene que a obedecer, la mayoría de esas normas. Eso significaba que las únicas opciones para quienes las dictaminaban eran o bien prescindir por completo de ellas, lo que potencialmente podría desembocar en la anarquía; o bien intentar imponérselas a Moxie, lo que con toda seguridad acabaría en pesares y agobios, o bien optar porque no se le aplicaran a Moxie, lo que parecía el proceder más sensato. La mayoría de los que tenían negocios en Portland pensaban que lo mejor era que Moxie Castin se sintiera a gusto. Todo el mundo acaba necesitando un abogado en un momento dado, y para entonces más valía tener a Moxie de tu parte. Y en caso de que Moxie estuviera con los rivales, las cosas serían más fáciles para quien no lo hubiera irritado en el pasado.

Moxie llevaba un traje azul celeste y una corbata tan chillona que parecía pedir ayuda a gritos. Bebía café y estaba leyendo el *Press Herald*, aunque había ejemplares de *The Boston Globe*, *The New York Times* y *The Washington Post* apilados a su lado. Si los periódicos acababan desapareciendo, no sería por culpa de Moxie. Parker y él tenían eso en común.

—Ya he pedido por ti —dijo mientras Parker se sentaba frente a él.

—¿Cómo sabías lo que quería?

—¿Qué importa? Aquí todo es bueno.

Parker tuvo que admitir que Moxie tenía razón, pero, aun así, a un hombre le gusta que le consulten.

Moxie pasó una página del periódico.

—Echa un vistazo a la bolsa, mira lo que he conseguido en Pinecone and Chickadee —le dijo.

Pinecone + Chickadee era una tienda de regalos más excéntrica de lo habitual en Free Street. Había una de sus bolsas de papel en el banco al lado de Moxie. Parker examinó el contenido mientras le servían café. Intentó dar con las palabras adecuadas para lo que veía, pero no le venían a la cabeza, así que optó por una mera descripción fáctica.

—Son vasos de Héroes de la Torá —dijo.

—Ajá.

Había cuatro en total, cada uno pintado de azul con un retrato de uno de los héroes en cuestión: A. Hildenseimer, Yitzchak Spector, R. Elizer Goldberg y S.Y. Rabinovitch. Parker no tenía ni idea de por qué se consideraba héroes a esos hombres en los círculos de la Torá. Lo único que podía decir con seguridad era que los vasos no mejoraban precisamente con sus rostros.

—No sabía que fueras judío —dijo Parker.

—Nunca ha surgido el tema, y sólo soy una especie de judío. Digamos que soy tirando a judío. En todo caso, uno no tiene que ser judío para valorar a estos chicos malos.

Parecía hablar totalmente en serio.

—Bueno —comentó Parker—, son todo un hallazgo.

«Intercámbialos con tus amigos», se aconsejaba bajo cada retrato.

—Parece que puedes intercambiarlos —dijo Parker.

—¿Qué quieres decir?

—Supongo que si tienes alguno repetido lo puedes cambiar, como los cromos de béisbol, o buscar un MVP de la Torá. Ya sabes, como cambiar un John Wasdin por un Manny Ramirez.*

* El MVP *(Most Valuable Player)* es, sobre todo en Estados Unidos, el «jugador más valioso» de un partido o una competición en algunos deportes. John Wasdin y Manny Ramirez eran jugadores de béisbol. *(N. del T.)*

—¿Y por qué iba alguien a comprar dos vasos iguales?

—Moxie, en este caso, la verdad, no sé por qué alguien iba a comprar uno solo de estos vasos.

Moxie volvió a guardar sus compras en la bolsa con lo que Parker sólo podría haber descrito como un gesto ofendido.

—Me das pena —dijo Moxie.

Llegaron sus desayunos. Moxie había optado por tortillas Smoking Caterpillar para los dos, tres huevos picantes, picadillo, cebollas a la brasa y queso suizo, con una guarnición de productos caseros. La Bayou Kitchen consideraba que había fracasado si sus clientes podían ver el plato debajo de toda la comida.

—Come —dijo Moxie—. Estás adelgazando.

Moxie, por el contrario, seguía igual de corpulento y, aun así, se las apañaba para correr medias maratones y no morir en el intento. O bien era un milagro de la medicina, o bien Dios temía llamarlo a su seno por si le ponía un pleito.

Moxie se llenó la boca con el picadillo y el huevo, y dio unos golpecitos con un cuchillo en una página del *Press Herald*. Era una noticia breve en la que se informaba de que la policía todavía no tenía pistas sobre la inmolación de una camioneta de alta gama en el muelle el fin de semana anterior.

—¿Te enteraste de que alguien voló la furgoneta de Billy Ocean en un aparcamiento al lado de Commercial? —preguntó Moxie.

—Billy Ocean..., ¿el cantante?

—Qué curioso, ¿crees que el tipo que cantaba *Caribbean Queen* va por ahí en una Chevy adornada con la bandera rebelde? No, Billy Ocean, el hijo de Bobby Ocean.

El verdadero nombre de Bobby Ocean era Robert Stonehurst, pero todo el mundo lo conocía como Bobby Ocean porque tenía una oficina en la Terminal Marítima de Portland, y estaba muy metido en diversas empresas relacionadas con la propiedad de barcos, la pesca, el turismo, los restaurantes, las inmobiliarias y cualquier otro modo de sacar unos dólares mientras todavía podía asomarse a la ventana junto al mar. Bobby era inteligente, pero su hijo se había ganado la reputación de ser un lelo de primera.

—¿Es algo que tenga que ver contigo? —preguntó Parker.

—Sólo porque Bobby Ocean se presentó ayer en mi despacho. Dijo que creía que el asunto de la camioneta era un acto de terrorismo, pero no se fiaba de que el Departamento de Policía de Portland hiciera algo al respecto. Quería que yo contratara a alguien en su nombre para investigar el delito.

—¿Insinuó algún móvil?

—Bobby sospecha que fue un ataque contra los derechos de su hijo que garantiza la Primera Enmienda, y contra el patriotismo en general, y que se debe al deseo de Billy de celebrar ciertos aspectos de su legado anglosajón y blanco, como exhibir la bandera de la Confederación.

—En Maine.

—Justamente.

—Porque, ¿en qué otro sitio iba a exhibirla?

—Tú lo has dicho.

—¿Y por qué acudió a ti Bobby Ocean?

—Porque ambos somos donantes del Partido Republicano. Nos sentamos a la misma mesa en una cena de recaudación de fondos antes de Navidad. Se quejó de la sopa. Bobby Ocean da mala fama al partido.

—Puede que se me escape algo, pero ¿desde cuándo ondear la bandera confederada en el centro de Portland ha sido un acto de patriotismo?

—A mí no me preguntes. Si yo pudiera ilegalizar un concepto, además de los obvios, sería el puto «patriotismo». No es más que nacionalismo vestido de gala. ¿Sabes quiénes eran patriotas? Los nazis, y aquellos cabrones japoneses que bombardearon Pearl Harbour, y los serbios que acorralaron a todos aquellos hombres y niños y los echaron a agujeros excavados en la tierra en las afueras de Srebrenica antes de volver para violar a sus mujeres, al menos hasta que alguien intentó que entraran en razón a bombazos. Los patriotas construyeron Auschwitz. Uno empieza creyendo esa mierda de «mi país, acertado o equivocado» y siempre acaba en el mismo sitio: una fosa llena de huesos.

Moxie se metió otro tenedor bien cargado en la boca. Había

que reconocerle que no dejaba que sus sentimientos se interfirieran en su apetito.

Parker dejó pasar un momento antes de decir:

—Deduzco que no te ofreciste a ayudar a Bobby en su búsqueda de justicia.

—No, pero podría haber ganado un buen dinero diciéndole directamente quién lo hizo. Uno oye historias, unas más creíbles que otras, como esa que me han contado sobre quién podría haber estado bebiendo en un bar de Commercial la noche que la camioneta de Billy Ocean quedó reducida a una carcasa carbonizada.

Parker miró a Moxie. Moxie le devolvió la mirada.

—¿Hace falta que lo diga en voz alta? —preguntó Moxie.

—Más bien no.

—Podemos convenir que el caballero en cuestión no es del tipo que sonríe con amabilidad ante un descomunal vehículo visiblemente rebelde aparcado en su campo de visión.

—Seguramente no.

—Bien. ¿Ibas con él?

—¿Crees que podría haberlo disuadido si hubiera estado presente?

—Lo tomaré como un sí.

—No sabía que iba a volar la camioneta.

—¿Y qué creías que pensaba hacer, escribirle al dueño una carta de queja redactada en los términos más contundentes? Tuviste que haberte percatado de que iba a causar algún daño.

—Cabía la posibilidad de que sólo le rajara los neumáticos.

—Si yo pensara que de verdad creías eso, me pondría a buscar un nuevo investigador, por si a alguien le daba por ofrecerte unas judías mágicas como las del cuento a cambio de alguna ventaja.

—Louis está pasando por un periodo difícil. Necesitaba desahogarse.

Moxie se esforzó por dar a sus rasgos algo que se asemejara a una expresión comprensiva. Lo intentó, pero fracasó.

—Mucha gente lo pasa mal, pero se controla y no va por ahí provocando incendios. Dios me libre de acusar al Departamento de Policía de Portland de plantearse siquiera una investigación de perfil racial, pero si crees que los policías no han preguntado ya por ahí y cuentan con una descripción de un negro que casualmente estaba bebiendo cerca de la camioneta de Billy Ocean poco antes de que ésta explotara, es que vives en otro planeta. Espero que pagara en efectivo en el bar.

—Siempre paga en efectivo —dijo Parker—, cuando paga.

—Me alegra ver que bromeas sobre esto. Bobby Ocean y su hijo idiota pueden irse a la mierda por lo que a mí respecta, y no creo que la policía se preocupe por ellos más que yo, pero nadie quiere camionetas ardiendo en la zona portuaria. Transmite un mensaje inoportuno, lo que significa que esto no va a olvidarse fácilmente, y tu amigo no necesita ese tipo de atención. Contrólalo. Mejor aún, dile que dé rienda suelta a sus impulsos de pirómano en Nueva York, o incluso en Jersey. Siempre hay alguien quemando basura en Jersey. Él pasará inadvertido.

Parker sabía que Moxie tenía razón, aunque no estaba seguro de poder controlar a Louis, no en su estado de ánimo actual. Al menos aquí podía echarle un ojo, y además los daños que podía causar en Maine, comparados con los de Nueva York o, ya puestos, Jersey, tenían un límite.

—Hablaré con él.

—Hazlo.

Moxie cerró el periódico y le dio la vuelta de modo que la noticia que aparecía sobre el pliegue en primera plana quedó a la vista de Parker.

—¿Has estado siguiendo esto?

Parker estaba al tanto del hallazgo de los restos de una mujer en el condado de Piscataquis. Maine no era inmune a los crímenes violentos, y cada cierto tiempo aparecía alguna víctima. Tal vez era la forma en que el cuerpo había salido a la luz —el deshielo, un árbol caído— y el hecho de que estuviera envuelto en una mortaja de arpillera, pero había algo en el caso que había captado la imaginación pública del estado, más allá de que los medios de comunicación avivaran el interés porque era un momento de pocas noticias.

—No sé nada que no haya leído en los periódicos —dijo Parker.

—Yo sí.

Había que fiarse de Moxie. Ni un solo árbol caía sin hacer ruido en un bosque de Maine, no si él se encontraba cerca.

—¿Homicidio?

—Por el momento, muerte sospechosa. No hay señales visibles de violencia externa.

Eso de por sí era poco habitual. Muchas formas de muerte repentina dejan marcas, incluso en unos restos que ya eran poco más que un esqueleto. Una bala dejaría un orificio; un cuchillo, un arañazo en una costilla o en el esternón. El estrangulamiento fracturaba huesos pequeños del cuello. Las drogas eran más sutiles. La médula ósea retenía toxinas, y el pelo y las uñas registraban la toma de narcóticos. El cuerpo encontraba formas de guardar la memoria de su final.

Parker sabía que Moxie no habría sacado el tema de la mujer si no tuviera información que deseara compartir con él.

—¿Pero...?

—La autopsia indica que dio a luz poco antes de morir, y fue a finales del último trimestre. Algo relacionado con la posición de los huesos pélvicos, pero la policía también cree que ha encontrado la placenta y el cordón umbilical en el mismo estado de semiconservación que el cadáver.

—¿Cuánto tiempo transcurrió entre el parto y el entierro?

—Es difícil de saber, pero no más de un par de días. Incluso menos. La presencia del cordón y la placenta indican que podría haber sido cuestión de horas.

—¿Tu contacto te dio una idea aproximada de la edad?

—Veintitantos.

—Así que no era una adolescente.

Puede que viviéramos en el siglo XXI, pero a Parker todavía le deprimía cuántas adolescentes se sentían obligadas a ocultar su embarazo por vergüenza o miedo a la furia de sus progenitores, hasta que llegaba el momento de dar a luz, solas y sin atención médica, con las peores consecuencias tanto para la madre como para la criatura.

—No —dijo Moxie—, aunque el ser adulta no supone ninguna garantía para tener un bebé lejos de un hospital o de casa, sea intencionada o accidentalmente.

—¿Y dónde está el bebé?

—Si murió, seguramente lo enterraron con la madre. Es posible que sobreviviera.

—A no ser que esté enterrado en algún lugar cercano —dijo Parker.

—¿Y por qué iban a sepultarlo separado de su madre?

—O tal vez se lo llevaron los animales.

—En ese caso, ¿por qué no alimentarse también del cuerpo de la madre?

—¿Quieres que lo hablemos a fondo durante el desayuno?

—El cadáver de un bebé, Parker lo sabía, sería más fácil de digerir.

—No he oído nada de daños causados por animales en el cuerpo de la madre —dijo Moxie.

—¿Así que la madre muere —concluye Parker—, sea por complicaciones surgidas durante el parto o a manos de otro, y el bebé se lo queda quienquiera que enterrara a la madre?

—O es abandonado en alguna parte: un hospital, una organización de caridad.

Tarde o temprano la policía empezaría a revisar los registros de bebés abandonados. Un cálculo más preciso de cuándo había muerto la joven madre también ayudaría, pero los abandonos ya no eran muy frecuentes. No obstante, por el momento, trabajarían con el supuesto de que los restos del bebé estaban enterrados cerca de los de la madre.

Parker se recostó en la silla apartándose de la comida e hizo un gesto para que le sirvieran más café. Cuando llegó el camarero, esperó a que llenaran las dos tazas antes de volver a hablar.

—Y bien, ¿por qué te interesa esto? —preguntó.

—La policía del estado está reteniendo algunos detalles.

No era inusual que la policía fuera reacia a revelar pruebas encontradas en el escenario de un crimen, sobre todo si se trataba de algo que sólo podría conocer alguien íntimamente relacionado con el crimen, en especial el individuo que lo había cometido. Era un método que utilizaba para verificar las confesiones y acusaciones falsas, así como para quitarse de encima a los locos y a quienes le hacían perder el tiempo.

—¿Y tú sabes qué detalles son ésos?

—Pues sí, aunque sólo uno de ellos me parece relevante.

Parker esperó.

—Es una estrella de David, y no está tallada en el árbol caído junto a la tumba, sino en otro cercano, de cara a él.

—Eso no implica que la estrella y el cuerpo estén relacionados.

—No, pero si hay una especialidad de la que no andamos faltos de expertos en este estado es la que estudia los árboles. Todavía no es más que una aproximación, pero probablemente la estrella se talló por la misma fecha en que se enterró el cuerpo.

—¿Y estás seguro de que es una estrella de David?

—Se talló con esmero. No creo que quepa la menor duda.

—¿Alguien ha mencionado la posibilidad de un crimen de odio?

—Sí. El forense todavía está esperando a que le den los resultados toxicológicos. Tardarán unas cinco semanas, pero no recuerdo haber oído de muchos crímenes de odio por envenenamiento. Es sólo una estrella de David: ninguna esvástica al lado, ni tampoco otras marcas antisemitas. La estrella parece ser una señal, incluso es posible que un recordatorio, nada más.

Parker miró de nuevo la bolsa que había dejado a un lado.

—Vasos de la Torá —dijo.

—Vasos de la Torá —repitió Moxie como un eco a la vez que levantaba la mano pidiendo la cuenta—. Puede que te sorprenda, pero tiendo a pensar lo mejor de las personas. Es porque, sobre todo, veo lo peor, y ser optimista es la única forma que tengo para seguir levantándome de la cama por la mañana. Creo que alguien enterró a esa mujer, pero se quedó con su bebé, y espero que fuera por una razón noble. Lo fuese o no, la persona o personas responsables estarán bastante agobiadas en este momento. Cuando la policía las encuentre (y tengo la sensación de que las encontrarán, porque alguien que se toma la molestia de tallar una estrella de David como improvisado recordatorio funerario no me parece un eliminador de cuerpos muy profesional), van a necesitar consejo y representación. Considéralo un servicio que le ofrezco a la mujer fallecida. Y tú también se lo ofreces, aunque en tu caso además cobrarás por tu tiempo.

—¿Qué quieres que haga?

—He agotado a mi fuente. He descubierto cuanto puedo descubrir, por ahora.

Parker entendió que el contacto de Moxie era alguien cercano a la oficina del forense más que a la policía del estado.

—No tengo muchos amigos en Augusta —dijo Parker.

—Soy abogado, así que yo no tengo ninguno. Entérate de lo que puedas. Estate al tanto de la investigación. Quiero creer que la criatura está viva.

—Contra toda lógica.

—Eso es.

—Es posible que a la policía del estado no le haga gracia que me aproveche de su trabajo.

—Esto no es un homicidio, de momento, y tal vez no lo sea nunca. El único delito cometido es un entierro sin registrar.

Trajeron la cuenta. Moxie pagó en efectivo y dejó una generosa propina.

—¿Y bien? —preguntó a Parker.

—Supongo que estoy contratado.

Moxie esbozó una sonrisa maliciosa.

—Éste es mi chico —dijo—. Es una pena que tus anómalas habilidades no se requieran para esta investigación. Mierda, seguramente ni siquiera tendrás que levantar la voz...

23

El padre de Holly Weaver tardó dos días en volver a su casa en las afueras de Guilford, dos días en los que Holly había muerto mil muertes, un centenar de ellas sola, en las horas posteriores al hallazgo del cuerpo en el bosque. Owen Weaver se ganaba la vida conduciendo un gran camión, y estaba en Florida cuando se encontró a la mujer. A cuarenta centavos el kilómetro y medio eso representaba un buen dinero, la mejor retribución que había obtenido desde hacía tiempo, porque en los meses de invierno se trabajaba poco, y Owen prefería hacerlo en Nueva Inglaterra cuando era posible. Pero lo cierto es que el invierno no era una buena estación para mucha gente en Maine. Holly trabajaba de secretaria y recepcionista para una empresa de suministros médicos en Dover-Foxcroft. Había tenido la suerte de mantener todas sus horas laborales en enero y febrero —conservando su empleo—, mientras que el trabajo de camarera los fines de semana le daba la oportunidad de ahorrar algo de efectivo sin que Hacienda lo supiera. Al menos Daniel estaba ahora en preescolar, lo que facilitaba un poco las cosas. En la guardería ya no tenía que pagar tanto, pero...

¿Y si lo descubrían? ¿Y si se presentaban con sus linternas y se llevaban a Daniel?

Ella moriría.

Y ésa sería su muerte mil y una.

Estaba tan asustada que ni siquiera había usado su propio teléfono para llamar a su padre cuando se descubrió el cadáver. Ellos escuchaban las llamadas, ¿no? La policía, la CIA, la NSA. Holly se imaginó infinitos cuartos blancos llenos de gente, todos con auriculares en las orejas, escuchando en secreto conversaciones, esperando oír las palabras clave: «ISIS, explosivo, asesinato, cadáver, encontrado, tumba, superficial». Sabía que, seguramente, en la realidad no era así. Tenían ordenadores programados para reconocer frases. En algún sitio había leído algo al respecto, o eso creía. Sin duda, también podían espiar los teléfonos públicos de pago, ¿no? Pero al menos con un teléfono de pago cabía la posibilidad de cierto anonimato. Hablar de asuntos turbios por tu móvil era de tontos, como ponerte las esposas en tus propias manos y esperar a que vinieran a detenerte.

Así que dejó el móvil junto al televisor antes de vaciar toda la calderilla de la pequeña hucha con forma de lechera que tenía en la repisa de la chimenea: su «fondo para imprevistos», lo llamaba, aunque a menudo se veía obligada a asaltarlo para comprar ropa o zapatos nuevos al niño, que crecía muy rápido.

Mil y dos muertes.

Metió todas las monedas en un viejo calcetín, sujetó bien a Daniel con el cinturón de seguridad, no fueran a sufrir un accidente...

Mil y tres.

Basta.

... y se encaminó hacia la gasolinera, donde había un teléfono público que podía utilizar. Llovía y los limpiaparabrisas dejaban huellas en el cristal. Había que cambiarlos, pero no tenía dinero para eso, no ese mes, y no quería pedirle a su padre, porque ya le daba demasiado. A veces Holly sospechaba que su padre seguía trabajando sólo por ella y por Daniel, aunque él le aseguró que le gustaba estar en la carretera. Decía que incluso mientras dormía en su propia cama en casa recurría al doble embrague colina abajo, y utilizaba un libro de registro de camiones a modo de diario.

Su padre formaba parte de una subespecie humana con sus propias normas y su propio idioma. Ella había crecido oyéndole hablar de «asfixiagallinas» para referirse a los que transportaban animales, y a los que llevaban materiales peligrosos los llamaba «jinetes suicidas». Pero también era muy distinto de la mayoría de los camioneros, que vagaban por la vida como plantas rodadoras a merced del viento por el desierto: sin hogar, o al menos nada que se le pareciera demasiado más allá de un apartamento desvencijado; sin familia, ni nadie con quien mantener el contacto; sin dinero, o no más de lo que les cabe en la cartera, y sin futuro, o no más futuro que su próximo trabajo. Owen Weaver no era uno de esos vagabundos, y si apreciaba la libertad de la carretera, apreciaba todavía más a su hija y a su nieto. Pese a todo, seguía apreciando aquel maldito camión, y la soledad de la cabina, y la conversación en las paradas de camiones que siempre empezaban con la misma pregunta: «¿Qué carga llevas?».

Pero Owen Weaver ya pasaba de los sesenta, y la espalda le dolía como una maldición tras casi cuarenta años detrás del volante de varios semirremolques. Holly suponía que podía haber vendido la casa en la que vivía con su hijo y haberse instalado con su padre, que vivía al lado, pero la casa era lo único que tenía, y el orgullo le impedía deshacerse de ella, el orgullo y la conciencia de que, por mucho que amara a su padre y por mucho que él los quisiera a ella y a Daniel, no era un hombre que compartiera su espacio con facilidad. Dos esposas, una de ellas su propia madre, podrían haberlo corroborado.

Holly echaba de menos a su madre. Murió demasiado pronto, a los treinta y cinco años, y después su padre se había vuelto a casar también demasiado pronto, tal vez movido por el pánico a quedarse solo al cuidado de una hija pequeña. Se dio cuenta del error de juicio bastante rápido, y también su segunda esposa. Se separaron amistosamente, pero de forma irrevocable, y desde entonces sólo unas pocas mujeres habían compartido la cama de Owen Weaver, y ninguna por mucho tiempo. Hasta que Holly acabó la escuela, su padre sólo aceptó trabajos de transporte y reparto locales, apañándoselas casi siempre para estar en casa a la hora de comer y a menudo antes. Holly siempre había sabido que su padre haría cualquier cosa por ella, lo que fuera.

Y lo hubiera hecho incluso antes de la aparición de «la mujer del bosque», como la llamaban ya los reportajes de la televisión y los periódicos, un nombre que a Holly le provocaba escalofríos porque era casi como si hubieran leído el cuento que le había escrito a Daniel, el cuento que nunca debería haber puesto negro sobre blanco.

Marcó el número de Owen, introdujo en el teléfono la suma para tres minutos, y escuchó el pitido del aparato al otro extremo de la línea, una y otra vez, hasta que oyó la voz de su padre pidiendo que dejara un mensaje; y en ese momento casi se descontroló, quiso gritar, chillar, pero consiguió mantener la compostura para recitar el número del teléfono público y rogarle que le devolviera la llamada enseguida. Volvió al coche porque seguía lloviendo y el viento había cobrado fuerza, pero mantuvo la ventanilla bajada y la radio apagada por miedo a no oír sonar el teléfono, aunque Daniel se quejaba del frío y el aburrimiento. Ella le gritó y él se echó a llorar, y Holly no quería que llorara nunca, ni que se entristeciera jamás. Lo único que deseaba era que fuera feliz, que supiera que lo querían y que la llamara «mamá» siempre.

El teléfono empezó a sonar. Salió un hombre de los lavabos y Holly vio que miraba hacia el teléfono justo cuando ella se apeaba del coche. Le hizo un gesto con la mano para decirle que la llamada era para ella, pero habría preferido que él se hubiera demorado en el maldito váter sólo unos segundos más. No quería que nadie recordara su cara, ni la marca ni la matrícula de su coche, ni al niño que lloraba en el asiento de atrás. Por eso se había mantenido apartada tanto tiempo, por eso vivía en una casita en la linde del bosque, por eso no se relacionaba con las demás madres de la escuela de Daniel, por eso no se había acostado con ningún hombre desde antes del nacimiento de Daniel, por eso estaba sola.

Así no se fijarían en ella, así no tendría que responder preguntas.

Cogió el teléfono.

—¿Holly?

—Sí, soy yo.

—¿Qué ha pasado? ¿Qué número es éste?

—Es un teléfono público. Escucha, necesito que vuelvas a casa en cuanto puedas.

—¿Por qué? ¿Os ha pasado algo a ti o a Daniel? ¿Estáis bien? ¿Estáis heridos?

—No, no es nada de eso. Por favor, echa un vistazo a las noticias locales de por aquí, ¿puedes hacerlo enseguida?

Holly sabía que su padre nunca iba muy lejos sin su iPad. Le hacía compañía en sus viajes. En él veía películas, leía libros, de todo.

—Claro. Ahora mismo paro. Te voy a poner en modo altavoz para tener las manos libres.

—Esperaré.

Holly oyó cómo se movía y, al cabo de un momento, lo que podría haber sido una inhalación seguida de la voz de un locutor de noticias que reconoció del Channel 6 de Portland. Era el mismo reportaje que ella había visto hacía apenas unas horas. Dejó que su padre lo viese sin interrumpirle hasta que acabó y se hizo el silencio.

—¿Lo entiendes? —preguntó finalmente ella.

—Sí.

—Estoy asustada.

—No tienes por qué.

Holly miró hacia su coche. Vio a Daniel observándola a través del parabrisas. Ya no lloraba. El niño sólo daba la impresión de concentrarse con todas sus fuerzas en lo que estaba presenciando en un intento de interpretarlo, como hacía cuando jugaban a imitar animales.

—No voy a permitir que me lo arrebaten —dijo.

—Holly...

—Te lo digo, nada más. Eso no va a pasar.

—No pasará. Saldré para casa a primera hora de la mañana.

—Conduce con cuidado.

—Lo haré. Y, Holly...

—¿Qué?

—Todo saldrá bien. Lo que hicimos...

Holly colgó. No quería que lo dijese en voz alta.

Por si ellos estaban a la escucha.

24

La relación de Parker con el detective Gordon Walsh de la Policía del Estado de Maine ya no era tan amigable como en el pasado, en gran medida porque Walsh creía que Parker había intervenido en el asesinato de un hombre en la ciudad de Boreas hacía casi un año.

Eso no era del todo cierto: Parker habría preferido que el hombre en cuestión viviera, aunque sólo fuera porque así tendría que enfrentarse a un tribunal por sus crímenes, pero las circunstancias dictaron que las preferencias de Parker no importaran demasiado. El inminente difunto se había presentado con un arma y la intención de utilizarla para poner fin a la vida de Parker. Ésa era una perspectiva a la que Parker, no sin cierta justificación, puso algunos reparos. Resultó que Louis compartía los mismos reparos, y por tanto se había visto obligado a meterle una bala en la cabeza al hombre desde lejos antes de volver a Nueva York para evitar cualquier pregunta incómoda que pudieran hacerle si no se largaba. Mientras tanto, la cuestión de hasta qué punto la víctima había sido atraída a una trampa seguía siendo una cuestión propia de filósofos de la moral, mejor dicho, de los filósofos y de la Unidad de Delitos Graves de la Policía del Estado de Michigan a la que pertenecía el detective Gordon Walsh.

Así que a Parker no le sorprendió demasiado ver cómo se le nublaba la expresión de la cara a Walsh cuando salió del Ruski's, en Danforth, mientras la tarde se desvanecía en el crepúsculo. A Parker no le había costado encontrarlo: Ruski's era un local popular entre los policías, tanto locales como estatales, y los domingos por la tarde solían congregarse en torno a la barra, sobre todo para charlar y desahogarse, pero también para facilitar el intercambio discreto de información. Parker tendía a evitar el Ruski's los domingos —no era ni el día ni el lugar para que un investigador privado se presentara buscando ayuda—, pero sabía que Walsh era uno de los habituales, y acorralarlo en la calle le ahorraría un viaje. Tal vez también esperaba que un par de cervezas lo hubieran ablandado un poco. En cuyo caso se llevaría una decepción.

—Piérdete —dijo Walsh en cuanto se le acercó Parker.

—Pero si no sabes por qué estoy aquí.

Walsh le habló sin parar de andar, pero Parker se mantuvo a su lado, y a Walsh eso no pareció gustarle nada.

—Sí sé por qué estás aquí: quieres alguna cosa. Siempre quieres algo.

—Todo el mundo siempre quiere algo.

—¿Y ahora de qué vas?, ¿de Platón?

—Me parece que eso no es platónico, simplemente realista.

—Pues yo dedico los otros seis días de la semana a la realidad. Los domingos los reservo para soñar, y no para hablar contigo, aunque me estoy planteando ampliar esa prohibición al resto de la semana.

—El deseo individual es inferior al ideal.

—¿Qué?

—Creo que eso *sí* podría ser de Platón. O a lo mejor de Sócrates, no soy un experto en la materia.

Walsh se detuvo.

—Me estás amargando el día poniéndote tan filosófico. Y también por el mero hecho de existir.

—Trabajas para una agencia de policía que cita a Voltaire en su sitio web.

Eso era verdad.

«A los vivos les debemos respeto, a los muertos les debemos la verdad», era el *ethos* de la Unidad de Homicidios sin resolver de la Policía del Estado de Maine, acompañado del lema *Semper memento*.

Recuerda siempre.

—¿No me digas? —respondió Walsh—. Bueno, yo no lo puse ahí.

—Walsh —dijo Parker, ahora en voz más baja—, concédeme sólo cinco minutos.

El policía exhaló casi sin querer.

—Necesito un café —dijo.

—¿En el Arabica?

—Vale, pero el de Commercial.

Eso implicaba que estarían más lejos del Ruski's, y por tanto sería menos probable encontrarse con ninguno de los colegas de Walsh buscando un estimulante de cafeína.

—Nos vemos allí —dijo Parker.

—No sé si podré esperar tanto tiempo.

Sólo había ocupadas un puñado de mesas cuando llegó Parker. Faltaba una hora para el cierre y la mayoría de la gente con sentido común había vuelto a casa para evitar la lluvia que se había pronosticado, como seguramente había pretendido hacer Walsh hasta que lo abordó Parker. Parecía que durante el resto de la semana iba a llover a rachas, pero al menos eso acabaría con los últimos restos de hielo acumulados en la ciudad.

Walsh ya se había sentado a una mesa del fondo del local, que daba a la puerta principal pero quedaba oculta entre la penumbra. Parker se acercó a la barra y pidió un café americano y el café con más calorías y más dulce de la carta para Walsh. Para ir sobre seguro, también cogió las suficientes bolsitas de azúcar para que las acciones de las azucareras se dispararan.

Walsh se había quitado el abrigo y lo miraba con un aire de dolorosa decepción, como si hubiera esperado que al deshacerse del peso físico de la prenda también se quitaría de encima las aflicciones a las que no sabía dar nombre ni forma. Fuera, la ciudad aceptaba sin pestañear la caída del crepúsculo. Durante el rato que habían tardado los dos hombres en llegar al paseo marítimo y buscar refugio casi había oscurecido del todo, en parte porque ya era tarde y en parte por la cantidad de nubes que se había formado.

—Odio el invierno —dijo Walsh—. Gracias a Dios que ya se ha acabado.

Añadió una bolsita de azúcar a su café, y luego dos más, entonces dio un sorbo de prueba antes de llegar a un total de cinco.

Parker señaló las bolsitas vacías.

—Si te sirve de consuelo, a este paso dudo que vivas para ver el próximo.

—Pequeños placeres. Nos los damos cuando podemos.

Una joven pasó a su lado dejando un rastro de olor a jabón, y la nariz de Walsh se alzó como la de un sabueso de caza. Parker había oído rumores de que el matrimonio de Walsh tenía problemas, de que su mujer y él ya no vivían bajo el mismo techo. La noticia, aunque no le sorprendía, a Parker no le hacía gracia: a los invitados a las bodas de policías se les aconsejaba que evitaran regalar tostadoras o freidoras y que aportaran dinero para un depósito que pagaría los servicios de un par de buenos abogados especialistas en divorcios. Pero a Parker le caía bien Walsh, aunque no estaba tan claro que el sentimiento fuera recíproco, y la esposa de Walsh parecía una mujer agradable. Tal vez salieran adelante, pero sólo si Walsh tenía el suficiente sentido común para no hacer caso a los picores en sus calzoncillos.

—Es demasiado joven para ti —dijo Parker cuando le dio la impresión de que Walsh se había distraído por completo.

—Es demasiado todo para mí.

—Mientras te des cuenta...

—¿Ahora eres la voz de mi conciencia?

—Ni siquiera soy la voz de la mía.

—Mientras te des cuenta...

—*Touché* —dijo Parker.

—¿Tus chicos han estado por la ciudad?

Parker supuso que Walsh se refería a Angel y Louis.

—No creo que a Louis le gustara mucho que lo llamaran «chico».

—Estoy seguro de que no se lo tomaría como algo personal.

—Pues yo estoy seguro de que sí.

—No me has contestado a la pregunta.

Parker sabía que Walsh no les quitaba ojo a Angel y Louis, y llevaba haciéndolo desde que ellos decidieron pasar parte del año en Portland.

—No han venido mucho por aquí —dijo Parker—. Angel está enfermo.

—¿De verdad? ¿Qué clase de enfermedad tiene?

—La clase que implica tumores.

Walsh, que hasta ese momento había hecho todo lo posible para mantener un tono apenas velado de hostilidad, se moderó.

—Vaya, lo siento.

—Y él también. Cáncer de colon fase dos. Lo cogieron antes de que se propagara a los nódulos linfáticos, pero no de que le perforara la pared del colon. Pese a todo, estuvo cerca. Necesitará quimioterapia cuando se recupere de la cirugía, aunque no perderá el pelo. Le preocupaba más sacrificar lo poco que le queda que un trozo de su intestino.

—Dios. Todo el mundo tiene cáncer. No recuerdo que antes fuera así.

—Cuando no era eso era otra cosa. Me parece que el mundo siempre encuentra nuevas formas de matarnos.

—¿Cómo lo lleva Louis?

—Todo lo bien que puede esperarse.

—Eso es mal, ¿no?

—La procesión va por dentro.

—Como el frío.

—Si pretendes ganar puntos, a lo mejor deberías esperar a que vuelva a la ciudad y decírselo a la cara.

—Tal vez lo haga. Y sigues sin responder a mi anterior pregunta: ¿ha estado por aquí últimamente?

—¿Puedo preguntar por qué te interesa?

—No, pero permíteme recordarte que si buscas información, que es lo que imagino que quieres y por eso estamos aquí sentados, entonces el río fluye en los dos sentidos.

Parker se rindió. No veía qué podía sacar si se oponía a ello.

—Estuvo aquí el fin de semana pasado.

—¿Quedaste con él?

—Sí.

—¿Dónde?

—En varios sitios.
—¿Alguno de ellos en Commercial?
—No recuerdo. Y esto no parece un intercambio de información. La palabra pertinente sería «interrogatorio».
Walsh distribuyó las bolsitas de azúcar, abiertas y sin abrir, sobre la mesa formando un dibujo: una esvástica.
—Alguien hizo saltar por los aires la camioneta de Billy Ocean.
—No a todo el mundo le gusta el *rhythm and blues* que canta.
—¿Te crees que eres el primero que hace ese chiste?
—Ni siquiera es la primera vez que lo cuento yo mismo.
—¿Ah, sí? ¿Cómo es eso?
—El viejo de Billy quiso contratar a Moxie Castin para que investigara a cualquiera que tuviera algún agravio personal contra su hijo, o alguna objeción sobre su forma de expresar sus opiniones, dado que los polis no dais la talla para el trabajo.
—¿Qué respondió Moxie?
—Moxie es judío. ¿Qué te parece que dijo?
—¿Es judío?
—Ya lo sé, incluso a mí me sorprendió.
Walsh deshizo la esvástica de bolsitas de azúcar.
—Hace falta ser un hombre con un talante muy particular para volar la camioneta de alguien porque no le gustan sus opiniones políticas.
—Por lo que sé —dijo Parker—, Billy Ocean no tiene ideas políticas, o ninguna digna de ese nombre. Lo que Billy tenía era una camioneta adornada con banderas confederadas.
—Todo lo cual puede ser cierto, pero volar su camioneta indica un nivel de intolerancia más alto del habitual.
—¿Y conducir por el estado más septentrional de la Unión ondeando la bandera de la Confederación no? No me fastidies. Hice algunas llamadas después de hablar con Moxie. ¿Te suena el asunto en Freeport y Augusta con el Klan? Se dice que alguien vio a dos hombres en una camioneta como la de Billy arrojando objetos en los patios de las casas de Freeport.

En enero, los residentes de aquellos dos territorios se habían encontrado al despertar folletos del Klan, envueltos en bolsas de sándwiches y con piedras para que no se volaran, tirados en los caminos de entrada de sus casas. Los folletos eran publicidad de un servicio de vigilancia vecinal del KKK, e incluían un numero 800 para algo denominado Klan-line.

—Y dos hombres, que a primera vista, por la descripción que hicieron de ellos, podríais ser tú y Louis, fueron vistos bebiendo en un bar próximo no mucho antes de que la camioneta de Billy explotara —dijo Walsh.

—No me digas. ¿Y a esos dos hombres que se ajustaban a nuestras descripciones se los vio volando el vehículo?

—No.

—Pues ya está todo dicho.

—Debes reconocer que es mucha coincidencia.

—¿El qué?, ¿que un tipo negro y uno blanco beban juntos en un bar la noche que le prenden fuego a la camioneta de un racista?

—Esto es Maine —dijo Walsh—. Aquí hay negros que no pueden tener amigos negros. Hasta es posible que tú seas la única persona que conozco que *tiene* un amigo negro.

—Debes ampliar tus horizontes.

—Cada vez que lo hago, vivo para lamentarlo, sobre todo cuando se trata de gente relacionada contigo.

Walsh se había relacionado demasiado con Louis durante los sucesos de Boreas, convencido de que podría aprovechar los conocimientos de éste para avanzar en la investigación, y había acabado quemándose los dedos. Parker creía que la experiencia podría haber exacerbado la tendencia natural de Walsh a darle demasiadas vueltas a los viejos agravios.

—Me gustaría ayudarte, pero no puedo —dijo Parker.

Parker estaba manteniendo un tono uniforme, casi divertido, durante toda la conversación. No iba a morder el anzuelo de Walsh, y Walsh lo sabía. Los dos se bebieron sus cafés. A esas alturas eran los últimos clientes en el Arabica.

—Entonces supongo que el asunto está condenado a quedar sin resolver —dijo Walsh.

—Tal vez sea lo mejor.

—Tal vez. —La expresión de preocupación volvió a asomar

a la cara de Walsh—. Mira, esos folletos que lanzaron a las casas tenían toda la pinta de ser obra de un par de camorristas. A la mierda, aquí no hay Klan, no desde que se le enseñó la puerta a Ralph Brewster.

Ralph Brewster, senador del estado de Portland, se había presentado como candidato a gobernador republicano en 1924, cuando el Klan afirmaba contar con cuarenta mil miembros en el estado, en gran medida azuzando los sentimientos anticatólicos y antiinmigrantes. Brewster siempre negó ser miembro del Klan, pero nadie le creía, y tampoco importaba mucho dado que apoyaba a la organización y, a su vez, aceptaba su respaldo, lo que le ayudó a conseguir el puesto de gobernador. En la década de 1930 el Klan era, en Maine, una fuerza exánime, debilitada por los escándalos y la reticencia general de los ciudadanos a dedicar demasiado tiempo a odiarse entre sí. Esa situación se había mantenido en gran medida hasta la actualidad.

—¿Pero? —dijo Parker.

Walsh se rascó la barba de varios días. Parecía tener ganas de acostarse. Parker no sabía cuántas cervezas habría bebido, pero suponía que estarían entre «demasiadas» y «no las suficientes». El café no ayudaba. Lo que fuera que le carcomiera por dentro era demasiado profundo para eso.

—Pero —dijo Walsh— es como si a todo el mundo le hubiera subido la temperatura un par de grados últimamente. La propaganda del Klan y los ataques incendiarios sólo pueden subirla más, y al final acabará disparada hasta que alguien se haga daño. Billy Ocean es un gilipollas, pero también lo es el tipo que voló su camioneta. Si por casualidad te topas con él, puedes decirle que te lo he dicho. Si tiene algún problema al respecto, estoy seguro de que sabe dónde encontrarme.

Parker asintió. No tenía intención de transmitir el mensaje, pero sabía que no debía pasar por alto la advertencia de Walsh.

—Aquí termina la lección —dijo Walsh—. Bien, ¿qué quieres saber?

25

A pesar de que estaba sentado en un cómodo sillón junto a la ventana de su habitación, una habitación que tenía las paredes decoradas con cuadros de paisajes del estado de New Hampshire y cuyo suelo conservaba todavía los tablones originales del siglo XIX, pulidos hasta tal punto que brillaban de una manera que a él no le gustaba, y que estaba amueblada con piezas del periodo en que se construyó la posada o, como en el caso de la cama, con una cara reproducción, Quayle deseaba hallarse en otro lugar. No pertenecía a ese país, y quizás ni siquiera a esa época. Él pertenecía a otro orden de cosas; el Nuevo Mundo le resultaba demasiado ruidoso, de colores demasiado chillones. Sobre todo, despreciaba su deseo desesperado de tener una historia, una búsqueda adolescente de la merecida *gravitas* de la edad. Una tienda cercana a la posada alardeaba de vender antigüedades, pero —por lo que él veía— todo lo que ofrecía no era más que una azarosa acumulación de basura casi moderna. Prenderle fuego habría sido un gesto compasivo.

La posada se levantaba en una parcela apartada del resto de la ciudad por una hilera de árboles de hoja perenne, y sus jardines apenas se veían a causa del crepúsculo y la lluvia. El reflejo de Quayle le devolvía a éste la mirada desde el cristal, como un camafeo que resaltara en una cerámica oscura, y eso le consolaba. Quayle era una criatura de velas y lámparas de gas, un morador liminar en la bruma y las sombras, pero el ánimo que le impulsaba era todavía más antiguo, fruto de unas tinieblas primordiales, anteriores a los albores de la vida misma. Quayle no conservaba recuerdos de sí mismo de pequeño, de niño, ni siquiera de joven. Sus ojos se habían abierto al llegar a la edad adulta, su conciencia había florecido con una percepción inmediata de su propósito en esta tierra: encontrar un único libro, y permitir que éste hiciera su trabajo. Cuando hubiera acabado con esa tarea, Quayle buscaría el olvido. No deseaba vivir para ver lo que pasaría a continuación. Tal como estaban las cosas, ya había visto demasiado.

Pero tal vez esta percepción de una vida prolongada casi más allá de lo tolerable era meramente una fantasía, un trastorno mental; eso, o la manifestación del sentido de tener que cumplir una misión legada a lo largo de generaciones de Quayle, como un gen recesivo. Después de todo, había lápidas con el nombre de Quayle, urnas que guardaban cenizas de Quayle, y la tierra alojaba huesos Quayle.

O con el nombre de alguien, las cenizas de alguien, los huesos de alguien.

Al otro lado de la ventana abierta, unos silenciosos relámpagos iluminaban el cielo como impotentes estallidos de rabia de una deidad despertada demasiado tarde para impedir su propia destrucción. Quayle olió fuego en el aire, y el fino vello rubio de sus dedos se erizó al alzar la mano derecha hacia el cielo, doblando un dedo como si invocara al Dios Antiguo, invitándole a desnudar Su garganta para que Su dolor pudiera llegar a Su final.

«Entonces ambos dormiremos», pensó Quayle, «y será lo mejor.»

Al día siguiente retomaría su trabajo. Antes de enterrarla, había sonsacado a Esther Bachmeier el nombre de la mujer en Maine a quien había confiado el cuidado de Karis Lamb: Maela Lombardi. Tenía una dirección de Lombardi en Cape Elizabeth, y ya sabía algo de sus antecedentes. Lombardi era una profesora de instituto jubilada, pero —y eso era algo que compartía con el desafortunado Dobey— no parecía que trabajara directamente con organizaciones caritativas ni refugios oficiales para mujeres. Era una ayudante secreta, otro punto de conexión en una serie de eslabones cuidadosamente mantenidos y diseñados para dar seguridad a los vulnerables.

Quayle y Mors habían enterrado viva a Bachmeier, después

de infligirle tales daños que Quayle dudaba que sufriera mucho tiempo bajo el peso de la tierra y de las piedras. Él estaba casi seguro de que Dobey no le había dicho la verdad sobre la llamada de Karis Lamb desde Maine, o de que como mínimo se guardaba información valiosa. Entonces recurrieron a Bachmeier para corroborarlo y ésta finalmente había dado el nombre de Lombardi.

Quayle nunca había tenido la intención de dejar a Bachmeier con vida, pese a las promesas en sentido contrario que le hizo a Errol Dobey, y por la misma regla de tres también mandó a Mors a ocuparse de las camareras que le habían visto la cara a Quayle. Por desgracia, una concatenación de contratiempos obligó a Quayle y a Mors a salir de Cadillac sin cumplir esa misión. Era preocupante, pero no mucho. Quayle ya había cambiado de aspecto con el sencillo recurso de teñirse el pelo de un color más claro, cambiarse de gafas y quitarse las lentes de contacto de color. Creía que ahora no lo reconocería ninguna de las dos camareras, y tampoco el chef, pero, si tenía tiempo, tal vez enviara a Mors tras ellos, aunque sólo fuera como represalia por las mentiras de Dobey.

Quayle se preguntó por un instante si el asesinato de Dobey y la desaparición de Bachmeier alertarían a los demás de que podían correr peligro. No lo creía: el fuego era el gran eliminador de pruebas, y no encontrarían la tumba de Bachmeier fácilmente. Sólo cuando Mors y él mataran a Lombardi —como casi con toda seguridad tendrían que hacer una vez que le hubieran sonsacado la información que querían— la relación entre las muertes saldría a la luz.

Pero a esas alturas, Quayle conocería el paradero de Karis Lamb y la identidad bajo la que se ocultaba. Su prioridad era asegurarse de que no tenía tiempo de huir antes de que le echara el guante. La persecución ya se había alargado demasiado. Era una sangría de recursos y había acabado obligándole a cruzar el charco hasta esa tierra furiosa, forzándole a abandonar su refugio en Londres. Mors y él habían tomado precauciones: viajaban con pasaportes holandeses legales, pero bajo nombres que no eran reales; sus huellas dactilares se habían creado con la ayuda de placas de circuitos impresos y gelatina líquida que remedaban las respuestas térmicas de la piel humana, y una variación de la misma tecnología se había utilizado para sus iris. Poco pudo hacerse con los registros fotográficos de sus caras que ahora estaban en posesión del Departamento de Seguridad Nacional, pero incluso en ese aspecto los preparativos habían servido de algo: las prótesis faciales eran sencillas, fácilmente aplicables y más fáciles de extraer. Del mismo modo que Quayle guardaba ahora poco parecido con el hombre que había leído poesía en el Dobey's Diner, Mors y él no eran tampoco más que sombras de las dos personas que habían pasado la aduana de Estados Unidos en el aeropuerto Dulles de Washington. Cuando llegara el momento de volver a Inglaterra, las prótesis se recolocarían en cuestión de horas. Pero viajar seguía resultándole desagradable a Quayle, y sólo la gravedad de la situación podía haberle llevado a aquella orilla del Atlántico.

Pero el libro lo requería. Hasta que fuera devuelto, a Quayle no se le permitiría descansar.

Y estaba exhausto.

Cerró los ojos y se vio a sí mismo recogiendo las últimas hojas dispersas del volumen, esa creación fragmentada por su nombre y por su naturaleza.

El Atlas Fragmentado.

26

Por una vez, Parker pudo ser totalmente sincero con Walsh al hablarle de un cliente y un caso. Eso suponía un agradable cambio, aunque Walsh se mostraba reacio a aceptar que todo fuera tan simple como parecía, y Parker no lo culpaba, dada la cantidad de medias verdades y mentiras por omisión con las que Walsh se había visto obligado a lidiar en el curso de los años.

Walsh trabajaba en la actualidad desde la Unidad Sur de Delitos Graves, en Gray, y la que se encargaba de investigar los restos de la mujer del bosque era esa misma unidad, pero en su división Norte. No obstante, poco pasaba en las fuerzas del orden de Maine de lo que Walsh, que era uno de los investigadores con más experiencia, no estuviera informado.

—¿Así que Moxie te contrata para que investigues esto porque tiene buen corazón? —dijo Walsh.

—Algo así.

—Ni siquiera sabemos con seguridad si la mujer era judía.

—Moxie tiene la impresión de que se talló una estrella de David cerca, aproximadamente por la misma época en que la enterraron.

—Moxie sabe mucho más de este caso de lo que debería. Esos detalles no se han hecho públicos.

—Moxie tiene sus fuentes.

—Si descubro quiénes le han estado filtrando información, los pondré a rastrear urinarios de paradas de camiones para detener a borrachos y pervertidos.

—Al menos, contarán con la defensa de Moxie. Y ésta todavía no es una investigación de asesinato, ¿no?

—La mujer no se enterró sola.

—Es lo que suele pasar con la mayoría de los muertos. ¿Cuándo haréis público lo que sabéis?

—Cuando tengamos hechos, no especulaciones. Podrías explicarle la distinción a Moxie la próxima vez que decida hacerse el listillo.

Parker se recostó en la silla apartándose de la mesa. Un relámpago centelleó sobre la terminal de ferris al otro lado de la calle. Esperó el ruido del trueno, pero no llegó. Sabía que, aun así, habría resonado ahí fuera, aunque demasiado lejos para oírlo, como una conversación en una habitación distante. Él asociaba ese tipo de tormentas con el verano, no con el principio de la primavera. Las rarezas del tiempo resultaban perturbadoras.

—¿Por qué estás tan cabreado? —preguntó.

—Porque el hecho de que te involucres en una investigación nunca trae nada bueno —dijo Walsh—. Porque creo que estabas tan cerca de la camioneta de Billy Ocean cuando explotó que se te chamuscaron las cejas. Porque creo que colaboraste en la muerte de un hombre haciendo que fuera a una playa de Boreas. Elige lo que prefieras. Y si no te gusta ninguna de esas razones, tengo muchas más.

—Esto no tiene que ver con tus problemas conmigo. Se trata de una mujer enterrada y un bebé desaparecido.

—No te hagas el santurrón. Sé perfectamente de qué va esto.

—En ese caso, ¿qué mal puede hacerte compartir información?

—Tú no compartes nada, sólo tomas sin dar. Has ocultado tantas cosas a lo largo de los años que deberías comprarte una caja fuerte.

—Procuro ser sincero e ir de frente contigo.

—Como una serpiente.

—Eso me duele.

—Eres como una piedra en el zapato, pero, por más fuerte que lo agite, no puedo sacármela.

—¿Es ésta tu forma de decir que te gustaría encontrar la manera de librarte de mí?

Walsh entornó los ojos para enfocarlo mejor.

—¿De dónde coño has sacado eso?

—De *Brokeback Mountain*.

—Dios, cuando empezaba a pensar que las cosas no podían ir a peor.

Uno de los camareros se acercó para avisarles de que iban a cerrar.

—Bien —dijo Walsh.

Parker siguió a Walsh hasta la puerta y caminó a su lado mientras se acercaban a sus respectivos coches, uno aparcado a la vista del otro, el de Walsh más cerca del Arabica. Otro relámpago bifurcado fracturó el cielo, tan intenso y repentino que Parker vio la silueta de Peaks Island recortada contra él.

Y seguía lloviendo.

—No parece un asesinato —dijo Parker—. ¿Qué clase de asesino entierra a una mujer y luego se toma su tiempo para tallar una señal?

—Ninguna clase. —Walsh se subió al coche e intentó cerrar la puerta, pero Parker se interpuso.

—Soy bueno en esto —dijo Parker—. Dame algo.

—A la mierda Moxie y tú. Te lo juro, vosotros dos sois como unas vacaciones en el infierno. —A Parker le dio la impresión de que Walsh estaba a punto de echarse a llorar de frustración, y no le apetecía hacer llorar a un hombre adulto—. Mira, Moxie tiene razón: la mujer dio a luz poco antes de morir, la estrella podría haberse tallado por la misma época, pero el antropólogo forense puede haber descubierto algo que se le pasó por alto al médico forense.

Cuando se descubrían restos enterrados, la costumbre era pedir consejo a los antropólogos de la Universidad de Maine, en Orono. También los avisaron para que colaborasen en la búsqueda del bebé.

—¿Que es...?

—El antropólogo encontró daños en la placenta y dio con el trauma correspondiente en lo que quedaba del útero.

—¿Una consecuencia del parto o una herida infligida?

—Se llama desprendimiento de placenta, algo que yo no sabía ni que existía hasta ayer. Significa que la placenta se separó parcialmente del útero de la Mujer Sin Nombre antes del nacimiento del niño. Seguramente sucedió de repente, y causó una gran hemorragia. De estar hospitalizada, le habrían practicado una cesárea de urgencia, pero no estaba en un hospital: lo más seguro es que fuera por el bosque y que muriera desangrada.

—Lo que hace que sea menos probable que la criatura sobreviviera.

—No es imposible, pero reduce sus probabilidades. Si se vio privada de oxígeno durante el tiempo suficiente, podría ser un mortinato. Vamos a empezar a excavar, a ver qué encontramos. Mientras tanto estamos investigando qué tenemos sobre la madre a través del servicio de personas desaparecidas del estado, así como en el Centro Nacional de Información de Crímenes, el Sistema Nacional de Personas Desaparecidas y Sin Identificar y el Centro para Niños Desaparecidos y Explotados, sólo por si acaso.

El Centro Nacional de Información de Crímenes, conocido como NCIC, existía desde hacía más de cuarenta años, y su Archivo de Personas Desaparecidas contenía los registros del FBI de individuos cuya desaparición se había denunciado atendiendo a una gama de categorías, pero, en general, de aquellos sobre cuya seguridad había preocupaciones razonables. Sin embargo, se tenía que estar muy preocupado para informar a las fuerzas del orden cuando alguien había desaparecido, y eso no siempre sucedía, y tampoco existía ninguna obligación por parte de otras agencias de transferir detalles sobre los adultos desaparecidos a los sistemas nacionales del FBI, que era la razón por la que había cuarenta mil cadáveres sin identificar en Estados Unidos. El NamUs —Sistema Nacional de Personas Desaparecidas y Sin Identificar— estaba pensado para mejorar el acceso a la información de las bases de datos sobre personas desaparecidas y aumentar la baja tasa de denuncias de casos a través del NCIC. Mientras tanto, las muestras de ADN de la Mujer Sin Nombre y los restos de la placenta encontrados con ella se enviarían al Equipo de Biometría del Centro Nacional para Niños Desaparecidos y Explotados. El equipo se aseguraría de que el ADN se contrastaba con las muestras de referencia que tenía el CODIS, el Sistema Combinado e Indexado de ADN, con la esperanza de encontrar una posible coincidencia.

Parker le dio las gracias a Walsh. Había confirmado la información procedente de la fuente de Moxie, y ahora sabía algo más de las circunstancias del parto. También parecía haber convencido a Walsh de su buena fe, al menos con respecto a este caso.

—Espero que Moxie no te pague por los resultados obtenidos —dijo Walsh—. Es una desconocida enterrada en un bosque. Pero si descubres algo que a nosotros se nos escape, me impresionarías de verdad.

—Te tomo la palabra.

—¿Sabes? No he visto *Brokeback Mountain*.

—Vaqueros homosexuales.

—Eso tengo entendido. Y ya que estamos, si ves a Angel, dile que le deseo lo mejor.

—¿Y a Louis?

—Dile que se tome un ansiolítico.

Walsh se alejó en su coche. La oscuridad era más profunda, y el siguiente relámpago trazó un arco que parecía unos dedos de energía sobre la tierra y el mar, como si quisiera arrancar los barcos del océano y a los vivos y los muertos de su reposo. Sin embargo, esta vez Parker lo oyó: el retumbar del trueno, la tormenta que se acercaba. Se levantó el cuello de la chaqueta para protegerse de la lluvia y deseó que la borrasca buscara un destino más distante.

27

Quayle debió de quedarse dormido porque, cuando abrió los ojos, el tono de los colores de la habitación había cambiado y las sombras no eran como antes. El Niño Pálido se encontraba sobre la alfombra estampada a los pies de la cama. Estaba desnudo y carecía de sexo, con el pecho liso y la cabeza lampiña, lo que le confería cierto parecido a una muñeca inacabada y demasiado grande. Las articulaciones del Niño Pálido se combaban hacia atrás en las rodillas, como las patas traseras de un caballo, y sus codos se doblaban hacia delante, como si los tres puntos de articulación se hubieran roto en el pasado y los hubieran recolocado a propósito como si estuvieran dislocados. Las uñas de los dedos de las manos y los pies eran amarillentas y deformes, y carecía de iris y pupila visibles en el blanco de sus ojos. En lugar de eso había un hueco en el centro de cada uno de ellos, de manera que si alguien los mirara desde cierto ángulo y con la iluminación necesaria, podría examinar el interior de su cráneo.

Quayle no se movió del sillón. Contemplaba al Niño Pálido como si mirara una polilla que se hubiera introducido en la habitación: una presencia que no ofrecía ninguna novedad intrínseca en sí ni de sí misma, pero que suponía una distracción. El Niño Pálido abrió y cerró la boca, y la cabeza se le movió como si picoteara. En ese momento, a Quayle le recordó a un pájaro sin plumas, un polluelo caído de su nido que buscaba ayuda en quien nada podía ofrecerle.

Se oyeron unos golpes amortiguados en la puerta que conectaba la habitación de Quayle con la contigua.

—Pasa —dijo Quayle.

Se abrió la puerta y apareció Pallida Mors. Como el Niño Pálido, Mors estaba desnuda, aunque las proporciones de ésta eran de arriba abajo las de una mujer adulta. Su cuerpo era extraordinariamente blanco, su aspecto fúnebre sólo lo quebraba la débil tracería de venas que revelaba la luz de la lámpara, como ríos distantes que se abrían paso entre la nieve; y el vello de su pubis, el lago en el que desembocaban esos afluentes. La marca de un pequeño corte circular, previamente oculta con maquillaje blanco, se veía ahora en su mejilla derecha. Era reciente, y muy profunda —un recuerdo de la fallida tentativa de acabar con una de las camareras de Dobey—, pero no parecía infectada.

Mors no podía ver al Niño Pálido —su naturaleza no era como la de Quayle—, pero se había convertido en una experta en percibir la presencia del ctónico, la filtración de contaminantes de una realidad a la otra. Se detuvo en el umbral entre ambas habitaciones, como reacia a aventurarse a una incursión en reinos desconocidos.

—¿Qué es? —preguntó, y a Quayle le sorprendió la aspereza de su voz, un instrumento desafinado capaz sólo de comunicar lo mundano y lo desagradable.

—Un niño. O algo que se le parece. —Sus ojos parpadearon hacia donde estaba Mors—. Pero ahora se ha ido. Debes de haberlo espantado.

Si pretendía ofenderla, Mors prefirió pasarlo por alto, o tal vez ni siquiera lo captó. A pesar de todos los años que llevaban juntos, a menudo su mente le parecía a Quayle inescrutable. Era como intentar entender los pensamientos de una araña o una avispa: un organismo depredador, hambriento.

—Si lo prefieres, me vuelvo a mi habitación —dijo ella.

—No, puedes quedarte.

Ella se acercó a su cama, se metió bajo las sábanas y observó cómo Quayle se quitaba la ropa. El cuerpo de éste no tenía cúmulos de grasa, era un ensamblaje de músculos, tendones y huesos que guardaba menos semejanza con un ser vivo que con una ilustración anatómica, como una creación de Vesalio o Albinus a la que se le hubiera añadido la capa más fina de piel a modo de encubrimiento.

Entonces fue hacia Mors, que se estremeció ante su roce, porque él estaba gélido. Cuando entró en ella fue como si la penetrara un trozo de hielo, y mientras lo abrazaba, pensó que su piel acabaría pegándose a la de Quayle por lo helada que estaba; al separarse, secciones de su dermis se quedarían pegadas a la de él, y la dejaría con su rojez al descubierto. Cuando él entró en su cuerpo, ella sintió su semilla propagándose con un escalofrío anestésico, avanzando más allá del abismo de su sexo hasta alcanzar su vientre y su pecho, sus brazos y piernas, y llegar finalmente al rojo resplandor de su conciencia y apagarlo, amarilleándolo primero y tiñéndolo de blanco después, hasta que al final...

Quayle se apartó de ella y se recostó en la almohada. Mors ya respiraba profundamente a su lado, aunque el hedor de sus exhalaciones le pasaban inadvertidas; hacía mucho que Quayle había perdido los sentidos del gusto y el olfato, y sólo comía para alimentarse, no por placer, del mismo modo que obtenía una escasa gratificación sexual de los coitos con Mors. Era su calor lo que él deseaba, la energía que desprendía en esos momentos, que permeaba el hielo y el permafrost de su ser para conectarse con cualquier calor residual que pudiera perdurar todavía en la tefra del ser. El frío era la maldición por vivir tanto tiempo, si es que esa prolongada agonía podía denominarse siquiera vida.

Quayle volvió la cabeza y miró al rincón de la habitación más próximo a la ventana, donde las sombras eran más densas. Entre ellas surgió el Niño Pálido, que había presenciado cuanto había sucedido, absorbiendo la visión del acto sexual a través de los huecos de las cuencas de sus ojos. Olisqueó el aire de la habitación y los restos de olor a almizcle del sexo.

—Cuando todo esté hecho —dijo Quayle—, y este mundo haya sido alterado, podrás tenerla. Tú y los de tu especie podréis tenerlas a todas.

28

La tormenta barrió la costa durante la noche y despertó a Parker al hacer entrechocar las tejas del tejado y poner a prueba la seguridad de sus puertas y ventanas, como una entidad informe que buscara un paso a nuevos territorios. Cuando se despertó a la mañana siguiente, el patio estaba cubierto de ramas rotas y un viejo nido de pájaros reposaba curiosamente intacto sobre el césped, pero el día era el más cálido del año, y sólo restos desperdigados de residuos blancuzcos permanecían al socaire de los árboles. Parker secó una de las sillas del porche y desayunó cereales y café con los pies apoyados en la barandilla mientras los pájaros cantaban para su deleite.

Sentía el apremio de hablar con Sam, su hija, pero sabía que en ese momento se estaría preparando para la escuela y no quería interrumpir su rutina. Rachel, la madre de Sam, y él se encontraban en una situación de inquietante tregua. Rachel había suspendido el proceso judicial con el que pretendía que Parker sólo pudiera acceder a su hija bajo supervisión, como consecuencia del tipo de trabajos que éste realizaba y la propensión a la violencia de aquellos con quienes se relacionaba. El desorden de su propia vida se había filtrado en la existencia de su hija, despertando la legítima preocupación de la madre, y Rachel se había convencido de que no le quedaba más opción que buscar protección para Sam en los juzgados.

Pero luego, casi tan repentinamente como se había planteado el problema, volvió a remitir, sin que Rachel quisiera dar ninguna justificación de su cambio de opinión. Parker se daba por satisfecho si las cosas seguían como estaban. Le bastaba con pasar el tiempo con Sam sin que se entrometiera otro adulto, estar allí para ella sin condiciones previas ni reglas cuando ella lo necesitaba, pese a que las profundidades de la naturaleza de su hija siguieran siendo tan misteriosas para él como el más remoto de los abismos oceánicos.

A veces se despertaba por la noche con la voz de Sam hablándole con tanta claridad como si estuviera a su lado en la habitación. En esas ocasiones se preguntaba si, por el hecho de no poder verla a diario, estaba creando discursos imaginarios en sueños para compensar la ausencia. Pero a veces, cuando estaba despierto, la oía hablar con otra niña, y sus palabras le llegaban como un eco desde Vermont, y a Parker no le cabía duda de quién era esa segunda figura, porque había oído a Sam pronunciar el nombre en el pasado.

—*Jennifer*.

Sam y Jennifer: la hija viva hablando con la muerta.

El mundo no podría ser un lugar más extraño, Parker era consciente de ello, por más que encontrara solaz en saber que, a su debido tiempo, cerraría los ojos en este mundo y los abriría en otro, y allí le esperaría Jennifer, y ella lo conduciría hasta su dios.

Eran las siete y media de la mañana. Parker fregó la taza y el cuenco, se subió al coche y condujo hasta St. Maximilian Kolbe, donde llegó justo a tiempo para el inicio de la misa matinal. Se sentó al fondo de la iglesia, donde siempre se sentía más cómodo. No era un feligrés habitual, pero el catolicismo que lo había impregnado durante la infancia nunca le había abandonado y todavía encontraba consuelo en un lugar de culto. Esa mañana primaveral dejó que lo envolviera la liturgia, la familiaridad de sus llamadas y respuestas, que eran por sí solas una forma de meditación, y rezó por sus hijas, la viva y la muerta; por su esposa, la que había perdido; por Rachel, a la que todavía amaba, y por la mujer anónima del bosque y el hijo al que había dado a luz al final de su vida, deseando que, estuviera éste vivo o muerto, ambos estuvieran en paz.

Daniel Weaver oyó que sonaba el teléfono de juguete cuando salía de casa. Un día normal ya estaría en la guardería, pero esa mañana concreta tenía una cita con el dentista así que le habían dejado dormir un poco más de lo habitual. Su abuelo lo esperaba en la puerta principal y su madre no podía permitirse faltar al trabajo.

Daniel había percibido cierta tensión entre su madre y su abuelo desde el reciente regreso de éste, pero era incapaz de atribuirla a una causa específica. Ese enfado no le inquietaba demasiado porque su madre y su abuelo se pinchaban a menudo, casi nunca muy en serio, aunque esporádicamente se saltaban los límites de la consideración, y cuando eso ocurría se pasaban varios días enfadados.

«Tu abuelo es un hombre testarudo», decía su madre a modo de explicación, y eso a Danny le parecía divertido, porque sólo cambiando dos palabras su abuelo decía exactamente lo mismo de su madre. Daniel los quería a los dos, aunque un padre no habría estado mal.

—Se fue y luego se murió —fue lo único que le contó su madre sobre su padre.

—¿Sabía que yo vivía?

—No.

—¿Por qué?

—Porque se fue antes de que nadie supiera que tú estabas creciendo dentro de mí.

—¿Cómo era?

—Como tú.

—¿Por eso tú y yo nos parecemos tan poco?

—Sí, supongo que es por eso.

Y en lugar de su padre ahí estaba el abuelo de Daniel, corpulento y fuerte, con su pelo largo prematuramente encanecido, tatuajes en los brazos —dibujos y palabras, el nombre de Daniel entre ellas— y un *piercing* en la oreja izquierda. Llevaba unos vaqueros desteñidos, grandes botas con puntera de acero y un chaquetón enorme que le caía hasta la mitad de los muslos. Ningún otro abuelo se parecía al abuelo Owen. A Daniel le gustaba así. El abuelo Owen tenía más estilo que los demás, incluso molaba más que la mayoría de los padres de los otros niños.

—¿Listo para partir, explorador? —preguntó el abuelo Owen.

—Sí.

—¿Duele mucho ese diente?

—Un poco.

—¿Quieres que te lo quite yo y así te ahorro un viaje a la sacamuelas?

—No.

—¿Estás seguro? Sólo hace falta un trozo de cuerda. Ato una punta al diente y la otra a mi camión y, *¡bang!*, todo habrá acabado antes de que te hayas dado cuenta, y sin una inyección siquiera.

—Me parece que no.

—Tú eliges. A ti te lo haría por diez dólares.

—No.

—¿Y si los repartimos? Cinco para ti y cinco para mí.

—No.

—No te enrollas nada. Eh, ¿eso que oigo es un teléfono?

—De juguete.

—¿Y por qué suena?

Daniel se encogió de hombros.

—No lo sé.

—¿Quieres contestar antes de irnos?

El abuelo Owen estaba bromeando, pero Daniel no se lo tomó así. Lo que menos le apetecía era contestar. Quería que el teléfono dejara de sonar. La mujer que se llamaba Karis se estaba poniendo más pesada con cada llamada. No paraba de pedirle que fuera a buscarla. Quería que se reuniera con ella en el bosque, pero él no quería ir. Karis le asustaba. Daniel carecía del vocabulario para explicar exactamente por qué, pero la única palabra que se le ocurrió para expresar aquello era «hambrienta». Karis tenía hambre: no de comida, sino de otra cosa. Tal vez de compañía.

De su compañía.

—Si está roto, deberías deshacerte de él —dijo el abuelo Owen—. No querrás que te despierte en plena noche.

«Quiero deshacerme de él», pensó Daniel. «De verdad que me gustaría, pero me da miedo. Me da miedo que, si lo tiro, Karis venga a averiguar por qué no contesto.

»Vendrá y le veré la cara.

»Me llevará al bosque.

»Y nadie podrá encontrarme nunca.»

29

Parker salió de la iglesia con las bendiciones finales, seguido por el resto de una congregación formada básicamente por gente mayor que él. Su presencia no bajaba mucho la media de edad de los feligreses, sólo lo necesario para suponer una diferencia estadística.

Optó por no volver directamente a casa y se encaminó al aparcamiento de Ferry Beach, donde dejó el coche y paseó por la arena, disfrutando de la soledad y el sonido de las olas al romper. Recordó algo que había dicho Louis sobre que, con Angel en el hospital, su apartamento se le hacía más pequeño, no más amplio. Podría parecer ilógico, pero Parker creyó que entendía lo que Louis quería decir. La soledad podía provocar que las paredes se te cayeran encima —eso sin duda era cierto—, pero la ausencia de un ser querido traía consigo una sensación de grandes limitaciones, de posibilidades perdidas. Parker había perdido a dos mujeres en circunstancias muy distintas: la primera, Susan, entre sangre y rabia; y la segunda, Rachel, por la desintegración de su relación. Después de cada separación fue consciente de las conversaciones que ya no podría tener, de las preguntas que eran respondidas con cadencias fantasmagóricas. Algunas palabras sólo se les puede decir a aquellos por los que sentimos algo profundo, con pasión, del mismo modo que sólo los amantes pueden compartir los silencios. Era uno de los aspectos que hacían tan difícil la simple idea de volver a empezar de nuevo: que lo que más se echaba en falta sólo llegaba con el tiempo, y él tenía más días por detrás que por delante.

Estaba claro que necesitaba de verdad comprarse otro perro.

Parker volvió a su coche mientras organizaba mentalmente los casos que tenía entre manos por orden de importancia. Estaba la Mujer Sin Nombre y el paradero de su hijo, un asunto que le intrigaba. Había pensado ir a Piscataquis y ver la zona boscosa en la que se había encontrado el cuerpo. Siempre podía llamar a Walsh y pedirle que le allanase el camino o ver si únicamente con su encanto podía avanzar algo cuando llegara. Después de todo, nunca hay que perder la esperanza. Quería examinar el escenario, no porque imaginara que podría ver algo que se le hubiese pasado por alto a la policía, sino porque era necesario para su propio proceso de implicación en el caso, un delicado equilibrio entre distancia e inmersión.

Al acercarse a casa vio una camioneta aparcada junto a la entrada de su finca. Era una Chevy Silverado, pero unos cuantos años más vieja que la que había destrozado Louis y, por lo que podía ver, sin ornamentación de banderas de la Confederación. Parker se introdujo en el camino de entrada, y al cabo de un momento lo siguió la camioneta, manteniéndose a una distancia respetuosa, pero aun así inquietando a Parker con su presencia e irritándole por haber irrumpido de ese modo en su propiedad. No iba armado porque no tenía razones para ello al ir a la iglesia, y pese al consejo de Louis en sentido contrario, raramente llevaba un arma en el vehículo. Si le robaban el coche y el arma iba en la guantera, habría puesto otra arma en las calles; y si la guardaba en una caja de seguridad en el maletero, no le serviría de gran cosa si la necesitaba en un apuro.

Miró por el retrovisor. En la cabina de la camioneta sólo veía una figura, la del conductor, un hombre mayor. La parte de atrás iba descubierta y vacía. Parker se detuvo en paralelo a la casa y esperó. La camioneta se paró cuando todavía se hallaba a cierta distancia. El conductor se apeó, con las manos separadas de los costados para mostrar que iba desarmado. Era un hombre en la sesentena, pequeño pero fuerte. Parecía alguien que había trabajado en el pasado en algo que requería esfuerzo físico, y seguramente le había gustado. Tenía el pelo totalmente encanecido, cortado a cepillo, como los militares, mientras que su cara se veía enrojecida y arrugada, curtida por décadas de exposición al sol estival y a los fríos inviernos. Parker lo reconoció antes incluso de que se presentara.

—¿Señor Parker? Me llamo Bobby Stonehurst.

—Sé quién es usted —dijo Parker.

Bobby Stonehurst, o Bobby Ocean, progenitor de Billy, el confederado más septentrional del país. En silencio, Parker maldijo a Louis y su incapacidad de poner la otra mejilla, pero su rabia fue pasajera. Parker no era un negro que tuviera que enfrentarse a los prejuicios de otros cada día. Y tampoco es que fuera un modelo de contención.

—Siento haber entrado en su propiedad sin invitación ni cita previa —se disculpó Stonehurst—. Ha sido una decisión repentina. Esperaba que me concediera un momento para una breve conversación.

—¿Sobre qué, señor Stonehurst?

—Nadie me llama señor Stonehurst. Para todos soy Bobby, o a veces Bobby Ocean. Ese nombre parece haber arraigado. No me molesta.

—¿Por qué no seguimos con el tono formal?

Aparte de la cuestión de la camioneta, Parker sabía lo bastante de Bobby Ocean para preferir mantenerlo a distancia. Las empresas de Bobby Ocean por lo general sólo empleaban a hombres y mujeres blancos, pero para los servicios más sucios y desagradables no hacían ascos a contratar a empresas conocidas por explotar a trabajadores inmigrantes, y así subcontrataba el resentimiento y la humillación de los vulnerables. La gente de color evitaba sus restaurantes. Para los negros, el servicio en la barra era lento y descuidado; misteriosamente las mesas vacías no estaban a su disposición, reservadas para clientes que nunca aparecían, y una vaga pero perceptible aura de hostilidad impregnaba los locales. Pero Bobby Ocean también contribuía generosamente a obras de caridad seleccionadas y apoyaba iniciativas para embellecer y mejorar la ciudad de Portland. Contaba con la simpatía de muchos, siempre que fueran caucasianos y razonablemente acaudalados. La gente decía que no era un mal tipo y que no se le debería juzgar sólo por sus defectos. Pero para Parker los defectos de Bobby Ocean no podían aislarse del conjunto del hombre: representaban el núcleo de su ser y teñían cuanto hacía. Era carne envenenada.

—¿Sabe? No imaginaba que fuera usted a la iglesia —dijo Bobby Ocean.

—¿Me ha estado siguiendo, señor Stonehurst?

—Le vi salir antes, cuando vine a primera hora a hablar con usted, y dio la casualidad de que íbamos en la misma dirección. No quería molestarle de camino a su servicio. Supuse que estaría de vuelta bastante pronto. —Chupó un trozo de comida atrapado entre sus dientes y se lo tragó al soltarlo—. Así que católico, ¿eh?

—Eso es.

Bobby Ocean se encogió de hombros. Dio un repaso a Parker, su vehículo, su casa y probablemente también su catolicismo, y consiguió, aunque con gran esfuerzo, no parecer visiblemente decepcionado por ninguno de esos detalles.

—¿Vive aquí solo?

—Sí.

—Es una casa grande para un hombre solo.

—¿Se está ofreciendo a ayudarme con los pagos?

—Por lo que tengo entendido, no le hacen falta ni dinero ni influencias. ¿Le importa si nos sentamos?

—Pues mire, sí, me importa.

—¿Le he dado algún motivo para esa hostilidad? Si es así, no lo recuerdo.

—Señor Stonehurst, no tiene ninguna razón para hacerme una visita social, y si esto tiene que ver con un asunto de trabajo, mi número está disponible en la guía. Puede llamar para pedir cita.

—No tiene oficina. Me parece un tanto raro.

—Si tuviera una oficina, tendría que sentarme en ella. Hay formas más productivas de emplear mi tiempo. Veo a mis clientes en sus casas o lugares de trabajo. Cuando eso no es posible, acordamos lugares donde reunirnos. Mi casa y el terreno que la rodea prefiero considerarlos privados.

—¿Es porque alguien intentó matarle aquí una vez?

—Dos personas intentaron matarme.

—Si me perdona que se lo diga, empiezo a hacerme una idea de por qué.

Parker miró más allá de Bobby Ocean, hacia las marismas que rielaban bajo el sol de la mañana, los pájaros que volvían y el mar a lo lejos. Lo que había empezado como un buen día contemplativo estaba dando rápidamente un giro hacia lo peor.

—A decir verdad, puede que no me sienta muy inclinado a perdonarle —dijo Parker—. ¿A qué ha venido?

—¿Sabe que me dirigí al señor Moxie Castin sobre un acto vandálico realizado contra un objeto de mi propiedad?

—El señor Castin me informó. Según tengo entendido, el objeto en cuestión pertenecía a su hijo.

—Puede que el nombre de mi hijo aparezca en los documentos, pero esa camioneta se pagó con mi dinero. Fue un regalo para mi chico. He decidido tomarme como algo personal lo que se le hizo.

—Si lo que sé es cierto, su hijo optó por decorar el vehículo con símbolos de la Confederación. La última vez que lo comprobé, la línea Mason-Dixon seguía a unos mil doscientos kilómetros al sur de aquí.

—Pues la última vez que comprobé la Primera Enmienda, ésta seguía garantizando la libertad de expresión.

—Puede pensar que quienquiera que fuera el que volara la camioneta de su hijo estaba ejerciendo un derecho similar.

—No se haga el gracioso, señor Parker. No le pega a un hombre inteligente. Me dirigí al señor Castin por el incidente porque creía que el Departamento de Policía de Portland no parecía muy dispuesto a prestar al caso la atención que merecía.

—Y el señor Castin rechazó implicarse en sus asuntos, igual que voy a hacer yo, si es ahí adonde conduce esta conversación.

Bobby Ocean hundió el tacón en la tierra del patio de Parker, como un toro preparándose para embestir. Incluso agachó la cabeza, pero cuando alzó la mirada de nuevo, sonreía maliciosamente. Era la reacción de un hombre que cree que su rival ha cometido un error, una equivocación que piensa explotar a fondo.

—No esperaba que el señor Castin me complaciera. El señor Castin es un semita. Sé, por experiencia, que son fundamentalmente gente egoísta. Dado que eso no los diferencia demasiado de las demás razas, su codicia no despierta una especial animosidad en mí, ni tampoco me sorprende. Pero sí creo que es más profunda en ellos que en otros, y ese tipo de diferencias en el carácter racial deberían reconocerse.

—Señor Stonehurst —dijo Parker—, de verdad me gustaría que se largara.

Pero Bobby Ocean no hizo el menor gesto de irse.

—Creo que primero debe escuchar lo que tengo que decir. Le libraré de mi presencia bastante pronto, y entonces, si el Señor nos sonríe a ambos, no tendremos motivos para volver a hablar. Acudí al señor Castin porque tenía ciertas sospechas sobre la identidad de los responsables de ese acto vandálico, y su actitud me las confirmó. Me he enterado de muchas cosas sobre usted, señor Parker. Me han contado que se relaciona con negros, homosexuales e individuos similares de dudosa moralidad. Entre sus clientes ha tenido a un sin techo. A usted le dispararon cuando perseguía al asesino de una puta. Se cree que defiende a los humildes contra los poderosos, pero se equivoca, o es responsable de un autoengaño deliberado. Es un hombre débil y por tanto está resentido con los hombres que no padecen una debilidad similar. Establece vínculos con quienes más se le parecen, y los utiliza para avivar las llamas de sus defectos. Ondea banderas de conveniencia para justificar su amor por la violencia.

Bobby Ocean hablaba sin rencor ni saña. Por el tono de su voz, bien podría haber estado comentando el tiempo que hacía.

—¿Sabe? Mi abuelo combatió en la Segunda Guerra Mundial —dijo Parker.

Bobby Ocean ladeó la cabeza, desconcertado.

—Si estuviera vivo —dijo Bobby Ocean—, le daría las gracias por su servicio, pero creo que hace mucho que dejó este mundo.

—Así es. Está enterrado carretera arriba, en el Cementerio de Black Point. Yo mismo me encargué de ponerlo en su tumba.

—Eso es algo de lo que enorgullecerse. Y se lo digo sinceramente.

Parker ignoró el comentario. No le preocupaba en absoluto la opinión que tuviera de él Bobby Ocean, o el significado de la sinceridad en el mundo de aquel hombre. Ahora le había tomado la medida.

—Nunca habló mucho de lo que había visto en Europa —prosiguió Parker—. Sé que sirvió en el 99 de Infantería, y sufrió una herida de metralla en la pierna izquierda en la batalla de las Ardenas. Sólo después de su muerte me enteré de lo feroces que habían sido los combates de la 99. Los quintuplicaban en número, y por cada baja que tuvieron infligieron dieciocho a los alemanes. Pero mi abuelo no era de esos que alardean de usar un arma. Lo que sí me contó es que fue uno de los primeros hombres en entrar en Wereth, en Bélgica, en febrero de 1945. ¿Sabe qué encontró allí?

—No.

—Encontró los cadáveres de once soldados afroamericanos que habían sido capturados por la Primera División Panzer SS. Los golpearon y torturaron antes de matarlos. Uno de ellos era un enfermero que murió mientras vendaba las heridas de otro hombre. Los alemanes los dejaron donde cayeron.

—Debo confesar que la naturaleza de sus procesos de razonamiento me está confundiendo, señor Parker. Me cuesta entender la pertinencia de todo esto.

—La pertinencia —dijo Parker— es que los hombres a los que mi abuelo combatió hablaban de los débiles, como usted. La pertinencia es que ellos, como usted, sólo mostraban desprecio hacia aquellos que no compartían su naturaleza, o su credo, o el color de su piel. La pertinencia es que ya sé de dónde procede la ignorancia de su hijo.

Bobby Ocean inspiró profundamente. La sonrisa había desaparecido de su rostro hacía mucho.

—A usted lo vieron bebiendo con un negro en un local desde el que se veía la camioneta de mi hijo la noche que fue destruida —dijo—. Creo que ustedes fueron responsables de lo ocurrido. Está usted ciego, señor Parker. Vive junto al mar, pero ni siquiera atisba el cambio de marea. La época de los que son como usted está llegando a su fin, y un nuevo orden de hombres ocupará su lugar. Vaya a decírselo a sus negratas y a sus maricas.

Se dio la vuelta, se subió a la camioneta y retrocedió lentamente por el camino de entrada de Parker antes de dirigirse hacia el oeste. Parker observó la carretera hasta que desapareció la camioneta, y se preguntó cuánto peor habría empezado el día de *no* haber ido a la iglesia.

30

Tras pensárselo bien, Parker concluyó que sería contraproducente, incluso imprudente, presentarse sin previo aviso en el lugar donde se había encontrado el cuerpo de la mujer enterrado, sin ningún tipo de permiso para entrar. Se puso en contacto con Gordon Walsh, que no sonó demasiado contento al oírle de nuevo, pero tampoco se mostró muy sorprendido. Walsh aceptó hacer algunas llamadas, y Parker se encaminó hacia Piscataquis bajo un cielo claro y azul, con la compañía de *Here & Now* en la Radio Pública de Maine. A medida que se hacía mayor, prefería escuchar una conversación sensata mientras conducía. La música podía escogerla él mismo, o que se la seleccionara alguno de la media docena de canales Sirius que le gustaban, pero siempre aprendía algo escuchando la NPR. Tal vez porque así se daba cuenta, a medida que pasaban los años, de lo poco que en realidad entendía de casi nada.

Parker intentó quitarse a Bobby Ocean de la cabeza, pero la voz del hombre, su aspecto y su fanatismo volvían una y otra vez. Quizá se debía a que Bobby Ocean, detestable como era, tenía un agravio legítimo, y el incendio de la camioneta de su hijo sólo serviría para enquistar todavía más sus odios. En cuanto a Billy, Parker y él nunca habían mantenido tratos, y Parker agradecía no haberlo hecho sabiendo lo que sabía de él.

El estado de la carretera empeoraba a medida que se acercaba al condado de Piscataquis, y se pasó la mayor parte del camino entre Dexter y Dover-Foxcroft saltando sobre un asfalto lleno de socavones, para luego dirigirse a Borestone Mountain. No le resultó difícil descubrir el desvío al lugar donde se habían encontrado los restos de la Mujer sin Nombre. Un par de furgonetas de prensa estaban aparcadas al lado de la carretera, junto con un par de coches patrulla de la Oficina del Sheriff del Condado de Piscataquis y un coche de la Policía del Estado de Maine, que ya se iba cuando llegó Parker. El grupo E de Bangor se encargaba de los condados de Piscataquis y Penobscot: menos de treinta agentes para un territorio que abarcaba más de veinte mil kilómetros cuadrados, entre ellos los casi ochocientos de la interestatal entre Newport y Sherman. Buena parte de ese territorio competía a la jurisdicción de las fuerzas del orden locales, pero cuando se trataba de investigar crímenes graves, la policía del estado se hacía responsable.

Los equipos de noticias daban taconazos de impaciencia en el suelo; si no aparecía pronto un bebé, los canales enviarían sus recursos a cubrir otras noticias. Una reportera llamada Nina Aird, a la que Parker conocía no sólo de la tele, sino de haberla visto por la ciudad, fumaba un cigarrillo y miraba distraídamente el móvil cuando él se detuvo. Parker captó la mirada de indiferencia que le había dirigido Aird, y cómo ésta se transformaba al percatarse de quién era y le hacía un gesto a su cámara para que se pusiera a grabar, y rápido. La cámara ya enfocaba a Parker cuando él le dijo su nombre al primero de los ayudantes del sheriff, y supo que los reporteros estarían esperándole cuando reapareciera. A no ser que sucediera algo más interesante entre ese momento y la hora de cierre, su cara saldría en las noticias de aquella noche.

El ayudante le indicó con la mano a Parker que pasara y él siguió conduciendo por una carretera de tierra llena de baches tan estrecha que las ramas de los árboles de hoja perenne de los lados se cruzaban sobre su cabeza. Alrededor de medio kilómetro más adelante, vio otra aglomeración mucho mayor de coches y furgonetas, una mezcla de vehículos policiales, del Servicio Forestal de Maine y civiles.

Parker ya había empezado a tomar nota de los individuos con los que tendría que hablar mientras anduviera por ahí. Uno de ellos era Ken Hubbell, el médico local de Dover-Foxcroft, que hacía las veces de forense voluntario en la zona. Hubbell habría sido de los primeros en visitar la escena, y Parker creía que podría resultar útil conocer su impresión sobre lo que se había descubierto, además de lo que pudiera sacar de la policía y los forestales. No obstante, por el momento, era el último en quien tenía que concentrarse.

El descubrimiento de un cadáver en una remota zona boscosa generaba mucha actividad, sobre todo cuando existía la posibilidad de que aparecieran otros restos enterrados en algún lugar cercano. Cuando un ayudante del sheriff del condado de Piscataquis respondió a la llamada inicial que avisaba del hallazgo de restos humanos, la oficina del fiscal general estableció el protocolo para homicidios y muertes sospechosas, de manera que la Oficina del Sheriff del Condado de Piscataquis había hecho lo más prudente y había informado a la Policía del Estado de Maine del descubrimiento, y después al Servicio de la Guardia Forestal. Ken Hubbell había llegado rápidamente en nombre de la oficina del forense, y así había empezado la acumulación de personal.

La Policía del Estado de Maine tenía ahora un equipo de respuesta formado por una docena de hombres trabajando sobre el terreno, a los que había que sumar policías, ayudantes del sheriff, personal de la oficina del forense y los antropólogos y estudiantes que habían venido de Orono; pero cualquiera con algo de sentido común se remitía a los forestales, que eran los más familiarizados con el terreno y los responsables de organizar la búsqueda del cuerpo del bebé. Eso suponía un total de unas setenta personas, aparte de una variedad de perros rastreadores de cadáveres cuyos ladridos Parker ya oyó en el bosque cuando se detuvo.

Un sargento de la policía del estado se le acercó. En la placa de su uniforme se leía ALLEN, y Parker recordó que era uno de los diez apellidos más frecuentes en Maine. Smith era el más corriente, aunque eso también debía de ser así en la mayoría de los otros cuarenta y nueve estados de la Unión.

Parker se bajó del coche y estrechó la mano de Allen. Era el responsable de cuantos entraban y salían del lugar, y no resultaba difícil saber por qué. Tenía aproximadamente la edad de Parker, pero pesaba veinte kilos más y era treinta centímetros más alto. Costaba imaginarse al policía metiéndose con facilidad en un coche que no hubiese sido fabricado especialmente para él.

—Me han dicho que quería ver el escenario —dijo Allen.

—Si le parece bien.

—El detective Walsh ha dado el visto bueno, aunque ha añadido que si se caía en un hoyo profundo, ninguno de nosotros debía apresurarse a rescatarlo.

Ese Walsh. Menudo bromista.

—Miraré bien dónde piso —dijo Parker—. ¿Alguna otra cosa con la que deba andarme con cuidado?

—Toda esta zona está embarrada, pero al menos veo que lleva botas. Aparte de eso, lo habitual: quédese dentro de los senderos señalados y no recoja ni tire nada. Pero le agradecería que esperásemos unos minutos, hasta que conozca a Gilmore.

El teniente John Gilmore era el coordinador de búsquedas del Servicio Forestal de Maine. Para pertenecer a ese cuerpo, se le tenía en gran consideración.

—No queremos cabrear a los forestales —dijo Parker.

—Claro que no. Gilmore está distribuyendo ahora mismo a los grupos de búsqueda, pero le estaba esperando. Tenemos café, si le apetece.

Parker aceptó la invitación. Hacía bastante frío ahí fuera, y había más hielo y tardaba más en derretirse que en la costa. Volvió a su coche, encontró un par de guantes en el suelo detrás del asiento del pasajero y se los puso. Allen sacó un termo de su propio vehículo y sirvió café solo en dos vasos de papel. Hablaron de naderías hasta que Gilmore emergió del bosque, seguido de dos civiles que llevaban dispositivos GPS. También era corpulento, aunque más larguirucho. Dijo algo a los civiles, que se fueron, y luego se encaminó hacia donde esperaban Parker y Allen. Estar entre esos dos hombres hacía que Parker se sintiera como un niño adoptado, y su incomodidad sólo disminuyó un poco cuando Allen se alejó para hacer unas llamadas.

—Me suena su cara —dijo Gilmore—. Y su reputación.

—Lo mismo digo.

—¿Ha venido a causar problemas?

—Sólo si cree que podría servir de ayuda.

—Me temo que ya tenemos bastante para ir tirando.

Gilmore se sirvió café mientras Parker le explicaba el motivo de su presencia, sólo por si se había perdido algo cuando se lo comunicaron. A cambio, Gilmore puso al día a Parker sobre la situación de la búsqueda. Se había acordonado toda la zona después del hallazgo inicial, tras lo cual los forestales habían realizado una inspección general del terreno y eliminado aquellas partes que no servían para el enterramiento de un cuerpo, por pequeño que fuera, tanto por razones de inaccesibilidad como de inadecuación; los forestales no podían asegurar dónde estaría el cuerpo, pero sí lo contrario, es decir, dónde no estaría. Mientras tanto, la MASAR, la Asociación de Maine de Búsqueda y Rescate, había empezado a reclutar voluntarios para buscar los restos del bebé. Había llevado una semana organizarlo todo, pero eso implicaba que la búsqueda se realizaría del modo más eficiente posible. Ahora, equipos de entre dos y cuatro voluntarios, cada uno con un GPS y un perro, habían empezado a recorrer despacio zonas cuidadosamente seleccionadas. Cuando se acababa de inspeccionar una zona, las coordenadas del GPS se descargaban de los dispositivos y se señalaban las áreas en cuestión en un mapa para asegurarse de que no se pasaba nada por alto, y de que no se desperdiciaban ni tiempo ni energía en una innecesaria repetición de tareas.

—Si hay otro cuerpo por aquí —dijo Gilmore—, lo encontraremos, antes o después.

—Con el permiso del tiempo, eso podría llevar otra semana.

Allen volvió a unirse a la conversación y Gilmore aclaró un par de detalles más a Parker antes de regresar a la tarea más inmediata de despachar con los equipos de búsqueda, así como de buscar un lugar discreto donde echar una meada.

Y Parker siguió a Allen por el ya muy transitado sendero que conducía a la tumba.

31

Quayle había estado siguiendo la cobertura de los medios sobre el cuerpo de la mujer hallado en el bosque. Por descontado, le interesaba, pero tenía pocos contactos en esa parte del mundo, y ninguno en las fuerzas del orden. Era posible que fueran los restos de Karis Lamb, pero también podrían ser los de otra mujer joven. Hasta que se estableciera con certeza la identidad de la víctima, Quayle continuaría la caza. Y aun suponiendo que fuera Karis, tendrían que averiguar quién la había enterrado ahí.

Quayle sabía que a Karis Lamb le habían dado el nombre de Maela Lombardi para que buscara ayuda y refugio en Maine. Como Karis ya había confiado su seguridad a Dobey y Bachmeier y le había ido bien, Quayle creía que era muy probable que hubiera dado el siguiente paso y se hubiera puesto en contacto con Lombardi al llegar al estado.

Lombardi vivía en Orchard Road, en Cape Elizabeth, no lejos de la gran Escuela de Primaria Pond Cove, en Scott Dyer Road, en la que había dado clases durante muchos años. Orchard estaba flanqueada de árboles, y todas las casas se veían bien cuidadas. La de Lombardi era una de las construcciones más pequeñas, justo el tipo de vivienda en el que se habría esperado encontrar a una maestra jubilada: una única planta, con una ventana doble a cada lado de la puerta central de la fachada; dos dormitorios, uno en el que apenas cabía una cama individual y el otro bastante más grade; un salón que se fundía con la cocina, y un baño. La casa estaba ligeramente retirada de la calle, a la sombra de arbustos y setos crecidos. No tenía garaje y el camino de entrada estaba vacío. Eso no incomodaba a Quayle. No tenía la menor intención de abordar a Lombardi durante el día. En Orchard no había farolas, de manera que por la noche la única iluminación provendría de las luces de los porches y de los interiores de las propias casas. Llegar hasta Lombardi sin ser visto no parecía especialmente difícil, y una vez que Mors y él hubieran entrado dispondrían de mucho tiempo para estar con ella. Averiguarían lo que necesitaban saber, y luego harían desaparecer a Lombardi. Quayle dejaría que Mors se encargara de eso.

De manera que sabían dónde vivía Lombardi, pero también conocían su aspecto. Se habían publicado fotografías de la vieja entrometida en la prensa local con motivo de su jubilación, y su nombre e imagen aparecían a menudo en los boletines de la Sociedad para la Conservación Histórica de Cape Elizabeth, la Fundación por la Educación, los amigos de la Thomas Memorial Library y la Liga de Mujeres Votantes. Quayle se preguntaba por qué Lombardi no se había casado ni tenía hijos. Pensó en preguntárselo antes de que muriera. Esperaba que no le soltara las típicas estupideces sentimentales acerca de que todos sus estudiantes eran como sus hijos. No estaba seguro de que pudiera soportarlo.

—¿Adónde quieres ir? —preguntó Mors. Conducía ella. Siempre lo hacía porque Quayle no había aprendido, y, a esas alturas de su existencia, tampoco le importaba. Agradecía especialmente la presencia de Mors en ese país de vehículos descomunales, y anhelaba acabar de una vez con la tarea que los había llevado ahí para poder regresar a Londres: una ciudad a la que podía ir caminando a donde hiciera falta, o subirse a un confortable taxi negro, o incluso unirse a las masas del metro, aunque Quayle raramente se aventuraba ya lejos del río.

—Lejos de la gente —dijo.

—¿Quieres volver al hotel?

Se habían alojado como marido y mujer en un motel junto al Maine Mall, con nombres que sólo existían en tarjetas de crédito vinculadas a cuentas temporales, y corroborados por la identificación que prefirieran presentar.

—No. Busca algún sitio desde donde pueda ver el mar.

Pese a ser una criatura urbana, a Quayle le tranquilizaban los ritmos de los océanos y el flujo de las mareas.

Al menos, en este mundo.

—¿Sabes? —dijo mientras la carretera se extendía a sus espaldas—, se dice que la sal atrae a la sal, y que nosotros reaccionamos al mar porque procedemos de él, pero no creo que sea cierto.

—¿No?

Los ojos de Mors ni siquiera se apartaron de la carretera, y no dejó entrever el menor interés, aunque, bien pensado, raramente lo hacía. Quizá su cuerpo todavía retuviera alguna calidez superficial, pero, en el fondo, Mors era todavía más fría que Quayle. En el mejor de los casos, podía animarse hasta alcanzar un estado de vaga indiferencia.

—Hay un océano mayor aguardando en la próxima vida, y hacia él deben fluir todas las almas.

—¿Incluso la tuya?

Quayle la miró para ver si estaba intentando ser graciosa, pero no. Con todo, no podía negarse la existencia de cierto ingenio desabrido, y tal vez incluso un destello de curiosidad. A Mors le resultaba extraño oír a Quayle hablando de ese modo.

—No, la mía no. Me refería a la gente en general.

—¿Y por qué la tuya no?

—Porque se me ha prometido el olvido.

—¿Y qué pasa conmigo?

—Creo que tú entrarás en el agua. Creo que te enfrentarás al juicio.

Mors guardó silencio. Una gaviota estaba posada en la línea blanca que tenían ante sí, picoteando sobre el asfalto los restos de un animal atropellado. Redujo la velocidad para darle tiempo a levantar el vuelo.

—¿Te preocupa? —preguntó Quayle.

Ella se volvió hacia él, el coche casi se había parado. Sus ojos tenían el color gris propio de la suciedad que se encuentra en algunos estanques, el tipo de agua que incluso el más sediento de los animales procura evitar. A Mors la había marcado Quayle de adolescente, y una sucesión de padres adoptivos cuidadosamente seleccionados se habían ocupado de criarla hasta que estuvo lista para ir con él, cuando el sistema de acogida ya no tenía razones para considerarla de su competencia. Era muy buena, tal vez la mejor de todos los que le habían acompañado a lo largo de los años.

—Te lo he dicho otras veces —dijo—. Puedes creer lo que quieras, pero yo pienso que no hay nada más allá de este mundo. Al final, todos nos enfrentaremos al olvido.

—Pero ¿y si te equivocas? Y te equivocas.

—Entonces el otro mundo no puede ser peor que éste.

Quayle lo sabía todo del pasado de Mors, todo lo que se le había hecho antes de que cayera bajo su protección. Su lealtad hacia él era profunda e incondicional, pero estaba relacionada con lo que gracias a la influencia de Quayle había podido infligir a sus maltratadores. Él lo había considerado parte de su condicionamiento, y Mors fue lo bastante inteligente para reconocer que, al dar rienda suelta a su deseo de venganza, se había convertido a sí misma en una criatura de Quayle. Pero, para ella, era un precio que merecía la pena pagar. Todos los tormentos que sufrió de niña, ella los devolvió multiplicados por diez a sus torturadores, y todo gracias a Quayle. Él le había procurado cierto tipo de paz.

Te equivocas sobre este mundo, igual que te equivocas sobre el otro, quería decirle Quayle, pero se guardó el consejo. ¿Quién era él para discutir sobre grados de sufrimiento con alguien que ya había vivido su propio infierno?

Y tú estás condenada.

32

El árbol caído responsable de dejar al descubierto el emplazamiento de la tumba ya no estaba. No había sido posible llevar una grúa a la zona boscosa que podría ocultar otro cuerpo por temor a causar un nuevo derrumbe, o la destrucción de cualquier prueba que pudiera quedar en la capa superior del suelo, incluso después de tanto tiempo. Así que el árbol se cortó en varias partes con motosierras y luego se las llevaron, quedando en el suelo únicamente la herida causada por el ajetreo, ahora protegida por una lona que la mantenía completamente oculta a la vista.

Ésta era una zona turbera, con cierta cantidad de arbolado sobre un suelo pobre en nutrientes. Parker había pasado su juventud explorando lugares como éste con su abuelo, buscando pajarillos como las reinitas de palmera y las mascaritas, y larvas de mariposas elfo entre las píceas. Pero aquí la capa superficial del suelo estaba agujerada y era desigual, marcada por trechos de tierra al descubierto. Era un paisaje alopécico.

Parker se puso un par de bolsas de polietileno en las botas antes de apartarse del sendero principal y seguir a Allen hasta el dosel arbóreo que se extendía sobre la tumba. Allen desenganchó la cuerda que aseguraba el cuerpo principal de la lona y lo apartó para que Parker pudiera ver el interior.

—Preferiría que no pisara ahí dentro —dijo—. Hemos tomado fotos y grabado vídeos, y registrado a fondo todo el entorno, pero, ya sabe...

Parker entendió. Por ahora el escenario seguía activo. Debía reducirse al mínimo cualquier posible contaminación, y Allen ya le estaba haciendo un favor mostrándose tan colaborador. En todo caso, Parker tampoco necesitaba entrar. Podía ver cuanto le hacía falta desde donde estaba.

La caída del árbol había dejado un inmenso socavón circular, que se había ampliado en el curso de la búsqueda de más restos. El interior olía a humedad y tierra con una débil traza de rancio que era seguramente algo más mortal.

Un poco apartada del centro estaba la tumba, aunque no se había marcado la postura del cuerpo con cinta, porque ahora la ubicación esquemática forense se realizaba electrónicamente, utilizando la cabeza y las ingles como marcadores. El agujero era más pequeño de lo que Parker había imaginado. El reducido volumen de espacio ocupado por la mujer durante tanto tiempo parecía acentuar lo angustioso de su muerte, como si una vez difunta, se hubiera acurrucado hasta el momento en que la descubrieran. Parker se puso en cuclillas y se cogió las manos entre las piernas, casi como en un gesto de oración. Allen no dijo nada para no molestarle y permaneció retirado, en silencio.

Finalmente, Parker dijo:

—Estaba pensando en lo pequeña que era.

—Se la encontró con las piernas encogidas contra el pecho. Menos agujero que excavar. Pero, incluso así, era muy poquita cosa.

Parker se apartó del toldo y esperó a que Allen volviese a cerrarlo.

—¿Es usted el mismo Allen que se enfrentó a Gillick y Audet en las afueras de Houlton en...? ¿Cuándo fue, en el noventa y ocho?

Ryan Gillick y Bertrand Audet eran, respectivamente, un violador en serie y un traficante de segunda fila de metanfetamina que se habían escapado cuando los trasladaban a la prisión de Maine General tras una fuga de gas en la vieja prisión estatal de Thomaston. Se encaminaron hacia la frontera canadiense, armados con un par de pistolas que les proporcionó una exnovia de Gillick, supuestamente una de las que no había violado. En Houlton, a sólo unos kilómetros al sur de la frontera, Gillick y Audet chocaron con la parte de atrás de un camión, un incidente que llamó la atención de un agente estatal del cuartel de Houlton que pasaba por allí. A Audet le entró pánico y hubo disparos. Gillick acabó muerto, y Audet languidecía ahora en la nueva prisión estatal de Warren.

—El noventa y nueve —le corrigió Allen—. Sí, fui yo. Pareció más dramático en las noticias de lo que fue en realidad. Cuando vino la gente de la fiscalía a pedirme el informe, apenas podía recordar gran cosa. Sólo me acordaba de que había pasado miedo.

El fiscal general conservaba la jurisdicción exclusiva para investigar el uso de una fuerza letal por parte de la policía. No era una experiencia agradable para ningún agente, aunque en las más de cien evaluaciones sobre tiroteos letales realizadas durante casi treinta años la oficina del fiscal general todavía no había recomendado que se presentaran cargos contra ningún agente en el estado de Maine.

—Tengo entendido que recibió un balazo —dijo Parker.

—Pues no, lo que me alcanzó fue un trozo de ladrillo que saltó al rebotar una bala. Me dio en la zona lumbar. Todavía me duele si permanezco sentado mucho tiempo.

—El cuerpo se toma a mal esas intrusiones.

—Supongo que usted lo sabe bien.

—Más de lo que me gustaría.

Juntos caminaron de vuelta al sendero y Allen mostró a Parker la estrella de David grabada en la corteza gris marronácea de un abeto negro, al otro lado. Era un árbol viejo, que debía bordear los quince metros de altura, con ramas pequeñas y vueltas hacia arriba en las puntas. Bajo la estrella había otra muesca, pero menos clara. Parecía que alguien hubiera empezado a grabar una inscripción antes de eliminar las huellas.

—¿Y están seguros de que se hizo cuando se enterró el cuerpo? —preguntó Parker.

—Sólo Dios puede tener esa certidumbre absoluta, pero está claro que fue por la misma época, según los especialistas en bosques.

—¿Y qué me dice del árbol que cayó?

—Probablemente tiene la misma edad que éste. La mayor parte de este bosque es de píceas negras y rojas, con algunos alerces. Se remonta a principios de los años setenta.

En la inmensa frente de Allen aparecieron unos surcos. Era como si frunciera el ceño una de las caras del Monte Rushmore.

—¿Qué? —dijo Parker.

—Es más fácil enseñarlo que explicarlo. Se trata de algo raro, nada más. Se lo mostraré cuando revisemos los datos.

Parker observó cómo una de las rastreadoras se levantaba después de haber estado arrodillada y luego se desperezaba, con la mano en la parte inferior de la espalda. A su lado, un labrador de color chocolate tiró de su correa, ansioso por que el juego continuara.

—¿Se ha formado una opinión sobre todo esto?

—En el caso de que me preguntaran —respondió Allen—, diría que si el niño hubiera muerto en el parto, probablemente lo habrían enterrado con su madre. Si alguien se tomó el tiempo de enterrarla y tallar esa estrella como una marca de la sepultura, ¿por qué no iba a hacer lo mismo por el bebé?

—¿Y si el bebé murió más tarde?

—En ese caso, no estoy seguro de que me arriesgara a abrir una tumba perfectamente excavada sólo para añadir un pequeño cadáver, sin importarme lo sentimental que me sintiera. Enterraría a la criatura en otro sitio. ¿Puedo preguntarle qué pinta usted en todo esto?, ¿está buscando a la persona que la enterró?

—Trabajo para un abogado. Es judío. Le preocupa el bebé, vivo o muerto. Así que supongo que estoy buscando al niño.

—Un gesto muy cristiano por su parte. Ah, eso era un chiste. Y si está buscando al niño y no está enterrado por aquí, a mí me da la impresión de que *sí* está buscando a quien enterró a esa mujer.

Allen desvió la mirada de la excavación para concentrarla en los árboles y más allá, como si contemplara los campos, los pueblos y las ciudades invisibles desde allí.

Pero Parker no dijo nada. Como Allen, su mente vagaba más allá de la excavación.

«¿Por qué aquí?», pensaba. «¿Por qué este lugar?»

—¿Quiere echar ahora un vistazo a las fotografías? —preguntó Allen, que trajo a Parker de vuelta a la realidad..., al agujero en la tierra y la pequeñez del cuerpo que había estado ahí enterrado, de la ausencia y la pérdida descritas. Se le ocurrió una palabra, pero pronunció la contraria.

—Sí —dijo—, veámoslas.

33

Daniel Weaver estaba sentado en el sofá de su casa, viendo la televisión y sintiendo pena de sí mismo. Su madre estaba preocupada porque dos de sus dientes inferiores habían crecido torcidos, y porque los incisivos superiores se le movían un poco, pero la dentista le había dicho al abuelo Owen que no era raro que los niños, incluso de cuatro años, empezaran a perder sus dientes de leche, y no había motivos para preocuparse por Daniel. No obstante, la dentista encontró una caries en una de sus muelas, y preguntó si a Daniel le gustaban mucho los refrescos azucarados y los dulces. El abuelo Owen tuvo que admitir que Daniel se comería el azúcar directamente del azucarero a la menor oportunidad que se le presentara, y el chico todavía no había descubierto ningún refresco que no le gustara.

—Yo no se lo doy —le explicó el abuelo Owen a la dentista—. No lo mimo con dulces.

—¿Y su madre?

—Es como yo. Sé que se echa edulcorante en el café, pero creo que de ahí no pasa.

Daniel estaba sentado en la silla de la consulta mientras la conversación iba y venía, y las palabras «cavidad» y «empaste» resonaban en sus oídos porque ninguna de las dos sonaba bien. La dentista sonrió. Era más joven que la madre de Daniel y olía a fresas.

—No pasa nada —dijo la mujer—, no pretendía culpar a nadie. Simplemente es que no nos gusta ver caries, sobre todo en un chico de la edad de Daniel. Así que, de momento, le pondremos un empaste en esa cavidad, y estaremos atentos por si hay algún indicio de un problema mayor, aunque espero que no. Mientras tanto, eliminemos los refrescos y los zumos, y que los dulces sólo se le den como premio.

Esa vez, las palabras iban dirigidas tanto a Daniel como al abuelo Owen. Daniel asintió compungido. Le gustaban mucho los refrescos y las chocolatinas Baby Ruth y las tartaletas de mantequilla de cacahuete Reese's y...

Bueno, la lista se alargaba sin fin.

—¿Dolerá? —preguntó Daniel a la dentista.

—Sólo un pinchazo al principio para dormirte las encías, pero nada que moleste a un chico valiente como tú.

La dentista había mentido. La inyección le dolió de verdad, y Daniel se avergonzó al sentir que las lágrimas le asomaban a los ojos. De vuelta en casa, el abuelo Owen lo describió como una lección de vida.

—Si alguien te dice que algo no va a doler, es que sí va a doler. Si te dicen que va a doler un poco, es que dolerá mucho. La única vez que no te mienten es cuando te dicen claramente que va a doler.

Nada de lo cual hizo que mejorara la opinión del mundo que se había formado Daniel.

En ese momento, con la boca retornando a la normalidad, le pareció que ya podía manejar un vaso grande de Coca-Cola sin derramar la mitad sobre su barbilla y su ropa. Pero el abuelo Owen había vertido todos los refrescos por el fregadero y había hecho un inventario de las reservas de dulces antes de meterse la mayor parte en los bolsillos de su abrigo, dejando sólo un par de chocolatinas en el estante más alto del armario, al que Daniel no podía llegar ni subiéndose a una silla.

Ése, concluyó Daniel, era un día asqueroso.

El abuelo Owen se había adormilado en el sillón a su lado. Al abuelo le gustaban tan poco los dibujos animados como los dulces, y aunque Daniel podía consumir habitualmente ambos con igual entusiasmo, hoy las imágenes de la tele le irritaban.

Se estaba poniendo de pie cuando empezó a sonar el teléfono de juguete.

34

No eran las primeras imágenes de esa clase que había visto Parker, y no creía que fueran las últimas, pero con el tiempo quedarían grabadas en su memoria de una forma que no había ocurrido con otras, y tardó en entender por qué.

GRIS: UN CUERPO EMBRIONARIO acurrucado en una arpillera arcillosa, una sábana para su membrana amniótica; la mano izquierda subida hasta la boca, como si quisiera ahogar un grito final; las rodillas, a la altura del pecho; el brazo derecho oculto en su mayor parte bajo el cuerpo, con la excepción de los dedos, estirados y visibles en la cadera. El pelo, lo que quedaba de él: largo. Un poco de piel todavía adherida al cráneo. La descomposición habría sido mayor si la hubieran enterrado con un clima más cálido, pero la sepultura en la tierra fría la había conservado. Todavía se reconocía que era una mujer; los restos desechados de un ser humano.

Pero no, no era exactamente un desecho. No se habían limitado a deshacerse de algo que no se quiere, ni a ocultar pruebas criminales. La inhumación parecía, sino reverente, sí respetuosa. Ahí habían actuado con cuidado, o tal vez la percepción de Parker estaba influida por la marca que habían dejado, un testimonio estrellado de la presencia de la difunta; un signo para recordar, pero sin invitar al descubrimiento.

Haber pasado tanto tiempo ahí: sola, aguardando.

¿Te buscaron? ¿Alguien temió por ti? ¿Hay todavía ahora un padre, una madre, una hermana esperando que regreses? Si no te van a devol-

ver viva a esos otros, al menos tienen derecho a saber de tu muerte, de manera que puedan poner fin a esa esperanza inútil y al temor a que puedas sufrir todavía tormentos en la mente o el cuerpo.

¿Quién te dejó en este bosque oscuro?, ¿fue tu marido, o un desconocido?, ¿sufriste? Si fue así, lo siento. Si hubiera podido, te lo habría evitado.

¿Por qué moriste?, ¿y cómo?

¿Quién... eres... tú?

Intentaré ponerte un nombre. Has pasado demasiado tiempo olvidada.

Y encontraré a tu criatura.

Parker necesitaría oscuridad para empezar a comprender, y dormir para hallar una respuesta. En su sueño estaba ante los restos disecados de la mujer, sus despojos envueltos, y atravesaba un paisaje de piel y huesos hasta que llegaba a la parte que era tanto de ella como de otro, un recordatorio de que algo seguía perdido.

La turba ha conservado todo eso: un poco más de acidez en el suelo, una envoltura de plástico que retuviera la humedad en lugar del algodón poroso, y sólo habrían quedado huesos. Pero la naturaleza se había confabulado para salvaguardar el cuerpo, de manera que había tegumento, pelo y uñas. Y algo más: un trozo rizado de tejido, con un mustio óvalo de carne en la punta.

La placenta y el cordón umbilical.

El cadáver no era sólo una mujer.

Era una madre.

Pero todo eso estaba por venir. Por el momento Parker se quedó con Allen y contempló las fotografías y las imágenes de vídeo contenidas en un archivo en el ordenador del policía. Allen se había ofrecido a presentarle a uno de los especialistas en pruebas para revisar la información, pero Parker no quería distraerlos de su trabajo y además estaba convencido de que Allen sabía tanto como cualquier otro de la investigación. Para lo demás se mantendría en contacto con Walsh.

A Parker siempre le asombraba lo rápido que avanzaba la tecnología en la investigación del escenario de un crimen. Además de las fotografías y de los vídeos podía verse una serie de imágenes escaneadas de trescientos sesenta grados de la sepultura y sus alrededores, de manera que un agente podía situarse en cualquier momento en el centro del escenario. Allen le contó a Parker que la Policía del Estado de Maine pronto utilizaría drones para trazar mapas, aunque ahí su utilidad estaría determinada por la espesura de las copas de los árboles.

Parker sabía que poco de lo que estaba viendo tendría la menor relevancia, pero era importante aceptar toda la información que le ofrecieran. Finalmente, llegó a la última de las imágenes detalladas del cuerpo. Después, las fotografías eran del árbol caído, del hueco que había dejado, tanto con los restos como sin ellos. Algunas no eran más que primeros planos de tierra, a las que Parker echó un vistazo por encima hasta que Allen lo detuvo.

—¿Se acuerda de que antes le comenté que podría haber un problema?

—¿Qué he pasado por alto? —preguntó Parker.

Allen pareció casi avergonzado.

—Va a sonar raro.

—Créame, en mi caso es como si lloviera sobre mojado.

—Para empezar, no hay ninguna razón para que el árbol se viniera abajo. Estaba sano, y el suelo era estable. Pero, una vez caído, provocó un deslizamiento en la pendiente que dejó los restos al descubierto. Además, está la forma en que la tierra se diseminó después, y la parte del cadáver que quedó al descubierto. —Allen empezó a pasar las fotografías adelante y atrás mientras Parker miraba—. Puede que conste en el informe forense porque sé que a los antropólogos les sorprendió.

—Pero ¿qué les sorprendió exactamente? —Parker se estaba impacientando.

—El hecho de que cuando se encontró el cuerpo, la mayor parte estuviera a la vista, porque el agujero dejado por el árbol y la dirección en que se movió la tierra sólo deberían haber dejado a la luz el torso, nada por debajo de la cintura.

Parker reflexionó sobre lo que acababa de contarle.

—¿Me está diciendo que alguien se puso a excavar los restos antes de que se informara a la policía?

—Esta tierra la gestiona una empresa privada llamada Piscataquis Root and Branch. Es un negocio familiar, y fueron dos de los hijos quienes encontraron el cadáver. Hicieron fotos del cuerpo con sus cámaras después de llamarnos, sólo por si se producían más desmoronamientos, pero dicen que no lo tocaron, y yo los creo.

—Si no fueron ellos, entonces ¿quién?

—No encontramos huellas en la tierra, ni signos de que se hubieran producido intromisiones exteriores, pero aun así había tierra esparcida más allá de la tumba.

—¿Por un animal?

—Tampoco había huellas, y no olvide que aquella noche llovió, así que el suelo estaba húmedo.

Allen mostró unas cuantas imágenes más antes de cerrar el archivo y apartar el ordenador portátil.

—¿Y cuál es la explicación? —preguntó Parker.

—Yo no tengo ninguna.

—¿Y si habláramos por hablar y me contara un cuento? —dijo Parker.

—¿Quiere decir que podría inventarme algo?

—Creo que «especular» suena más profesional.

—Bien, si estuviera «especulando» para un cuento, tal vez uno que asustara a mis hijos cuando estuviéramos sentados alrededor de un fuego de campamento, les diría que el árbol no se cayó sino que alguien lo empujó desde debajo de la tierra. Y cuando acabó, volvió a acurrucarse y esperó a que alguien pasara por allí y lo encontrara. Pero eso no es más que un cuento y esto es la vida real.

Parker dejó pasar unos segundos antes de tender la mano derecha.

—Gracias por su tiempo y por su ayuda.

Se estrecharon las manos.

—Tengo cuatro hijos —dijo Allen—. Tres niñas y, el pequeño, un varón. Se llama Jake. Llegó por sorpresa, el último de la familia. Va a cumplir los cinco. La siguiente más joven tiene casi una década más, y las dos mayores ya van a la universidad. Los queremos a todos, pero mi mujer adora a Jake. Supongo que se había resignado a no tener más, pero ahí está él.

—Cinco años —dijo Parker.

—Cinco años, la misma edad que tendrá ese niño si sobrevivió. Así que comprenderá que no ha sido sólo una cuestión de cortesía profesional.

Parker asintió.

—Tal vez volvamos a vernos.

—Estaré por aquí de momento —dijo Allen—. Sin que nadie me dispare.

35

Mors siguió los carteles hasta el faro de Cape Elizabeth y aparcó junto a un saliente rocoso creado por capas de cuarcita fracturada que parecían vetas de madera, como si el faro se alzara sobre los restos de un bosque petrificado. Dejó que Quayle fuera a dar una vuelta solo, y estuvo dormitando y escuchando música clásica hasta que el día empezó a morir. Sólo entonces se aventuró a salir tras el abogado, envuelta en el abrigo para protegerse del viento cortante que soplaba desde el mar. Encontró a Quayle sentado en una roca bajo un restaurante cerrado, contemplando las olas que rompían, tan inmóvil como una gárgola de iglesia, como una parte de la roca misma. Llevaba tanto tiempo sentado en la misma postura que ella creyó que podía percibir cristales de sal en su piel y su ropa. A diferencia de Mors, él no daba indicios de que le molestaran los elementos y parecía que apenas respiraba. Sabía que si le pusiera la mano en el pecho, le costaría detectar el latido de un corazón.

—Ya es hora de marcharse —dijo ella.

36

El doctor Ken Hubbell parecía el tipo de médico que sólo se veía en las películas nostálgicas de Hollywood y en las series de televisión sobre ángeles haciendo buenas obras. Tenía el pelo blanco, lucía un largo bigote también blanco, y los estantes de su consulta estaban llenos de tarjetas de agradecimiento, dibujos infantiles y fotografías del buen doctor, algunas de las cuales se remontaban claramente a décadas atrás, casi todas en compañía de una variedad de perros pequeños. Hablaba con Parker mientras bebía una infusión en una taza de World's Best Grandpa.

—Fui el primero en llegar al lugar después de que encontraran el cadáver —dijo Hubbell—. Hacía una mañana asquerosa, se lo aseguro. Creo que todavía la siento en los huesos.

Repasó con Parker el examen forense inicial, y también las notas que había tomado entonces sobre el terreno, e hizo incluso copias del papeleo que había enviado a la oficina del forense en Augusta.

—¿Algo fuera de lo normal? —preguntó Parker.

—¿Aparte de una joven madre en una tumba superficial?

—Aparte de eso.

Hubbell sopló a su infusión.

—Usted fue policía, ¿me equivoco? —dijo.

—Hace mucho.

—Pero todavía podría reconocer la diferencia entre un cuerpo que ha sido arrojado a una tumba y otro que ha sido depositado en ella para su reposo, ¿no?

—Sí.

—Pues bien, a esta mujer la sepultaron para su eterno reposo;

eso se lo aseguro. También me sorprendería que el forense encontrara algún signo de herida externa.

—¿Externa?

Hubbell entrecerró los ojos para mirar a Parker por encima de la montura de sus gafas.

—¿Quiere que le haga una prueba para ver cómo anda de oído?

—No, oigo bien. ¿Y qué me dice de heridas internas?

Hubbell no apartaba la mirada de Parker.

—¿Como por ejemplo...?

—Daños en el útero.

—Sí, parece que su oído es bastante bueno, veo que puede oír hasta Orono.

—¿Así que es verdad?

Hubbell se encogió de hombros.

—Se hará público bastante pronto, así que no veo qué mal puede hacer que le confirme lo que ya sabe: la placenta se separó prematuramente de la pared del útero, lo que causó una grave hemorragia y la muerte. Un aficionado no puede hacer gran cosa por una mujer que empieza a desangrarse en medio del bosque.

—¿El niño pudo sobrevivir?

—Bueno, alguien cortó el cordón umbilical con un cuchillo, de manera que sí, parece que sobrevivió al parto. El que siguiera vivo mucho tiempo es otra cuestión.

Un cuchillo: a Parker no se le había ocurrido preguntar cómo habían cortado el cordón. Estaba falto de práctica.

—¿Y el hallazgo del cuerpo?

—¿Qué pasa con eso?

—He visto fotografías. —Parker hizo una pausa intentando expresarse con cautela—. Habría esperado más tierra adherida a los restos.

—Estaba protegida en parte por las raíces del árbol, y quedó expuesta al viento y la lluvia. No, eso no me preocupó mucho.

Fue interesante la elección de palabras, y Parker siguió por ahí.

—¿Y qué le preocupó? —preguntó.

Los dedos de Hubbell bailotearon sobre la taza, como los de un pianista practicando escalas.

—Mi primera impresión —dijo— fue que el cadáver podría haber sido movido.

—¿Por qué?

—Su postura no acababa de encajar en la depresión de la tierra que lo rodeaba. La disposición de las cosas no era perfecta.

—No lo mencionó en su informe.

—Porque seguramente me equivocaba.

—Una vez más: ¿por qué?

—Si hubieran movido los restos, le habrían causado daños graves: separación de miembros, perforaciones en la piel. No vi ninguna prueba de eso. La explicación más probable es que la tierra se asentara de algún modo, combinada con la acción del viento y la lluvia.

Pero todavía quedaba una mínima duda, de otro modo, Hubbell no habría mencionado la postura del cadáver. Parker no insistió en el tema. Había descubierto lo suficiente. Le agradeció al médico el tiempo que le había dedicado y se detuvo un momento ante las fotografías de los estantes.

—Son un montón de perros.

—Veintisiete, hasta ahora, y cada uno era tan diferente de los demás como el día de la noche. ¿Tiene perro?

—Ya no.

—¿Y familia?

—Una hija. Vive con su madre en Vermont.

—¿Así que vive solo?

—Sí.

—Cómprese un perro. Le mantiene alerta, le mantiene activo, evita que se sienta solo.

—Es curioso, hoy mismo he estado pensando en eso.

—Bueno —dijo Hubbell—, no puedo llamarlo prescripción médica, pero sí consejo del doctor. Y buena suerte en la búsqueda del niño. Me gustaría pensar que anda por ahí, en alguna parte, vivo. Uno tiene que aferrarse a la esperanza, ¿me entiende?

—Sí —dijo Parker—, le entiendo perfectamente.

37

Maela Lombardi percibió la intrusión en su casa en cuanto cerró la puerta principal, como si hubieran desplazado levemente todos sus muebles en su ausencia y el voltaje de las bombillas se hubiera reducido. Un olor a pepinillos le invadió los orificios de la nariz, y bajo él un hedor que era casi masculino, una pestilencia que ella asociaba a chicos adolescentes descuidados tanto en la higiene como en los buenos hábitos. Pero antes de que pudiera reaccionar, le habían puesto un trapo encima de la boca y la nariz y el aroma de salmuera ahogó todo lo demás.

Y Maela Lombardi se sumió en la oscuridad.

38

Parker condujo de regreso a Scarborough en silencio. Ni le apetecía ni necesitaba la distracción de la radio. Sólo quería pensar mientras la luz se desvanecía a su alrededor y la fosa iba quedando atrás.

Alguien de la zona había enterrado a la mujer. La ruta hacia el lugar de la sepultura no la habría cogido gente que desconociera el terreno. Para empezar, costaba mucho circular por ella: los árboles colgaban sobre la carretera secundaria que conducía hacia allí, de tal manera que incluso a plena luz del día estaría entre sombras y resultaría difícil recorrerla. Además, alguien «de fuera» no podía saber si la carretera llevaba hasta una cabaña o un campo, o si atravesaba un territorio frecuentado por cazadores y excursionistas o controlado por forestales. Y luego estaba la propia tierra: blanda y quebradiza. Las raíces de las píceas no eran muy profundas y una búsqueda superficial, combinada con cierto conocimiento del bosque, habría permitido a la persona que excavara encontrar un lugar relativamente claro.

Por último, se notaba que se había aplicado cierto sentido común. Incluso el más frío de los individuos se inquietaría si tenía que conducir una distancia larga con un cuerpo oculto en el maletero del coche, o tapado en el suelo de una furgoneta. El objetivo era deshacerse de los restos lo más rápido posible, y eso significaba que nadie que desconociera la zona en la que se encontró el cadáver la habría elegido como vertedero. No es que estuviera apartada, es que estaba demasiado apartada. No, sólo alguien de los alrededores la habría considerado apropiada para un entierro secreto.

¿Y el niño? Suponiendo que no estuviera enterrado cerca de la madre —y Parker tenía cada vez más el convencimiento, como Allen y Hubbell, de que su ausencia de la tumba materna implicaba ciertas posibilidades de supervivencia—, entonces quienquiera que hubiera excavado el agujero o bien seguía en posesión de la criatura, o bien sabía dónde estaba. Eso no tenía por qué ser bueno: había hombres —y también mujeres, pero éstas en menor medida— cuya depravación podía satisfacerse con un bebé. Como fuera, era probable que el misterio del niño perdido se resolviera en la región. Alguien de Piscataquis o sus alrededores conocía el destino de la criatura.

Pero era posible que emergiera alguna nueva información de la conferencia de prensa programada para el día siguiente, una información que animaría a los servicios locales de noticias a pasársela a los de ámbito nacional. El bebé era el anzuelo. El cuerpo de una mujer hallado en el bosque no sería bastante para atraer el interés fuera del estado, pero si se añadía un relato en el que ella no era simplemente una desaparecida más enterrada en una tumba superficial (¿y qué decía de la humanidad, pensó Parker, el hecho de que eso no se considerara de por sí merecedor de atención?), sino una madre que acababa de parir, cuyo hijo seguía en paradero desconocido, los medios ya tendrían un misterio.

Sin embargo, lo que parecía seguro era que la mujer anónima no era de Maine. En todo el estado había menos de treinta casos de personas desaparecidas que estaban siendo investigados por la Unidad de Delitos Graves de la Policía del Estado de Maine, la mayoría de las cuales eran varones. De los casos de mujeres, ninguno encajaba en el marco temporal ni el perfil de edad del cuerpo recuperado.

Cuando aparecieron las luces de Portland a lo lejos, Parker había concebido un plan de acercamiento, pero sabía que probablemente iría un paso por delante o por detrás de la policía del estado en todo lo que hiciera, porque ellos seguirían el mismo proceso de investigación. Por una vez, Parker no competía con las fuerzas del orden ni trabajaba para un cliente cuyos intereses se defendieran mejor sin exponerse a una investigación policial. Pero no se sentía muy cómodo aceptando el dinero de

Moxie Castin por un trabajo que la policía estaba cualificada para hacer igual de bien que él, si no mejor.

Llamó a Moxie y le hizo un resumen de lo que había averiguado hasta ese momento, que no era mucho. Sin embargo, sí le contó que estaba convencido de que la persona responsable del enterramiento de la mujer era del condado de Piscataquis, aunque eso no significaba necesariamente que él o ella —o el niño, si todavía vivía— siguieran en la zona, ni siquiera en el estado.

—¿Percibo una nota de descontento? —preguntó Moxie.

—Llámalo una punzada de la conciencia.

—¿Debida a...?

—Me da la impresión de que la policía va por delante esta vez, lo que significa que me incomoda aceptar dinero por recorrer el mismo camino que ellos.

—Nunca serás abogado si empiezas a tener tantos escrúpulos.

—Intentaré disimular el malestar que me han causado tus palabras. Además, creo que deberíamos ver qué da de sí la conferencia de prensa de mañana. Si la policía se limita a repetir lo mismo, hablaremos otra vez. Si trabajamos con el supuesto de que el niño está vivo, se me han ocurrido algunas ideas sobre cómo proseguir, pero requerirá mucho tiempo y será desagradable.

Parker había llamado a Walsh en el camino de vuelta a Portland. Según el detective, los investigadores probablemente esperarían a acabar la búsqueda y a la confirmación de la existencia o ausencia de más restos antes de dar el siguiente paso, que implicaría un interrogatorio general a los profesionales médicos del estado, a los pediatras en particular, buscando información sobre cualquier consulta posparto inesperada que correspondiera con la época de la muerte de la Mujer Sin Nombre. Era posible que de ahí surgieran varias pistas, pero el resultado final sería el que Parker había sugerido.

—¿Porque nadie quiere que un desconocido llame a su puerta y pregunte si su hijo es de su misma sangre? —preguntó Moxie.

—Exactamente.

—Agradezco tu sinceridad, aunque eso implique que vas a morir pobre. No sólo te pago para que investigues esto, sino también para que vigiles a la policía. Factúrame unas horas al día, al menos por ahora. Preferiría que siguieras con el caso.

—Hay una cosa más.

—Dime.

—Recibí una visita de Bobby Ocean.

—Es insistente.

—Es más que eso. Parece ser de la opinión de que tengo alguna responsabilidad en la destrucción de la camioneta de su hijo. También se refirió a ti como «semita» y lo hizo en un tono que me hace sospechar que puede que en realidad no pretendiera poner el asunto en tus manos. Acudió a ti por mí. Oh, y tampoco le hacen mucha gracia los negros ni los homosexuales, aunque no lo expresó en esos términos exactos. Me sugirió que les dijera a los «negratas y maricas» que conozco que estaba amaneciendo un nuevo orden.

—¿A los negratas *y* maricas que conoces? —dijo Moxie—. Al menos, sólo tendrás que hacer una llamada. ¿Así que el hijo aprendió lo que sabe en el regazo de su padre?

—Es posible que yo le comentara algo en ese sentido a Bobby Ocean.

—Estoy seguro de que lo tuvo en cuenta. Afortunadamente para ti, está equivocado sobre tu implicación en la inmolación de la camioneta.

Moxie nunca mantenía una conversación por teléfono que no temiera oír reproducida ante un tribunal.

—Lo está, pero es posible que no haya conseguido sacarlo de su error.

—Pues entonces que viva con él. Bobby Ocean no es un criminal. Si busca alguna represalia, probablemente lo hará por canales legales. Es un fanático, no un idiota.

—A diferencia de su hijo.

—Lo que da pie a la pregunta: ¿por qué no fue Billy el que llamó a tu puerta buscando el desquite?

—No creo que el padre de Billy haya compartido con él cualquier sospecha infundada que tenga.

—Porque, si lo hiciera, Billy podría tomar represalias cometiendo algún acto de supina estupidez.

—Que sólo podría acabar con Billy en chirona, herido..., o algo peor.

—Y —dijo Moxie— al tipo de persona que volaría una furgoneta por su ornamentación de temática confederada seguramente no le haría gracia encontrarse al dueño echándoselo en cara.

Parker consideró todos los posibles resultados de una confrontación entre Louis y Billy Ocean.

—A decir verdad —respondió Parker—, yo creo que sí le haría gracia.

39

Billy Ocean odiaba que la gente le llamara de esa manera. No siempre había sido así. Al principio, le había gustado tener un apodo, sobre todo después de ver esas películas con George Clooney en el papel del timador Danny Ocean. Le gustó más si cabe cuando le señalaron que las películas de Ocean estaban basadas en un filme anterior, en el que Frank Sinatra encarnaba a Danny Ocean, y no podía haber nada con más estilo que Sinatra en la mejor época de su Rat Pack.

El problema era que el padre de Billy había recibido su apodo por una especie de respeto, incluso con una pizca de afecto. Era Bobby Ocean, el Rey de los Muelles. No era una persona a la que conviniera irritar, pero hacía lo posible por no joder al trabajador, al menos mientras el trabajador fuera blanco; sin embargo, si lo jodía, se aseguraba de ocultar sus desmanes detrás de una entidad empresarial que sólo podía vincularse con él por suposiciones y conjeturas.

Así que era natural que su hijo heredara el alias de Ocean, del mismo modo que estaba destinado a convertirse algún día en el Príncipe de los Muelles, el heredero del imperio. Pero las cosas no habían ido así porque su padre no se fiaba lo bastante de Billy para tenerle informado de las decisiones importantes, las que tenían que ver con proyectos de construcción multimillonarios, las iniciativas que estaban cambiando el carácter de la ciudad, poniéndole el sello de la identidad de un hombre que había empezado limpiando tripas de pescado de los suelos de los mercados. Bobby Ocean había animado a su hijo a aprender el funcionamiento de los diversos negocios de la familia desde abajo, para ganarse el respeto de los hombres que en última instancia contribuirían a su riqueza trabajando a su lado, pero Billy no tenía mucho tiempo para esa mierda. Probablemente por eso su viejo se había matado a trabajar: para que su hijo pudiera ascender desde una posición más alta, elevando así el legado de su progenitor, porque no estaba enfangado entre escamas y cabezas de pescado.

Pero su padre no lo veía así. Cuando miraba a Billy, apenas podía disimular su decepción. Billy parecía una versión de pacotilla de su padre: blando donde el progenitor era musculoso; de ojos apagados cuando los del padre siempre estaban alerta; y conspirador en lugar de listo. Billy era estúpido y egocéntrico, pero no tanto como para no darse cuenta de los sentimientos de su padre. Lo que pasaba es que era incapaz de comprender qué los motivaba.

Así que en lugar de reunirse con promotores inmobiliarios o gestionar un par de bares y restaurantes caros con algún negocio secundario poco rentable, Billy se dedicaba a escarbar en la basura. Conocía a gente en la ciudad que se reía de él a sus espaldas, y a veces, si habían bebido lo bastante, hasta en su propia cara, aunque siempre fingían después que todo había sido de buen rollo. «No nos metíamos contigo», decían. «Sólo bromeábamos contigo. Eres un buen tío, Billy.» Le ponían el brazo sobre el hombro. Alguien cantaba en tono casi burlón el coro de *When the Going Gets Tough, the Tough Get Going.* (Eso era otra espina clavada en el costado de Billy: escuchaba mucha música rap, porque algo que hacían bien los negros era rapear, aunque puede que no tan bien como Eminem, que era el mejor en su opinión, y más negro que los negros. Pero a Billy no le gustaba tener un apodo asociado con un negrata. No estaba bien.) Así que la cosa continuaba con otra ronda de copas, y Billy sonreía y tragaba porque a eso era a lo que lo había reducido su padre: la víctima de un chiste, un saco de boxeo para hombres más fuertes.

Y entonces, para colmo, alguien había volado su puta camioneta.

Billy amaba esa camioneta. Era tal y como había soñado,

pero apenas le había dado tiempo de familiarizarse con ella antes de que alguien la redujera a una carcasa humeante. Para empeorar las cosas, se suponía que Billy pagaba el seguro mensualmente, pero, entre una cosa y la otra, incluidos ciertos problemas de liquidez, había dejado que vencieran los pagos.

Tío, cómo se puso su padre cuando se enteró.

Y eso hizo que Billy se pusiera a rastrear pistas tras el ataque incendiario, aunque sólo consiguió que sus fuentes se encogieran de hombros. Sabía que había mucho resentimiento contra él y contra su padre. En una ciudad tan pequeña como Portland, un hombre como Bobby Ocean no podía ascender a una posición de poder sin dejar escombros en su estela, y, en consecuencia, parte de la rabia se desviaría inevitablemente contra su hijo. Pero volar una camioneta era demasiado. Rayarla con una llave, tal vez, o pincharle las ruedas: después de todo, Billy había hecho cosas así y peores a los vehículos de otros. Pero de ahí a destruir un objeto tan bello como su camioneta...

Para eso hacía falta una mente perversa.

Pero en el último par de días, Billy había empezado a sospechar que su padre sabía más sobre lo que podría haber ocurrido de lo que le contaba. Y lo intuía porque había estado hablando con Dean Harper, que en el pasado había trabajado en los barcos con su padre. Ahora, gracias a la lealtad de Bobby hacia quienes le eran leales, Harper le hacía de chófer, mensajero y sicario en general. A Dean no se le consideraba muy listo, pero lo era mucho más de lo que fingía, y no pasaba casi nada en la zona portuaria de lo que no estuviera enterado.

Dean Harper tenía una debilidad, y ésta era el alcohol, aunque a ese respecto no podía decirse que fuera el único en los muelles. Pero Dean era más disciplinado que la mayoría en sus hábitos. Dos veces al mes, empezando un viernes por la noche y acabando el domingo por la mañana temprano, Dean cogía una borrachera que haría que los demonios volvieran asustados al infierno, y eso le había supuesto entrar en la lista negra de los mejores establecimientos donde servían bebida de la ciudad, e incluso en algunos de los peores. También es verdad que Dean disfrutaba de un periodo de gloria durante un par de horas el viernes por la noche, mientras sólo bebía cervezas y aún no se había transformado en la figura descomunal y taciturna que en una ocasión, sumido en las profundidades de una borrachera especialmente lóbrega, intentó embestir un crucero con una barca de pesca de langostas. Durante el más reciente de esos periodos menos agresivos, Dean le contó a Billy algo sobre un «morenito» que estaba en el bar poco antes de que la camioneta de Bill siguiera «los pasos del *Hindenburg*», una referencia que Billy no entendió, aunque supuso que implicaba humo y fuego.

—No puedo decirte nada más, Billy —había añadido Dean—, tu viejo...

Momento en el que el humor de Dean se ensombreció repentinamente, y se marchó a armar bronca en una mesa de billar, dejando que Billy pagara la cuenta y pensara sobre lo que acababa de escuchar.

Un morenito, las banderas de su camioneta: ahora todo empezaba a cobrar sentido. Un negrata se había tomado a mal la elección de los ornamentos de Billy, y el resultado había sido la inmolación de la niña de los ojos de Billy. Éste no sabía demasiado de historia, pero recordaba que hombres valientes habían muerto por su derecho a la libertad de expresión —lo que prefería interpretar como el derecho a ser tan ofensivo como le viniera en gana— y aquellos grandes individuos no se habían sacrificado en vano.

A Billy no le gustaba pensar en la gente de color como monos o —mucho peor— negratas. A su padre no le gustaba ese lenguaje y le había transmitido esa forma de pensar a su hijo. Bobby Ocean opinaba que sólo los zafios utilizaban términos despectivos, así que en público eran «negros» y, en todo caso, «morenos». Un hombre, decía Bobby, podía despreciar a los negros todo lo que quisiera —y también a los latinos, los judíos y los árabes—, pero tenía que aprender a moderar su lenguaje tanto en público como en privado. Era importante parecer razonable, disimular los prejuicios con la credibilidad. Sé moderado al hablar, le decía su padre, y así podrás ser radical en tus actos.

Sin embargo, los maricas eran algo distinto. Por lo que a Bobby Ocean se refería, podías llamarlos como quisieras.

Bobby Ocean *odiaba* de cojones a los maricas.

Así que Billy Ocean se atiborró de alcohol para reunir valor y fue a encararse a su padre con la reciente información que le había sonsacado a Dean Harper. La respuesta ni siquiera había sido una negativa por parte de su padre, sólo una instrucción pronunciada con calma para que saliera de allí y regresara a su puto apartamento y no volviera a mencionar la jodida camioneta en su presencia.

A Dean Harper lo puso de patitas en la calle, al haber traspasado la línea que le había marcado tras el incidente con el crucero y la barca de langostas, lo que dejó a Billy con aún menos amigos en el círculo de su padre de los que tenía.

Un *moreno,* pensó Billy.

Un puto negro.

40

Maela Lombardi recobró la conciencia en su sillón favorito. Tardó un momento en poder mantener los ojos abiertos, y la cabeza le latía con un dolor que le provocaba náuseas y le recordaba las peores migrañas que había sufrido. Oyó gemir a alguien, y por un instante se sintió confusa e irritada por el sonido hasta que se dio cuenta de que era ella misma la que lo emitía.

Había un hombre sentado ante ella. Leía un pequeño volumen que apoyaba sobre el regazo, y apenas alzó la vista cuando Lombardi dio signos de despertarse. Ella aprovechó la oportunidad para examinarlo: su complexión, delgada pero no frágil; su atuendo, una combinación de terciopelo y *tweed*, completado con un par de buenos zapatos de cuero marrones; su rostro, apuesto pero frío; los ojos, inteligentes y curiosos, pero carentes de la menor calidez. Un dedo delgado y elegante se alzaba sobre la página que estaba mirando, como si discrepara de las palabras del autor.

Maela intentó recordar cómo había acabado en el sillón. Se acordaba de haberse sentido incómoda en su propia casa, y de un mal olor o mezcla de olores, y luego nada. Conservaba la suficiente lucidez para darse cuenta de que no se había caído ni mareado, y por tanto quien la depositó en el sillón no lo había hecho preocupado por su bienestar.

Movió los brazos y las piernas. No se los habían sujetado con nada. Quizá podría intentar precipitarse hacia la libertad, pero no creía que llegara muy lejos en su estado, y eso probablemente explicaba la ausencia de ataduras; eso, y el hecho de que era una mujer pequeña ya en la setentena, con una cadera vaga y la espalda fastidiada, cosa que limitaba sus opciones, incluso en las mejores circunstancias.

Y éstas, con toda seguridad, no lo eran.

El hombre habló, sin apartar todavía la mirada de su libro.

—¿Qué está pensando?

Maela intentó hablar, pero tenía la boca demasiado seca. Sintió un movimiento a sus espaldas, y una mano femenina le tendió un vaso de agua. Maela se esforzó por volver la cabeza, pero incluso ese pequeño esfuerzo provocó que sus náuseas se dispararan exponencialmente, y poco más pudo hacer para no vomitar en el suelo. Cogió el vaso con ambas manos para beber. Por suerte, el agua estaba fresca, y tuvo el efecto de despejar un poco la bruma de su mente. Sus ojos examinaron con más precisión la cara del hombre sentado delante de ella. Decidió no prestarle la menor atención.

—Estaba pensando —dijo cuando se aclaró la garganta— que algunos de los nazis más cultos seguramente se parecían a usted. No los matones como Bormann o Röhm, sino los que se tenían por sofisticados: Heydrich, tal vez, o Eichmann, esos que se enorgullecían de utilizar la cubertería correcta.

El hombre sonrió. No era una sonrisa fingida. Parecía sinceramente divertido.

—Ésa es toda una declaración para que la haga una mujer que está a merced de desconocidos.

Maela se acabó el agua y dejó el vaso en la mesita circular que había a su derecha, donde tenía el mando a distancia del televisor junto a una bolsita de caramelos de sal marina de Len Libby.

—No creo que tenga usted un ápice de merced —dijo ella.

—Oh, le sorprendería.

Sólo entonces le dedicó él toda su atención, y Maela tuvo una sensación similar a la que a veces sentía en las grandes galerías de arte cuando miraba fijamente un rostro de una pintura de un gran maestro clásico y discernía la vastedad de los siglos.

—¿Es usted judía? —preguntó—. Estaba pensando en la analogía que ha hecho antes.

—Mi padre era judío —dijo Maela—. Se casó con una gentil, así que, según la Torá, no soy judía, y no podría serlo aunque quisiera.

—¿Y quiere?

—No.

—¿Por qué no?

—Mi padre fue el único miembro de su familia que sobrevivió a los campos. Mi madre y él se escaparon por los pelos antes de que los detuvieran.

—Los demás deben de haber sido desafortunados. Según tengo entendido, un gran número de judíos italianos sobrevivieron al Holocausto.

—Y más de siete mil murieron, así que un gran número no lo hicieron.

Su interlocutor le dio la razón con una pesarosa inclinación de la cabeza.

—Ese tipo de historia —dijo— puede hacer que alguien asuma su legado, no que lo rechace.

—Vivimos en un mundo despreciable. No veo ninguna razón para dar a los hombres repulsivos una excusa para odiarme todavía más.

—¿Y por qué iban a odiarla?

—Por mi experiencia, con ser mujer suele bastar.

El hombre miró fijamente a la figura invisible que seguía detrás.

—Sospecho que mi colega coincidirá con usted en esa opinión.

—¿Fue ella la que me dejó inconsciente?

—La misma.

—En ese caso entenderá que me importe una mierda lo que opine. ¿Qué utilizó conmigo?

—Cloroformo.

—Es repugnante.

—Pero no letal.

—¿Eso viene más tarde?

—Depende.

—¿De qué?

—Del resultado de nuestro diálogo.

—¿Cómo se llama? No me gusta hablar con alguien que se oculta en el anonimato.

—Puede llamarme Quayle.

—¿Sin nombre de pila?

—Ya no. Es mi turno de preguntar: ¿es verdad que ayuda a mujeres en apuros?

—No lo negaré.

—No debería. Es una noble vocación.

—Es usted un individuo condescendiente, pero creo que es algo endémico en su género.

—Estoy buscando a alguien que podría haber pasado por aquí. Se llama Karis Lamb.

Maela Lombardi no respondió, ni con palabras ni alterando la expresión de su cara.

Quayle la presionó.

—¿Le suena el nombre?

—No puedo decir que sí.

La bofetada que recibió en el costado derecho de la cabeza fue tan fuerte y malintencionada que Maela sintió que algo se desgarraba en su cuello, y cuando intentó enderezarlo, el dolor la hizo gritar. Notó el regusto de bilis en la boca, y de repente se estaba vomitando encima y sobre la alfombra, y se sintió avergonzada, aunque no tenía motivos para ello. Empezó a llorar, y no quería, no delante de esa gente, ni de nadie. Se había pasado la vida intentando proteger a los vulnerables de los depredadores. Mujeres y niños habían encontrado una vía hacia la seguridad a través de ella. Si el mundo fuera justo, a Maela le ofrecerían protección y seguridad cuando las necesitara. Pero el mundo no era justo, porque lo regían los hombres.

La mujer fue a la cocina y volvió con un trapo húmedo, que utilizó para limpiar la cara de Maela y parte de la suciedad de su jersey y su falda.

—¿Sabe cómo adquirí este volumen? —preguntó Quayle cuando Maela hubo recuperado un poco la compostura.

Maela entornó los ojos hacia la portada y atisbó el nombre: Marco Aurelio.

—Lo encontré en los estantes de Errol Dobey —prosiguió

Quayle— justo antes de que mi colega le perforara uno de los ojos. Entonces Dobey empezó a hablar con más soltura, pero podría haberlo hecho antes con ambos ojos intactos. Y como me decepcionó por obligarnos a recurrir a esa brutalidad, quemé su colección de libros reduciéndola a cenizas y arrojé su cadáver a las llamas. Por último, hicimos una visita a su novia, Esther Bachmeier, y la llevamos a dar una vuelta. Sufrió una muerte más desagradable que la de Dobey, y todo porque no supo responder una simple pregunta. ¿Estoy hablando con claridad?

—Sí.

—Bien: Karis Lamb.

—Karis Lamb está muerta.

—¿Cómo lo sabe?

Maela escupió un trozo de comida que le quedaba en la boca.

—Debería ver más televisión.

41

La historia resuena como un eco, la historia rima.

El abuelo de Parker, que pasó la mayor parte de su vida adulta con el uniforme de agente de la Policía del Estado de Maine, había presenciado las consecuencias inmediatas de la disolución de la vida de muchas maneras: choques en la autopista; agresiones con un resultado fatal; expiraciones durante el sueño, en la calle, cenando; accidentes de caza; suicidios y asesinatos. El anciano pensó mucho en el acto de morir, y la conclusión a la que llegó fue que el momento de la muerte de un hombre no estaba escrito cuando nacía, y que la Muerte no tenía una estrategia. La Muerte era un ser que aprovechaba las oportunidades; no le hacía falta desviarse demasiado de su sendero para encontrar presas. La humanidad entraba y salía de su alcance, y si la Muerte erraba su golpe la primera vez, el incauto volvería a acercarse, y ella no tendría que esforzarse apenas para dar su golpe definitivo. La Muerte era paciente. La Muerte era incansable.

Pero a la Muerte también le gustaban los patrones. Tenía su propia cadencia.

Y así sucedió que Jasper Allen, que se había enfrentado a Gillick y Audet cuando huían precipitadamente hacia la frontera canadiense, y que había recibido una esquirla de ladrillo en su carne por tomarse la molestia; Jasper Allen, que llevaba el nombre de su padre, de su abuelo y de su bisabuelo, hasta remontarse a un Jasper Allen que combatió en el asedio al Fuerte St. George en diciembre de 1723, cuando los abenaki rodearon la empalizada de Thomaston el día de Navidad y lo atacaron sin descanso durante los treinta días siguientes, sólo para que Jasper

Allen, el primero de su estirpe, perdiera la vida unos meses después, cuando los abenaki atraparon las barcas balleneras del capitán Winslow y el sargento Harvey y masacraron a todos los hombres blancos que encontraron; Jasper Allen —padre, marido—, quien, tras el nacimiento de tres hijas, había sido por fin agraciado con un varón, a quien podría transmitir el epónimo de sus antepasados; Jasper Allen, agente de la policía del estado, oyó el metrónomo de la muerte e inconscientemente bailó a su ritmo.

Allen estaba apenas a un cuarto de hora de su casa cuando detuvo un Honda Civic Coupé que estaba quemando el asfalto de la carretera a Lagrange. Los dos jóvenes que iban dentro eran Dale Putnam y Gary Newhouse, aunque eso no se sabría hasta mucho después, del mismo modo que no quedaría claro por qué los sucesos habían acabado como acabaron hasta que todos los implicados menos uno hubieron muerto. Putnam tenía una orden de detención pendiente por infracción de la libertad condicional y robo mediante engaño. Eso por sí sólo habría bastado para devolverlo a la cárcel del condado si Newhouse y él no hubieran transportado también cuatrocientos paquetes de heroína, con diez dosis en cada uno, en el maletero del Honda. Habían conseguido hacer una buena compra en Nueva York: 30 dólares por paquete, o 12.000 por el lote completo, que en Maine podía venderse al menos a 15 dólares por dosis. Eso significaba que, a cambio del desembolso inicial, Putnam y Newhouse tenían asegurados 48.000 dólares de beneficios, de los cuales tenían que devolver 18.000 al tipo que les había adelantado el dinero, lo que les dejaba 15.000 dólares a cada uno para reinvertir en heroína. Eso era lo que pretendían hacer, porque Maine era como una inmensa vena esperando que la alimentaran: Newhouse conocía personalmente a tres tipos que gastaban quinientas dosis a la semana, diez bolsas por pinchazo.

Así que no les venía nada bien que un cabronazo con pinta de Herman Munster vestido de azul les hiciera parar por ir, quizá, diez kilómetros por encima del límite de velocidad, sobre todo con Putnam —que iba al volante— de bajón tras un subidón de meta y, por tanto, a punto de saltar. Todo ello explica hasta cierto punto por qué, mientras le entregaba su permiso de conducir, Putnam creyó oportuno sacar una pistola Hi-Point C-9 y disparar a Jasper Allen por debajo de la mandíbula matándolo al instante. Después, los dos hombres arrojaron el cadáver entre los arbustos y, en un intento de sabotear la cámara del salpicadero y el disco duro del maletero, le prendieron fuego al coche patrulla antes de dirigirse a las afueras de Lincoln. Allí escondieron el Honda en el garaje de una finca en ruinas que llevaba en venta tanto tiempo como para suponer que nunca se vendería, y caminaron hasta un restaurante de comida rápida desde donde pidieron a su prestamista que los fuera a buscar, sin decirle nada por el momento del asesinato de un agente de la policía del estado.

Putnam había nacido el mismo día que el difunto Ryan Gillick, y Newhouse procedía de la misma ciudad que Bertrand Audet. Pero, de nuevo, esas coincidencias sólo emergerían a lo largo de los días y las semanas posteriores. El efecto inmediato de la muerte de Allen —aparte de dejar una viuda y cuatro huérfanos— fue la cancelación de la conferencia de prensa convocada para el día siguiente, y la retirada de la mayor parte de los miembros del equipo de pruebas de la policía del estado de la excavación.

Y la Muerte, insaciable, siguió adelante.

42

Quayle acercó su silla a Maela Lombardi, se puso tan cerca que podrían haber hablado susurrándose y se habrían entendido. Como en el caso de Errol Dobey, eso confería al discurso una extraña intimidad, reforzada por el acto con que debe concluir inevitablemente: la penetración por venir, el sometimiento de la carne a la invasión fatal, que por ahora desconocían ambas partes.

—Parece muy segura de que el cuerpo que han encontrado es el de Karis —dijo Quayle.

—El tiempo coincide —respondió Maela—. ¿Y cuántas madres de recién nacidos cree usted que hay enterradas por estos bosques?

—No podría decirlo. Pero usted podría estar mintiendo.

—¿Y por qué iba a mentir?

—Para protegerla.

—Me temo que ya hacía mucho que no necesitaba protección cuando vino a mí. Había abandonado la esperanza para sí misma. Era al bebé a quien quería salvar.

—¿Se lo dijo ella?

—No hacía falta.

Quayle miró a la mujer que le acompañaba. Maela captó un indicio de cierta comunicación privada, un intercambio silencioso de información, y se dio cuenta de que su interpretación de la situación era equivocada. Esto no tenía que ver sólo con Karis, o con el bebé. Pero entonces, ¿de qué se trataba?

—¿Así que Dobey y Bachmeier se la mandaron a usted?

—Pasando por otra parada intermedia.

—¿La informaron de que venía?

—Esther me dijo que era posible que se presentara aquí.

—¿Qué le contaron de su situación?

—Nada, salvo que tenía problemas, y que estaba convencida de que alguien iría tras ella, alguien perverso.

—¿El padre del niño?

—Eso era lo que suponía Esther. ¿Es usted el padre?

—No, no lo soy.

—Pero está aquí. Por tanto, Esther se equivocaba.

Quayle movió un dedo delante de ella en lo que podría haberse interpretado erróneamente como una advertencia bienintencionada.

—Me temo que está haciendo juegos semánticos. A lo mejor le gustaría que Pallida la golpeara de nuevo, o, como el difunto Errol Dobey, quizás usted también sienta curiosidad por comprobar cómo se ve el mundo a través de un único ojo.

Maela respiró hondo.

—No quiero nada de eso.

—Entonces deme respuestas claras. ¿Qué le contó Karis?

—Me contó que el padre del bebé era un ocultista, además de un maltratador de mujeres y niños. Dijo que lo que le había arrebatado a él lo destruiría. Ésas fueron sus palabras exactas. No me contó nada más y yo no la presioné.

—¿Por qué?

—Porque ése no era mi papel. Yo era su protectora, aunque fuera por breve tiempo, no su interrogadora.

—Pues no la protegió muy bien si acabó en una tumba superficial.

Maela esbozó una mueca. La pulla dolió, pero ella no tardó mucho en arrancarse las espinas. Cuando lo hizo, su mirada parecía más afilada que antes y miró a Quayle con más decepción que asco, como habría mirado en el pasado a un escolar que utilizase una palabra impropia en su presencia.

—El comentario ha sido indigno, incluso de usted —dijo ella.

—Usted no me conoce lo bastante para hacer ese juicio, pero admito que quizá tenga razón. Retiro mis palabras. A cambio, podría intentar explicar cómo una joven que acude a usted en busca de ayuda yace en una morgue tras pasar muchos años enterrada.

—No quería quedarse. —Le temblaba la voz, pero en esta ocasión no la avergonzaba mostrar su emoción. No era un signo de debilidad: tenía derecho a sentir pena por Karis y su hijo perdido, y con eso llegó también el sentimiento de culpa por sus propios errores. Maela había sido incapaz de convencer a Karis para que se quedara con ella. Dos noches fue cuanto Karis se permitió descansar. Así de asustada estaba de aquellos que irían tras ella. Ahora, al mirar al intruso que se hallaba en su casa, Maela pensó que Karis había sido sensata al tener miedo.

Porque Maela concluyó que Quayle, fuera por naturaleza o por inclinación, no era del todo humano.

—Pero usted tuvo que mandarla a otra persona, igual que Dobey y Bachmeier se la confiaron a usted.

—Le di algunos nombres —reconoció Maela. Se enjugó una lágrima—. Tenía planeado ir a Canadá, y yo tenía contactos en Quebec y New Brunswick.

—Pero ¿no en otro punto de Maine?

—No. No quería demorarse aquí.

Quayle asimiló todo lo anterior y luego se volvió hacia Mors.

—¿Y bien?

—Creo que deberíamos dejarla ciega —dijo Mors.

—Sí, yo también.

—¡No! —La palabra emergió como un chillido de la garganta de Maela, más como el grito de un pájaro que como el sonido de un mortal—. Por favor, le he contado la verdad. La llevé a la estación de autobuses y ella compró billetes para tres destinos distintos: Bangor, Montreal y Fredericton, en New Brunswick. Entonces me pidió que me fuera, para que no supiera qué ruta cogía.

—¿No se fiaba de que usted guardara sus secretos?

—No si me enfrentaba a alguien como usted.

Quayle se recostó en la silla. Había mantenido el volumen de Marco Aurelio en la mano izquierda todo ese tiempo, y ahora lo acarició con los dedos de la derecha, como a un cachorro acurrucado.

—Es usted una mujer formidable, señora Lombardi —dijo—. La admiro mucho, de verdad.

—Pero no lo bastante para dejarme viva —dijo Maela.

Ya no sabía si lloraba por Karis o por sí misma, por ambas o por todas: por todas las mujeres y chicas asustadas, magulladas y torturadas que habían acudido a ella en busca de ayuda y consuelo. ¿Y quién ocuparía su lugar cuando desapareciera? Siempre serían muy pocas las personas de este mundo dispuestas a correr riesgos por unas desconocidas, y demasiados quienes quisieran infligir dolor tanto a las conocidas como a las anónimas.

—No —dijo Quayle—, no lo bastante para eso.

—Entonces, váyanse al infierno los dos.

—Lo siento —dijo Quayle, incluso cuando Mors se apartaba ya de su posición elevada para trazar círculos y abatirse sobre ella—. Pero le prometo que no será doloroso.

Y no lo fue.

43

Parker asistió al funeral de Jasper Allen. La pequeña capilla metodista estaba tan llena que mucha gente se quedó fuera, diseminada bajo el sol primaveral, y el servicio se emitió a los congregados mediante un sistema de altavoces montado precipitadamente. Representantes de los departamentos de policía en Nueva Inglaterra y también de otros lugares acudieron a homenajear al difunto, de manera que Parker conocía muchas caras. Habló con algunos de los asistentes, entre ellos Gordon Walsh, pero, aparte de esas excepciones, se mantuvo a distancia. Sólo había visto una vez a Allen, y le había caído bien. Eso era todo.

El servicio fue sencillo: algunos himnos, un sermón y un elogio del coronel de la Policía del Estado de Maine, que conocía personalmente a Allen. Ambos se habían criado en Millinocket, con sólo un año de diferencia. Las muertes en acto de servicio entre los agentes de policía de Maine eran raras; Parker creía que debían de rondar los dos dígitos, poco más, y de ésos, Allen era sólo el tercero o cuarto al que asesinaban con arma de fuego. Las fuerzas del orden nunca se acostumbraban a las muertes entre los suyos, ni siquiera en las ciudades más violentas, pero la conmoción era siempre mayor en un estado como Maine, que se contaba entre los que tenían tasas de crímenes violentos más bajas, casi siempre peleándose con Vermont por aquel honor.

Parker escuchó las palabras del coronel y observó a un mirlo que picoteaba en un trecho de tierra húmeda a la sombra de la capilla. Era el primer mirlo que veía ese año. Habitualmente no volvían al estado hasta avanzado marzo, seguidos de cerca por los buitres cabecirrojos, y luego los petirrojos y gorriones a principios de abril. Conocer a los pájaros era conocer las estaciones; otro aspecto de la vida de la región que Parker había aprendido de su abuelo. El largo silencio invernal de los bosques, los campos y las marismas lo rompían ya los cantos de las aves.

El servicio acabó. Parker no se demoró, ni fue al cementerio. No quería ver de nuevo a la esposa doliente de Allen ni mirar a sus hijos conmocionados. Había presenciado duelos con demasiada frecuencia y no quería soportar ninguno más sin necesidad, y tampoco caer en una contemplación voyeurista de la desgracia ajena.

La noche anterior encontraron quemado el coche que habían utilizado los asesinos de Allen. Parker se enteró por Walsh de que una testigo —una mujer llamada Letty Ouellette— se había presentado en comisaría diciendo que su novio había recogido a dos hombres la noche del tiroteo no lejos de donde se había encontrado el vehículo, y los había llevado a su casa. Los recién llegados le parecieron nerviosos, y ella escuchó a hurtadillas una conversación posterior sobre un arma, aunque no captó más detalles porque la habían exiliado a la planta de arriba para ver la televisión y ocuparse de sus asuntos.

El novio, que atendía al extravagante nombre de Hebron Caldicott —Heb para sus socios—, se ganaba la vida comprando y vendiendo vehículos usados, y Ouellette creía que la marca y el modelo del coche quemado se parecían a uno que, hasta hacía poco, había ocupado un espacio en el solar contiguo a su casa. También había señalado, aunque con reticencias, que Heb Caldicott complementaba sus ingresos de la industria del motor distribuyendo OxyContin, cristal y cocaína, y recientemente había expandido el negocio a la heroína.

Todo eso había querido contárselo Ouellette a la policía porque Caldicott, con quien llevaba viviendo ocho meses, había sugerido que a lo mejor le gustaría acostarse con «Dale» y puede que también con «Gary», para tranquilizarlos y mantenerlos distraídos mientras él salía a ocuparse de algunos asuntos urgentes. Cuando Ouellette respondió que no tenía la menor intención de follar con dos tipos que estaban de paso sólo para mantenerlos ocupados —ni por cualquier otra razón—, el bueno de Heb Caldicott, que parecía bastante alterado con Ouellette, le dio un puñetazo tan fuerte que ella perdió el conocimiento por un instante. Cuando volvió en sí, Caldicott la informó de que follaría con quienquiera que él le mandara follar, y que tenía que ponerse guapa para sus amigos porque iban a pasar un rato con ella tanto si le gustaba como si no. Luego la encerró en el dormitorio, momento en el que ella decidió que su relación había llegado a su conclusión natural, y que lo que más le convenía era salir por la ventana y buscar alojamiento en otra parte.

Pasó la noche en casa de una amiga, y sólo cuando se enteró por las noticias de la tele del tiroteo de un agente de la policía del estado empezó a sospechar que existía una relación entre ese incidente y las recientes visitas de Caldicott. Pero todavía tardó doce horas más en ponerse en contacto con la policía, y su reticencia a hacerlo tenía algo que ver con el negocio de narcóticos de Caldicott, del que ella estaba al tanto, aunque sus gustos personales, dijo, se limitaban a un poco de coca, pero sólo los fines de semana.

Pese a sus sospechas, Ouellette intentó contactar con Caldicott antes de acudir a la policía. Lo hizo, les contó al principio a los detectives, porque «quería asegurarse bien antes de meter a Heb en problemas», aunque más tarde admitió que había estado dispuesta a perdonar a Caldicott por su anterior malentendido, incluyendo la agresión y la amenaza de violación, porque nunca le había pegado antes y era bastante generoso con la coca. Por desgracia, cuando volvió a la vivienda que compartían, Caldicott se había ido, con sus dos colegas, y se había llevado el alijo de coca y 383 dólares que Ouellette guardaba en una bolsa de patatas Humpty Dumpty vacía sujeta con celo bajo la mesita de noche. Fue esta última traición la que hizo que Ouellette abandonara definitivamente toda esperanza de reconciliación con Heb Caldicott, y lo dejara colgado con lo que hubiera hecho o dejado de hacer, junto a sus colegas de mierda, sus familias, sus hijos nacidos y los no nacidos todavía, y sus perros.

La policía no tardó mucho en relacionar a Caldicott con un tal Dale Putnam y su colega, Gary Newhouse. Al poco, los agentes de las fuerzas del orden de toda Nueva Inglaterra, además de sus compañeros canadienses al otro lado de la frontera, estaban rastreando el territorio en su búsqueda, y sus fotografías aparecieron en los periódicos y las pantallas de televisión de todo el nordeste.

Lo que dejó sólo a una serie de descontentos ayudantes del sheriff del condado de Piscataquis vigilando la sepultura y quejándose de que los mantuvieran apartados de la verdadera acción.

44

Vigilar un agujero vacío en la tierra no era, tenía que admitir la ayudante Renee Kellett, la tarea más incómoda, pero sí se contaba entre las más aburridas. Básicamente, se pasaba el tiempo escuchando música en su móvil y estudiando para su carrera. Kellett acababa de terminar su grado de ayudante en justicia criminal y ahora se estaba sacando un título en administración de seguridad pública. Le gustaba trabajar para el departamento del sheriff, pero su ambición era entrar en una agencia federal, y no tenía ninguna esperanza de conseguirlo sin un título.

Así que, por un lado, ganaba las horas extras que tanto necesitaba sentada en su coche y alejando al ocasional cazador o al esporádico mirón que se acercaban demasiado a la zona de excavación, mientras que, de hecho, le estaban pagando por estudiar. Por otro lado, el tipo de persecución que estaba desarrollándose en ese momento en busca de Putnam, Newhouse y su colega Caldicott era algo raro en aquel estado, y traía consigo el zumbido de emoción y tensión que se daba llamativamente poco en esa zona boscosa.

Ése era el segundo turno de Kellett en la patrulla que vigilaba la tumba y esperaba que fuera el último; había un límite en las lecturas y la audición de música en soledad que podía realizar una persona antes de que su mente empezara a divagar, y, por la experiencia de Kellett, nunca divagaba hacia nada bueno en esas circunstancias. A lo mejor un artista o un escritor podían encontrar inspiración ahí, pero ella no era ninguna de las dos cosas, así que en lugar de imaginarse grandes pinturas o planificar libros que ganarían premios importantes, le daba vueltas a cómo su madre empezaba a no recordar algunas cosas, o a olvidarlas por completo; cómo, con su padre fallecido, se había quedado sola para cuidar de su madre sin ayuda de nadie, porque su hermano mayor no servía para nada cuando se trataba de ayudar a otro que no fuera él mismo; cómo afectaría todo eso a sus planes de entrar en el Departamento de Seguridad Nacional o —sí, sigue soñando— el FBI, y por qué, aunque era una mujer atractiva sin más complejos ni rarezas que las normales, su vida sexual estaba pasando por un periodo de sequía propio del desierto.

Pese a todo, cumplía con diligencia sus deberes en el lugar donde habían enterrado a aquella mujer. Al menos una vez cada hora, aunque sólo fuera para estirar las piernas, recorría el sendero para asegurarse de que el toldo seguía fijo, porque se había levantado un viento del norte que era lo bastante fuerte para balancear su coche a pesar de la suspensión que tenía, y si era capaz de eso, también podría levantar una lona y arrastrarla hacia Florida. Por suerte, no llovía, lo cual era un consuelo, aunque escaso. Ese lugar ya era bastante lúgubre de por sí, con o sin una tumba.

Kellett había sido una de las primeras en llegar al escenario cuando se descubrió el cuerpo. Nunca había visto unos restos en ese estado. Como todo policía, ya había tenido que inspeccionar bastantes muertos, pero hasta entonces no se había topado con un cadáver que pese a llevar enterrado tanto tiempo presentara todavía un relativo buen estado de conservación. La visión debería haberle recordado las antiguas películas de terror y haberla espantado, pero en lugar de eso sólo sintió una tristeza abrumadora de la que aún no se había librado del todo, aunque pasar tantas horas junto a una fosa probablemente no fuera de mucha ayuda.

Como tampoco lo era mantener la posibilidad de que un bebé pudiera estar enterrado también en las inmediaciones. Kellett empezaba a pensar que no era muy probable, y tenía la sensación de que quienes estaban al mando pensaban lo mismo. Los guardias forestales casi habían terminado el registro de la zona, sin resultados. Si el bebé había muerto a la vez que su madre, o poco después, parecía razonable que lo hubieran enterrado con ella. Kellett podría habérselo explicado a los mandos desde el principio.

El viento cobró fuerza y un ruido interrumpió sus cavilaciones: el aleteo de una lona. Por el sonido parecía ser la grande que se había tendido sobre la tumba. Ya se había visto obligada a pelearse con ella; nunca había pretendido ser una experta en nudos, y parecía que ese defecto la perseguía. Al menos, la primera vez que había sujetado la cuerda era de día, pero ahora había oscurecido y tendría que trabajar a la luz de una linterna.

Se bajó del coche y la primera gota de lluvia le cayó en la coronilla con la fuerza de una moneda que le hubieran arrojado adrede.

—¡Oh, por Dios!

Ni siquiera se esperaba que lloviera. Estúpidos meteorólogos, ¿cuántos de ellos lo eran de verdad? La mayoría no eran más que locutores, hombres del tiempo, por el amor de Dios. Si tenían la menor cualificación sería la de: «Muy Presentable antes del Desayuno».

Kellett cogió la gorra y se la sujetó bajo la barbilla, se puso el impermeable y se metió en el bosque. Los árboles ofrecían un poco de cobijo, pero la fuerza del chaparrón hacía que las ramas no dieran para más. Al cabo de un minuto, el sendero, peligroso incluso cuando estaba seco, se había vuelto ciertamente letal. Kellett intentó ir con cuidado, pero la cautela no sirvió de mucho: se resbaló cuando tenía la lona a la vista. No se hizo daño al caerse, pero se ensució y empapó la pierna del pantalón. Comprobó si tenía algún desgarrón en el tejido y vio que no, lo que era un alivio: era demasiado pronto ese año para empezar a gastar sus prestaciones por uniforme.

Kellett miró a su derecha. Incluso sin la ayuda de su linterna, vio la lona ondeando al viento. No corrió a recogerla, temiendo resbalarse de nuevo. Después de todo, no se daba la circunstancia de que quedaran pruebas por recuperar de la fosa. La decisión de mantenerla cubierta surgió tanto del respeto que perduraba por el cadáver que había alojado como del deseo de hacerlo todo según las normas.

Llegó hasta la lona. El nudo que había hecho antes se había

desatado. Cogió la cuerda tensora, pero el viento se la arrancó de la mano y el extremo la golpeó en la mejilla. Kellett raramente maldecía —lo consideraba un signo de mala educación—, pero estuvo a punto de pronunciar la primera sílaba, jo..., cuando la alcanzó la cuerda.

—Dame un respiro, ¿quieres? —No sabía muy bien a quién se dirigía: a Dios, tal vez, suponiendo que no estuviera demasiado ocupado intentando separar a la gente que quería decapitarse en Su nombre. Aunque, bien pensado, Dios parecía disponer de bastante tiempo libre para ayudar a los jugadores de fútbol a anotar ensayos y a los palurdos de pueblo a ganar la lotería, así que ¿por qué no dedicar unos pocos de esos segundos libres a hacer su vida algo menos dura de lo que ya era? Dios, pensaba a veces Kellett, tendría que aclarar Sus prioridades.

Estaba cogiendo con fuerza la cuerda cuando se quedó paralizada. No había visto ni oído nada inesperado, pero era consciente de los latidos acelerados de su corazón, de la tensión de los músculos de sus piernas y del reflejo de piloerección cuando los diminutos músculos en la base de cada folículo capilar se contrajeron poniéndole la piel de gallina.

El miedo, un miedo que no se parecía a ninguno que hubiera experimentado antes.

Kellett soltó la cuerda y echó mano de su pistola, cruzando la mano derecha por encima de la izquierda, de manera que el haz de luz y el arma se movieran al unísono. Al hacerlo, se retiró para cubrirse tras la pícea más próxima al agujero, consciente de que la linterna la convertía en un blanco más fácil si permanecía a campo abierto.

—Ayudante del sheriff —gritó—. Esta zona es de acceso restringido. Está entrando en el escenario de un crimen.

Kellett escuchó con atención, pero no recibió respuesta alguna, sólo el sonido de la lluvia cayendo en las hojas, las ramas y la tierra. Respiró hondo e intentó determinar el origen de la amenaza. Le daba la espalda al sendero que conducía al vehículo, y no detectaba ningún movimiento en esa dirección. A esas alturas se basaba por entero en un instinto atávico, pero creía que fuera lo que fuese lo que la había asustado procedía del sur o del oeste de su posición, porque la notó a sus espaldas cuando se peleaba con la cuerda tensora.

Aventuró una mirada al otro lado del tronco del árbol y vio la silueta de una figura recortada con claridad entre dos árboles, en una elevación al sur de la tumba. Pese al grosor de su ropa y la distancia que mediaba entre ellas, Kellett estaba segura de que era una mujer. Entonces, al cabo de unos segundos, la figura se dio la vuelta y se fue.

Kellett dejó escapar un suspiro. Sólo un mirón. Nadie que mereciera la pena perseguir. Lo anotaría en su cuaderno y avisaría a Mel Wight cuando llegara a sustituirla, para que estuviera atento.

Estaba guardando el arma en la funda cuando oyó un sonido húmedo de algo que resbalaba a sus espaldas, seguido de un chapoteo cuando algo cayó en el barro y el agua acumulados en el fondo de la tumba. Sólo entonces se dio cuenta de que todavía tenía la piel de gallina, y que el ritmo cardíaco no se había ralentizado. Volvió a sacar el arma y cambió silenciosamente de posición, pisando con cuidado alrededor del árbol hasta que tuvo la sepultura a la vista.

La lona seguía agitándose, y llovía, de manera que su visión de lo que había más abajo era parcial y limitada. Pero detectó movimiento en la tierra, como si un animal grande excavara intentando ocultarse de un depredador que se estuviera acercando.

Flap.

Y ella pudo percibir el miedo de aquel ser porque se parecía mucho al suyo, y distinguió su forma, porque también era similar a la suya. Yacía acurrucada en la depresión dejada por la mujer muerta, y aunque las dimensiones habían cambiado al sacar los restos y la posterior búsqueda del niño, daba la impresión de que se ajustaba perfectamente a la cavidad.

Flap.

Y entonces pareció percatarse de una amenaza más inminente que aquella de la que había huido, y, al volver su rostro hacia Kellett, ésta distinguió que estaba putrefacto, y vio las concavidades huecas de sus ojos, y su vientre a la vez hinchado y marchito, y todo lo que era y todo lo que debía de haber sido. Pero no se trataba de un ser formado enteramente de huesos y piel vieja: Kellett vio madera y hiedra, ramitas y pequeños huesos de animal, como si se hubiera visto obligado a recoger restos para completarse. Aquel ser abrió la boca como lo haría un animal para emitir un grito de alarma o gruñir una advertencia.

Flap.

Y volvió a moverse, excavando más hondo en la ladera, dejando al descubierto un agujero que o se había hecho recientemente o no lo habían visto antes; entonces se arrastró a su interior, y el cuerpo se contorsionaba con paroxismos serpentinos, hasta que lo único que quedó visible fue la suela de un zapato, un espolón de hueso en el talón, y también eso desapareció, y el barro y la tierra se deslizaron para llenar el hueco abierto, así que era como si nunca hubiera existido, su presencia en este mundo sólo sería la evocación de una mente inquieta, aunque la conciencia de quien lo había imaginado, la de Kellett, se enturbiara, y entonces ésta se dejó caer de espaldas contra el árbol y se apoyó en él mientras se deslizaba hasta el suelo, donde se quedó sentada, consciente pero sin ver nada, hasta que la llegada del vehículo de Mel Wight la sacó de su estupor, y bajó para encontrarse con él, pero no le contó nada —aparte de que había atisbado una figura distante— de lo que había presenciado.

45

La tasa de natalidad en Maine había caído de manera constante a lo largo de la última década, lo cual dejaba a Parker todavía con casi trece mil nacimientos registrados durante el año que la mujer del bosque había muerto. En el silencio del despacho de su casa, abrió un mapa de Piscataquis en su *Maine Atlas and Gazetteer,* señaló la localización de la sepultura, luego colocó la punta de un compás en el punto señalado y trazó un círculo de un amplio radio de unos veinticinco kilómetros. El círculo no se salía de los límites del condado.

Si no se equivocaba al dar por buenos los datos locales —y parecía razonable empezar por ahí y luego ampliar la búsqueda de ser necesario—, estaba ante sólo ciento sesenta nacimientos registrados durante el año en cuestión. El número podía reducirse todavía más, creía Parker, gracias a su visita a la tumba: el cuerpo había sido enterrado a casi un metro bajo tierra, lo que era una profundidad considerable, e indicaba que quienquiera que lo hubiera hecho trabajaba sin temor de que lo perturbaran. Pero excavar un agujero de ese tamaño y fondo sería difícil durante los meses más crudos del invierno, así que seguramente podía excluir a los bebés registrados en enero, y puede que incluso a los de finales de diciembre. Se sintió tentado a excluir también a los de febrero, pero prefirió pecar de cauteloso: que la tierra estuviera lo bastante fría para conservar un cuerpo, pero no tanto como para no poder trabajar en ella.

Pero, además de los nacimientos, más de doscientas adopciones legales se tramitaron en la agencia de servicios sociales para menores en Maine durante el mismo periodo, y muchas más utilizando agencias privadas legales. Con la tasa de natalidad como referencia, eso significaba que las adopciones legales registradas en el condado de Piscataquis probablemente no fueran más que un puñado, y podía eliminar a todos los niños cuya edad en el momento de la adopción quedara fuera de sus parámetros.

Todo ello implicaba que la persona responsable del enterramiento de la madre había optado por ocultar su rastro, o bien registrando el nacimiento con el nombre de otra mujer, o bien presentándose con una historia lo bastante convincente para permitir una adopción formal. Ninguna de las dos opciones, Parker lo sabía, habría resultado especialmente complicada, pero optó por examinar primero la más sencilla, que era registrar el nacimiento.

Según las normas revisadas del estado, se requería una persona de alguna de las siguientes categorías para preparar y rellenar un certificado de un nacimiento que hubiera tenido lugar fuera de un hospital o de una institución: un médico u otra persona que hubiera asistido al parto, el padre, la madre o quien estuviera a cargo del recinto donde se había dado a luz, que podría ser cualquiera, desde el dueño del hotel al tipo que gestionaba la gasolinera local. Si la madre no estaba casada ni en la concepción ni en el parto, los detalles del padre putativo no podían incluirse en el certificado sin el consentimiento escrito, tanto de él como de la madre.

En otras palabras, era difícil impedir que una mujer se presentara con un bebé en sus brazos y rellenara un certificado de nacimiento con el funcionario del ayuntamiento, a no ser, claro, que el funcionario conociera personalmente a la mujer, en cuyo caso podría plantear preguntas sobre la repentina aparición de un hijo inesperado. Pero Piscataquis, con sus más de diez mil kilómetros cuadrados, era el segundo condado más extenso del estado, y también el que tenía una población más dispersa y escasa, con unos diecisiete mil residentes en sus límites, muchos de los cuales vivían por debajo del umbral de pobreza. Ese tipo de estadísticas apuntaba a que era una zona propicia para el aislamiento, y lugares como Piscataquis, y más al norte Aroostook, tendían a atraer al tipo de gente que prefería arreglárselas sola. Lo cual no facilitaba la tarea de Parker.

La División de Salud Pública de Augusta conservaba la mayor parte de la información que necesitaba. Parker se planteó hacer un viaje al norte al día siguiente para ver qué descubría. También repasó su agenda Rolodex y encontró el nombre de un contacto en la Asociación de Funcionarios de las Ciudades y Pueblos de Maine, que contaba con más de setecientos miembros en todo el estado, uno de los cuales bien podría haber registrado sin saberlo el nacimiento del hijo de la mujer fallecida. Pero prefería postergar la petición de un favor hasta haber revisado a fondo los registros importantes accesibles para él en Augusta.

A esas alturas, le dolían la espalda y los costados de estar sentado demasiado tiempo —un legado de sus heridas de bala— y le lloraban los ojos. Sabía que estaba perdiendo vista, pero no quería volver a visitar a su optometrista para una nueva graduación. De algún modo se había persuadido de que sólo necesitaba gafas para leer y mirar pantallas, y no tenía por qué llevarlas todo el tiempo. Recordó haber discutido el problema con Angel, que se había mostrado llamativamente poco comprensivo.

—Vanidad —fue la conclusión de Angel.

—No es vanidad. Es sólo una cuestión práctica.

—Engáñate lo que quieras, todos los demás preferimos la respuesta A: eres demasiado vanidoso para admitir que las necesitas. Apuesto a que también te tiñes.

—Si me tiñera el pelo, optaría por otro color que no fuera el gris.

—Tal vez seas demasiado pícaro y te tiñas lo justo para ocultar lo peor.

—No sé por qué hablo contigo. Es como hablar con una pelota de goma.

—Cómprate unas gafas.

—Dice el hombre al que hubo que amenazar para que fuera a ver a un médico por sus dolores de estómago.

—Sí, y mira dónde he acabado.

Momento en el que Angel hizo un gesto abarcando la habitación de hospital, la cama y la cánula en su brazo. Fue la noche antes de su operación, y la última vez que a Parker se le permitía el placer de la compañía del bueno de Angel. La siguiente vez que lo vio, Angel había perdido un trozo de intestino y su piel se había vuelto gris.

—Creo que acabas de torpedear tu propio argumento —dijo Parker.

—No —replicó Angel—. Fui demasiado estúpido para no escuchar a los demás hasta que era demasiado tarde.

A Angel se le quebró la voz. Parker estiró el brazo y le cogió la mano derecha.

—Tarde —dijo Parker—, pero no demasiado.

—Tengo miedo.

—Lo sé.

—No sólo por mí.

—Eso también lo sé.

—Si muero...

—No vas a morir.

—¿Y tú qué sabes? Si ni siquiera ves. Si muero...

—¿Sí?

—Creo que Louis siempre ha estado buscando a alguien que le quite el dolor, como hiciste tú tiempo atrás.

—Pero tú se lo impediste. Ahora es un hombre distinto.

—No, no lo es. El deseo de un desenlace sigue durmiendo en su interior. No permitas que me use jamás como excusa.

—Veré qué puedo hacer.

—A ti te hace caso.

—No estoy tan seguro. Me parece que confundes el silencio con la atención.

—Tal vez. Y ahora ya puedes soltarme la mano.

—Lo siento.

—No tienes por qué.

Se quedaron en silencio un momento.

—Si mueres... —dijo Parker.

—¿Sí?

—No voy a salir con Louis para que se sienta mejor. Al cogerte la mano sólo pretendía consolarte.

—No me hagas reír. Me duele.

—Sólo digo que...

—Lárgate de aquí.

Parker se levantó. Se detuvo en la puerta.

—¿Angel?

—¿Qué?

—Nada de morirse, ¿me oyes?

—Sí —dijo Angel—. Te oigo.

46

Louis estaba sentado junto a la cama de Angel. Las mejillas de Angel habían recobrado un poco de color, o tal vez era simplemente una ilusión de su compañero, pues seguía atiborrado del tipo de medicación que convierte el mundo en una nebulosa y vuelve ardua la más sencilla y breve de las acciones. Ahora dormía mientras la noche se adueñaba del mundo al otro lado de la ventana.

Transcurrieron dos horas, que Louis pasó leyendo. Previamente no había dedicado mucho tiempo a la lectura, pero ahí, en esa habitación de hospital, había empezado a encontrar en los libros una vía de escape de sus preocupaciones y una fuente de consuelo cuando era imposible evitarlas. Sin saber por dónde empezar, había revisado varias listas de las cien mejores novelas escritas, que luego combinó para crear su propia guía. Hasta el momento, en el curso de la enfermedad de Angel, Louis había leído *La llamada de la selva, El señor de las moscas* y *El hombre invisible,* tanto el de Ellison como el de Wells, debido a una confusión en la librería, pero a Louis no le importó porque los dos eran interesantes en diversos sentidos. En ese momento estaba leyendo *El viento en los sauces,* cuya inclusión le pareció al principio que podía deberse a cierto error de catalogación, pero el libro se había ido haciendo agradablemente extraño a medida que avanzaba la exploración de Louis.

—¿Por qué estás aquí todavía? —preguntó una voz desde la cama.

—Intentaba acabar un capítulo.

La voz de Angel sonaba ronca. Louis dejó la novela y cogió la taza de agua antigoteo con su pajita flexible. La sostuvo hasta que Angel le indicó con la mano que había acabado. Sus ojos parecían más claros de lo que habían estado desde la operación, como los de un hombre que se ha despertado tras un largo y tranquilo descanso.

—¿Qué estás leyendo ahora?

—*El viento en los sauces.*

—¿No es para niños?

—Tal vez, pero ¿qué más da?

—¿Y después de ése?

Louis cogió su abrigo y sacó una hoja doblada de papel. Examinó la lista.

—Puede que pruebe con algo más antiguo. ¿Has leído a Dickens?

—Sí, lo he leído.

—¿Qué obra?

—Todas.

—¿De verdad? No conocía esa faceta tuya.

—Leía mucho cuando era joven, y cuando estuve en la cárcel. Libros grandes. Leí incluso el *Ulises.*

—Nadie se ha leído el *Ulises;* al menos nadie que nosotros conozcamos.

—Yo sí.

—¿Lo entendiste?

—Me parece que no. Pero me lo acabé, que también cuenta.

—Y sigues leyendo. Siempre tienes un libro junto a la cama.

—Ya no leo como antes. Ni de lejos.

—Pues deberías volver a empezar. —Louis agitó su hoja—. Tengo una lista que puede servirte.

—*El viento en los sauces,* ¿eh?

—Eso es.

—Pues léeme algo del libro.

—¿Quieres decir que lea en voz alta?

—¿Crees que tengo poderes mentales, que puedo adivinar las palabras?

Louis miró hacia la puerta entornada. No había leído en voz alta a nadie en toda su vida, ni tampoco le habían leído a él. Recordaba a su madre cantándole de pequeño, pero nunca le leía cuentos, a no ser que fueran historias de la Biblia. Pensó en los guardaespaldas de Angel. No quería que al volver se lo encontraran imitando en voz alta a ratas y sapos.

—¿Te da vergüenza leerme? —preguntó Angel—. Si muero, te...

—¡Vale! —dijo Louis—. No te hagas el agonías. ¿Quieres que empiece por el principio?

—No, lee por donde ibas.

Tras echar un último vistazo a la puerta, Louis empezó a leer.

—«La línea del horizonte se recortaba con claridad y fuerza sobre el cielo, y en una zona concreta se veía negra contra una fosforescencia plateada ascendente que aumentaba de tamaño sin cesar. Finalmente, sobre el filo de la tierra que aguardaba se alzó la luna con lenta majestuosidad hasta que se apartó del horizonte y se alejó, libre de ataduras, y, una vez más, empezaron a ver superficies: amplios prados y silenciosos jardines, y el río mismo de una orilla a la otra, todo quedaba al descubierto suavemente, todo desprovisto ya de misterio y terror, todo radiante de nuevo como a la luz del día, pero con una diferencia tremenda. Sus viejos miedos los saludaron de nuevo con otro atuendo, como si se hubieran escapado y puesto esa vestimenta nueva y pura y entonces hubieran regresado sigilosamente, sonriendo mientras esperaban cohibidos para ver si los reconocerían ahora con ella...»

Todo estaba en silencio.

Angel se había dormido otra vez. Louis dejó de leer.

—Eso —dijo Tony Fulci, que estaba sentado en el suelo— era bonito de cojones.

A su lado, su hermano Paulie —el segundo guardaespaldas y ahora, a lo que parecía, crítico literario— asintió.

—Sí, bonito de cojones...

47

Quayle y Mors se dirigieron hacia el noroeste, reservaron unas habitaciones en el Mill Inn de Dover-Foxcroft. El pueblo quedaba cerca del límite del condado de Piscataquis, a unos treinta y cinco kilómetros al sudeste de donde se habían descubierto los restos de la Mujer Sin Nombre.

Mientras Mors descansaba, Quayle pensaba en Maela Lombardi. Lamentaba su muerte, por razones tanto prácticas como personales: prácticas, porque su desaparición acabaría llamando la atención, y era mejor que Mors y él llevaran mucho tiempo lejos de allí cuando eso sucediera; y personales, porque Lombardi al menos había sido un mujer de principios y valerosa, y Quayle todavía conservaba la capacidad de admirar esas cualidades.

Y pese a todos los riesgos que Mors y él habían corrido al interrogar a Lombardi antes de matarla y deshacerse de su cadáver, sólo habían sacado la confirmación de que Karis Lamb había llegado a Maine, y Lombardi opinaba que los restos hallados en Piscataquis eran los suyos. Pero la credibilidad de esa opinión se había visto reforzada por la conferencia de prensa celebrada previamente ese mismo día, un asunto secundario con relación a la búsqueda en marcha de los asesinos del policía del estado, Jasper Allen. Antes de aceptar preguntas de los medios, una teniente había entrado en más detalles que antes sobre la edad y complexión aproximadas de la mujer, y ambas coincidían con la descripción de Karis. También había informado a los medios de que una estrella de David tallada en un árbol cercano podría guardar alguna relación con el cuerpo. Quayle sabía por el difunto Vernay que Karis llevaba habitualmente una pequeña estrella de David en una cadena colgada al cuello. A Vernay le había parecido curioso el apego de su mujer a ese símbolo de la fe de la madre. Quayle sospechaba que aquello había aumentado el placer que Vernay sentía al violar a Lamb.

Sin saberlo, Quayle estaba trabajando a partir de una serie de suposiciones muy similar a la de Charlie Parker: que el hijo de Karis seguía vivo, y que muy probablemente vivía en las cercanías de la tumba. Quayle había mandado a Mors a examinar el lugar —que se libró por los pelos de que la detuviera la policía asignada a la custodia de la zona—, y ella creía que había sido escogido deliberadamente porque era un lugar remoto, lo que indicaba un conocimiento del terreno.

Pero Quayle poseía una ventaja sobre todos los demás, incluida la policía, que podían estar buscando el hijo desaparecido de Karis Lamb.

Quayle estaba al tanto del libro.

Esa noche, Parker llamó al apartamento del Upper West Side que compartían Louis y Angel. Cuando contestó Louis, Parker se interesó por la salud de Angel antes de entrar en el otro motivo de la llamada.

—Tuve una conversación cara a cara con Bobby Ocean hace unos días.

—Ajá —dijo Louis—, ¿y cómo fue?

—Como empapar mi cerebro en bilis. Poco faltó para que me presentara una factura por la camioneta de su hijo.

—¿El chico deja habitualmente que el padre se encargue del trabajo sucio?

—No creo que Billy estuviera al tanto de la visita.

—¿Por qué no?

—Bobby Ocean comparte algunos de los defectos morales de su hijo, pero el gen de la estupidez debió de saltarse una generación. Si Billy se enterara de quién fue el responsable de hacer volar por los aires a su niña bonita, se lo tomaría a mal y buscaría alguna represalia. Bobby supone que eso no acabaría bien para nadie, pero especialmente para su hijo, y es posible que tampoco para él.

—¿Así que fue a verte para desfogarse un poco? Lamento las molestias.

—Las he sufrido peores.

—Ese Billy no parece de los que salen en el cuadro de honor del colegio.

—¿Te acuerdas de nuestro amigo Philip de Providence?

Philip era el descendiente no reconocido de una relación entre un difunto criminal de Nueva Inglaterra llamado Caspar Webb y la mujer que acabaría heredando, y desmantelando, el imperio de Webb, una figura a la que se conocía tan sólo como Madre. Philip se había resistido enconadamente a la renuncia de Madre a la franquicia familiar, creyéndose digno heredero de la fortuna de su padre, y ahora se rumoreaba que se había tomado unas largas vacaciones. De ser cierto, era el tipo de vacaciones que se disfrutan horizontalmente y bajo una buena cantidad de tierra.

—Es difícil olvidarlo —dijo Louis—, pero lo intento.

—Bien, creo que Billy tiene problemas similares con su progenitor, salvo la criminalidad descarada, pero lo compensa con sus prejuicios.

—Tal vez no debería haber volado la camioneta.

—Se vive para aprender.

Hablaron un poco más y Parker le contó a Louis lo del cuerpo de la mujer y la búsqueda de su hijo.

—Si el niño está vivo —dijo Louis—, entonces probablemente a alguien le ha entrado el pánico. ¿Crees que podría correr peligro?

—No.

—¿Estás seguro?

—La madre murió de una hemorragia grave muy poco después de dar a luz. Es probable que alguien la enterrara con cuidado y respeto y que tallara después el símbolo de su religión en un árbol cercano. Eso no me parece el acto de alguien que le haría daño a un niño.

—Sólo el acto de una persona que deseaba un niño tan desesperadamente como para enterrar a su madre en una tumba superficial.

—Visto de ese modo...

Volvieron al tema de la camioneta. Parker no tenía muy claro cuánto sabía en realidad Bobby Ocean sobre Louis, aparte de los rumores y su reputación, pero si dedicaba el tiempo y el esfuerzo necesarios, podría descubrir algo más. Sería mejor para todos los implicados que Louis no apareciera por Portland durante un tiempo, aunque, dado el actual estado de ánimo de su amigo, Parker imaginaba que la ciudad sería pronto agraciada de nuevo con su presencia.

—En el hospital levantarán a Angel dentro de un par de días, lo animarán a comer y beber y luego lo mandarán a casa —dijo Louis—. O ése es el plan.

Parker sabía que Louis contrataría a enfermeras para atender a Angel durante las primeras fases de su recuperación. El internista pensaba que no era estrictamente necesario, pero Louis sería el primero en reconocer que él no era precisamente un cuidador muy dotado. Parker dijo que le haría una visita en cuanto Angel volviera al apartamento. Acordaron hablar de nuevo al cabo de unos días.

Y la Muerte seguía trazando círculos.

48

Se llamaban a sí mismos los Patrocinadores y eran unos individuos que habían alcanzado posiciones de riqueza, poder e influencia considerables, en parte mediante su propia energía y perspicacia, pero sobre todo por ponerse a disposición de fuerzas más antiguas y arcanas que cualquier religión. Al hacerlo se habían condenado, y por tanto les alegraba ver a todos los demás también condenados.

Ahora, cinco de ellos —tres hombres y dos mujeres— estaban sentados a una mesa en el Oak Room del Farimont Copley Plaza de Boston, la gran dama de los bares de hotel de la ciudad. Hacía pocos años que había sido rebautizado como Oak Long Bar + Kitchen, pero ese quinteto, como muchos de los prohombres de la ciudad, prefirió ignorar el cambio. Para ellos era el Oak Room, y siempre lo sería.

No llamaban especialmente la atención, aparte de los solícitos pero no cargantes servicios de su camarero. Esa noche en concreto, el bar acogía a media docena de grupos no muy distintos de importantes clientes sénior, todos vestidos informalmente, lo que para ellos, al menos, significaba chaquetas y corbatas para los caballeros y vestidos para las mujeres. El grupo se abstenía de tomar cócteles, y prefería ginebra y vino blanco, y declinó los ofrecimientos de comida porque tenían una reserva en L'Espalier para las ocho. Como la reunión, la reserva se había realizado con poca antelación, pero sin grandes dificultades.

—¿Y bien? —dijo una de las mujeres, una vez que les sirvieron las bebidas y podían hablar sin que nadie los escuchara.

Miró al Patrocinador Principal, que los había convocado—. Supongo que esto no es precisamente una reunión social.

El Patrocinador Principal alzó su copa en un brindis silencioso y dio un sorbo antes de responder.

—Quayle está en Nueva Inglaterra.

A la mujer que había hablado se le torció la boca en una mueca, como si el vino no fuera de su gusto.

—¿Dónde?

—En Maine.

—¿Por qué?

—¿Ha seguido la noticia del cadáver de la mujer hallado en los bosques del norte?

—Creo que he leído algo. ¿No estaba embarazada?

—No exactamente; había dado a luz poco antes de morir. Quayle cree que sabe quién es. Según parece, lleva buscándola desde hace tiempo.

—En ese caso ya puede volver a casa —dijo un hombre delgado y de aspecto oscuro, que parecía un cuervo triste y demacrado—. Su búsqueda, diríamos, ha llegado a su fin.

Los demás asintieron. Uno de los hombres incluso se rio.

«Bocazas», pensó el Patrocinador Principal. A ninguno le apetecía mirar a los demás a la cara. Todos temían ver reflejada su propia inquietud.

—Por desgracia —dijo—, su trabajo todavía no ha concluido. Ahora está buscando al niño desaparecido.

—¿Ha hablado con él? —preguntó el hombre con aspecto de cuervo.

—No directamente, pero ha establecido contacto. Ha solicitado nuestra asistencia; «solicitar», en su caso, es más bien un eufemismo.

Quayle trabajaba casi siempre aislado y por su cuenta, con la excepción de una serie de acompañantes femeninas. En el pasado había tenido una presencia pública más visible, pero ahora la evitaba. Sin embargo, era alguien influyente, alguien al que no se podía ignorar.

—¿De qué podría servirle a alguien como Quayle un niño? —preguntó la otra mujer presente. El Patrocinador Principal creyó detectar en su tono algo que casi podría haber sido preocupación. Ella era miembro de los consejos directivos de varias organizaciones caritativas, entre ellas, al menos dos especializadas en buscar remedio a enfermedades pediátricas. Tal vez, pensó él, su hipocresía había calado tan hondo en ella que ya no era capaz de percibirla como tal.

—No creo que le interese el niño especialmente —dijo el Patrocinador Principal—. Aunque, si así fuera, ¿de verdad le importaría conocer sus motivos?

La mujer no respondió. Su silencio fue respuesta más que suficiente.

—Entonces, ¿por qué insiste? —preguntó el hombre que se había reído, cuya expresión había recuperado su sonrisa de superioridad habitual. El Patrocinador Principal desconfiaba de quienes tenían la risa fácil, tomándola como una incapacidad más profunda para encontrar algo divertido.

—La madre poseía algo que Quayle quiere. Él cree que ahora ese objeto está con quienquiera que tenga al niño.

A nadie le hizo falta preguntar por qué a Quayle le interesaba ese valioso objeto. El abogado sólo tenía un propósito en su vida: la reconstrucción del Atlas Fragmentado, que reordenaría el mundo según su imagen.

—¿Qué clase de asistencia requiere de nosotros? —preguntó la segunda mujer.

—Contactos: policías, funcionarios municipales, lo que se le ocurra.

—¿Y vamos a dárselos?

—Naturalmente.

—¿Y podemos dar por seguro que se nos mantendrá informados de lo que sucede?

—Siempre que sea posible.

El Patrocinador Principal esperó a que bajara de tono la aprobación general. Estaban llegando al meollo del asunto.

—Quayle cree que está cerca —dijo—, lo más cerca que ha estado jamás.

—Pero ¿cuánto? —preguntó el hombre con aspecto de cuervo—. Todo esto ya lo hemos oído antes. Mi padre recibió las mismas peticiones de boca del propio Quayle.

Otra carcajada:

—Y su abuelo también. Y el mío.

El Patrocinador Principal esperó a que se callaran. Eran personas de sangre vieja, y la sangre vieja los aletargaba.

—Son las últimas de las páginas perdidas —dijo—, si hemos de creer a Quayle.

Los otros cuatro asimilaron la información.

—¿Y entonces? —preguntó la mujer de ánimo caritativo.

—Si Quayle está en lo cierto, el mundo se convertirá en un reflejo del Atlas. Los No-Dioses volverán y el Dios Antiguo pasará al no ser. Todo será pasto de las llamas.

En ese momento no hubo risas. Esos Patrocinadores, como quienes los antecedieron hace mucho tiempo, habían afirmado su existencia a partir de la creencia de que podían transmitir el coste de su pacto a las generaciones futuras. Habrían muerto antes de que las consecuencias de sus actos se hicieran manifiestas; o tal vez ese pacto con un demonio que había cobrado vida con el nacimiento del universo, ese acuerdo al que se había llegado siglos atrás, se revelaría en última instancia como un simple mito, una argucia sofisticada para justificar la buena suerte. Su éxito no tendría ningún coste. Los No-Dioses no existían. No había ningún Dios Enterrado perdido en las profundidades, bajo la tierra y las rocas de este mundo, aguardando a que lo descubrieran, del mismo modo que tampoco había ningún Dios Antiguo buscando adoración y recuerdo. Sólo estaba esta vida, y luego la nada.

Pero no era así: ellos sabían la verdad. Su única esperanza había sido morir antes de que se revelara.

—Y bien —dijo el hombre cuervo—, ¿debemos colaborar con Quayle en nuestra propia destrucción y la extinción de aquellos a quienes amamos?

El hombre cuervo tenía familia: hijos y un nieto. Los demás también. Sólo el Patrocinador Principal carecía de herederos.

—Siempre hemos colaborado —dijo el Patrocinador Principal—. Ahora lo abstracto amenaza con volverse concreto. Pero ¿qué otra cosa esperaban?

—Más tiempo.

—Parece que no se lo van a dar. ¿Por qué creen que he reservado en L'Espalier para nuestro ágape?

—Creo —dijo el hombre cuervo— que he perdido el apetito.

El Patrocinador Principal lo agarró con fuerza del hombro.

—Pues búsquelo —dijo—. Ésta podría ser nuestra Última Cena.

49

Si el Patrocinador Principal y sus socios se mostraban ambiguos sobre la presencia del visitante, Quayle estaba tan impaciente como ellos por mantenerse a distancia de esos colonos. Los consideraba carentes de pureza: se comportaban movidos en gran medida por el egoísmo, buscaban su propio enriquecimiento adoptando una doctrina en la que sólo creían a medias, si es que creían siquiera.

Sólo el líder del pequeño grupo era digno de algún respeto. Había quienes sospechaban que el Patrocinador Principal era, en lo más profundo de su ser, oscuro como la noche más tenebrosa, aunque Quayle no tenía la menor idea de qué habría alimentado en él ese odio hacia sus congéneres humanos que le hacía alegrarse de verlos reducidos a cenizas, aunque él ardiera también con todos los demás. Quayle se preguntaba si el Dios Enterrado le susurraba al Patrocinador Principal por las noches, convocándole en una lengua antigua no escrita, con palabras ininteligibles pero cuyo significado estaba claro. De ser así, eso explicaría hasta cierto punto la animosidad del Patrocinador Principal hacia Quayle, que servía al resto de la Trinidad del Anverso.

Pero Quayle albergaba otras dudas acerca del Patrocinador Principal. No tenía pruebas, ningún indicio de falta de resolución ni —dicho en voz muy baja— de traición por parte del Patrocinador Principal, sólo su conocimiento de los hombres y de hasta dónde podía llegar su egoísmo. El Patrocinador Principal era un hombre acaudalado y disfrutaba de buena salud. Tenía una buena reputación. Tenía autoridad.

Carecía de razones para poner fin a todo eso.

Quayle, por el contrario, era un alma angustiada, y sólo deseaba que cesara su sufrimiento. Si hubiera existido otra forma de lograrlo que no fuera la restauración del Atlas, la habría asumido sin vacilar, o eso se decía a sí mismo. Era un hombre convencido de que había vivido durante siglos, maldito —en una ironía que sólo un abogado sabría valorar apropiadamente— por un contrato que no tendría que haber firmado. Recordaba momentos de gran importancia histórica que se remontaban a la Reforma protestante y aún más atrás, detalles íntimos de incidentes e individuos sobre los que no podría saber esas cosas. Lo perseguían recuerdos que parecían pertenecerle tanto a él mismo como a otros, una sucesión de hombres que tenían su nombre y su aspecto físico, pero que no podían en modo alguno *ser* él.

Una vez más, como hacía siempre que tenía dudas, temió que esos ecos fueran simplemente manifestaciones de una obsesión, aunque la perspicacia que le permitía reconocer su propia locura le imponía también una lucidez que fluctuaba según las pautas de su psicosis.

Mentiras dentro de mentiras: al igual que los Patrocinadores, no encontraba ningún consuelo en ellas.

El Atlas era real.

El Dios Antiguo era real.

El Dios Enterrado era real.

Los No-Dioses eran reales.

Y Quayle, con toda su singularidad, era real.

50

Parker se pasó parte de la mañana siguiente en Augusta revisando los registros de nacimientos correspondientes al condado de Piscataquis. Consiguió reunir una lista de registros del periodo en cuestión, pero era reacio a ir llamando a las puertas para preguntar por entierros ilegales y secuestros de niños. Alguien podría pegarle un tiro.

Terri Harkness, su contacto en la Asociación de Funcionarios de Pueblos y Ciudades de Maine, aceptó investigar los archivos de los certificados de nacimiento por si había alguno que le llamase la atención, pero no se mostró muy esperanzada. Los funcionarios se tomaban en serio su papel, dijo, y nadie quería que en el futuro reapareciera un formulario falsificado y que pudiera causarle molestias. Pero reconoció que cuando se trataba de partos en casa, no podían hacer mucho más que aceptar la palabra de la madre o de ambos progenitores, y ella conocía personalmente el caso de dos familias muy religiosas en las que los abuelos estaban criando a un nieto como si fuera su propio hijo para proteger a una hija del oprobio.

—Además, ¿no es la policía la que tendría que hacer estas preguntas?

—El funcionario de la Oficina de Registros Vitales de Augusta me dijo que ya habían recibido una solicitud de la policía del estado pidiéndoles asistencia, ahora que el lugar de enterramiento está perdiendo interés —dijo Parker—, pero es probable que los recursos policiales no den más de sí hasta que encuentren a los asesinos de Jasper Allen. Yo diría que la policía se pondrá en contacto con más miembros de vuestra asociación muy pronto, pero a lo mejor puedo ahorrarles algunas molestias.

—Si descubres quién tiene al niño, supongo que sabrás que no se alegrarán mucho de verte.

—Si dejara que la posible alegría que produce mi compañía dictara mis movimientos —le dijo Parker—, nunca saldría de casa.

Putnam, Newhouse y Caldicott habían demostrado ser más listos de lo que nadie había imaginado, y hasta el momento habían podido eludir a la policía. La opinión general convenía en que Caldicott era el listo, aunque todo dependía, claro, dado que no pasaba de ser un traficante de drogas de medio pelo de Maine al que ahora se perseguía como posible cómplice del asesinato de un policía del estado.

Si Caldicott fuera tan listo, pensó Parker, habría dejado plantados a Putnam y Newhouse en cuanto hubiera podido y se habría dirigido al norte o al oeste. Parker suponía que al norte, tal vez al Condado, que era como todo el mundo en Maine llamaba a Aroostook, el territorio más extenso del estado: más de dieciocho mil kilómetros cuadrados, la mayor parte de ellos zona boscosa deshabitada. Caldicott conocía el terreno; su familia procedía de Scopan, cerca de la Allagash Wilderness. Un hombre podía perderse allí dentro y no lo encontrarían hasta que alguien tropezase con sus huesos.

Pero si Caldicott era de verdad listo, y también implacable, habría hecho algo más que dejar plantados a Putnam y Newhouse: los habría matado. Hasta ahora sólo se tenía la palabra de su novia de que había proporcionado el coche que se había utilizado en el tiroteo, y la presencia de Putnam y Newhouse en su casa la noche en cuestión no le vinculaba directamente con la muerte de Allen. Aunque la distinción entre ser cómplice antes o después de los hechos se había eliminado en gran parte en las leyes, la realidad era que un cómplice tardío se enfrentaba a penas más leves. Tal como estaban las cosas, el único problema de Caldicott era haber ayudado a sabiendas a un delincuente o delincuentes a evitar la detención o el juicio, a no ser que la investigación policial descubriera pruebas que lo relacionaran con la planificación de la compra de drogas que finalmente había acabado con el asesinato de Allen. También había que tener en cuenta el testimonio de la novia yonqui, aunque parecía que ahora guardaba silencio siguiendo el consejo de un abogado para evitar cualquier posibilidad de que la acusaran también como cómplice; además, los yonquis son malos testigos. Pasara lo que pasase, Caldicott estaba en un lío, pero lo estaría menos si Putnam y Newhouse desaparecieran de la faz de la tierra.

Nada de lo cual era problema de Parker.

Volvió a la cuestión de la mujer muerta. ¿Qué sabía de ella? Seguramente era de fuera del estado, pero ¿cómo fue a parar a Maine? ¿Qué la trajo al nordeste? Estaba embarazada, así que era posible que el padre de la criatura estuviera aquí. Pero, de algún modo, en vez de parir en la seguridad de un hospital acabó haciéndolo en el bosque, y si hubo algún testigo del nacimiento y su posterior defunción no había considerado oportuno alertar a las autoridades. ¿Había sido el padre del niño el responsable del entierro? Si era así, ¿por qué ocultar el cadáver y el nacimiento? A no ser que le hubiera entrado el pánico cuando la mujer murió, temiendo que la ley encontraría una forma de culparlo a él. ¿Y si estaba casado y el embarazo era fruto de una aventura? La amante se presenta en el estado del hombre, con el embarazo avanzado, y él encuentra algún sitio para acomodarla sin que su esposa sospeche. Cuando la amante muere durante el parto, él se deshace de ella y del bebé y vuelve a su vida intachable.

Pero, si fue así, ¿por qué el niño no estaba enterrado con la madre?

Parker rebobinó. Tenía una certeza: se trataba de una mujer con problemas, porque de otro modo no habría acabado en un agujero en el bosque. Se hallaba en un estado avanzado de gestación, en un lugar desconocido. ¿A quién habría recurrido? A Planificación Familiar, tal vez, o a uno de los refugios para mujeres, pero ninguna de esas organizaciones había ratificado conocerla.

Parker sintió un cosquilleo en la memoria, un detalle del pasado que estaba adquiriendo importancia a la luz del caso actual. Entonces se acordó e hizo una última llamada, esta vez a Bangor. La mujer con la que quería hablar no estaba, y no volvería hasta el anochecer. Parker dejó un mensaje avisándola de que se desplazaría para hablar con ella en persona al día siguiente. Habrían podido hablar por teléfono, pero sabía por experiencia que la gente, incluso quienes no tenían nada contra él, tendía a ser más comunicativa cuando se la abordaba cara a cara.

Y, en cualquier caso, esa noche tenía otras obligaciones.

51

A Quayle no le gustaban los bares, al menos no los bares como aquél: ruidoso, alegre y lleno de personal que podría recordar una cara. Quayle prefería tugurios más antiguos, más oscuros y húmedos, frecuentados por hombres y mujeres que no intercambiaban miradas ni entablaban conversación con desconocidos, y que apenas hablaban con aquellos que sí conocían; lugares con nombres que procedían de una época en que la mayoría de la gente no sabía leer y las posadas se identificaban por sus símbolos.

Pero quizás en aquellos locales londinenses que habían pertenecido a la misma familia durante generaciones, el dueño le comentaba a su hijo o a su hija, mientras fregaban los vasos o servían pintas, que el cliente sentado en el rincón («un caballero legítimo, si la memoria no me engaña») disfrutaba de un vínculo hereditario similar al suyo con su amado establecimiento, porque el padre de ese hombre ya solía beber ahí, es más, también lo hacía el padre de su padre antes que él («porque tienen el mismo aspecto, lo que señala una poderosa estirpe»), aunque el origen de ese augusto linaje no estaba muy claro para el posadero («algo que tiene que ver con los pájaros, de eso estoy seguro»), y nunca se le pasaría por la cabeza preguntarlo porque estaba convencido de que ese caballero («se guarda las cosas para sí, y lo hace con gusto») no agradecería esas preguntas, y tal vez la razón por la que sus antepasados y él habían sido sus parroquianos a lo largo de tantos años radicaba precisamente en esa discreción por parte de una larga sucesión de dueños del local («porque nosotros sabemos cuándo mirar y cuándo apartar la mirada»), y así seguiría siendo.

Por eso a Quayle le daba la impresión de que llamaba excepcionalmente la atención en aquel apartado del Great Lost Bear de Portland, aunque Mors se mantuviera atenta desde la barra, con los taburetes a cada lado extrañamente vacíos pese a la presencia de una numerosa clientela y la falta de más asientos. Quayle esperaba con una ginebra delante, aunque casi no la había tocado. No le apetecía nada estar ahí y por eso beber no le causaría el menor placer. Ese país estaba cubriéndole de una costra, como el polvo que cae tras una erupción. Quería acabar con aquel asunto.

Un hombre se abrió paso entre el gentío, su cuerpo se ondulaba de manera que, sin importar lo densamente que se apretara la gente, él pasaba sin dificultades. Era pequeño y delgado, y sabía cómo pasar inadvertido. Llevaba un abrigo que parecía más viejo que él, con las mangas colgándole por encima de los nudillos y el dobladillo deshilachado. Tenía los ojos hundidos y oscuros, y el pelo muy moreno y tupido, con la línea de nacimiento tan cerca de las cejas que apenas dejaba espacio a la frente. Su nariz era diminuta y puntiaguda. Combinados con el abrigo y la ágil precisión de sus movimientos, esos rasgos le conferían el aspecto de un roedor inteligente. Quayle lo pilló fijándose en Mors y manteniendo la mirada que ella le dedicó, y pensó que el Patrocinador Principal debía de habérsela descrito al recién llegado como advertencia previa. Sostenía un gran vaso de soda en una mano, pero a Quayle le dio la impresión de que era tan probable que se lo bebiera como que él se acabara su ginebra. Ocupó el asiento delante de él en el apartado sin pedir permiso, y dejó el vaso en un posavasos. No le tendió la mano para saludarlo, y Quayle supuso que eso también debía de habérselo mencionado el Patrocinador Principal: «El señor Quayle prefiere no estrechar la mano. Seguramente debería agradecerlo, de otro modo es posible que nunca pudiera quitarse la gelidez de los dedos, en el caso de que Quayle le dejara con la misma cantidad de dedos que tenía antes de tocarle».

—Usted es el inglés.

Sin nombres, sin preámbulos. Su voz sonaba demasiado aguda para un hombre adulto, y, curiosamente, sin acento. Podría haber sido de cualquier sitio, de cualquiera.

—Sí —dijo Quayle.

—¿Le gusta este local?

—No —dijo Quayle—. ¿Por qué me ha traído aquí?

—Porque está buscando a un niño. —Con un levísimo asentimiento, aquella cabeza de roedor señaló a un hombre al otro lado de la barra que conversaba con otro más mayor, con barba—. Y él también.

Era el cumpleaños de Dave Evans y se habían reunido varios amigos para felicitar al dueño del Great Lost Bear. Con Angel y Louis indispuestos, y los Fulci haciendo de guardaespaldas temporales del incapacitado, le correspondía a Parker estar presente. Pero aquello no suponía para nada una molestia, porque Parker le debía mucho a Dave. Éste le había ofrecido un empleo como encargado de bar en los tiempos difíciles, tanto personal como financieramente, y el Bear le seguía sirviendo como lugar de reunión *de facto* y hasta de esporádico despacho.

—¿Te has enterado de que los Fulci quieren abrir un bar propio? —le comentó a Dave.

—Creía que sólo era un rumor, como el efecto goteo en economía.

—No, parece que van en serio. Tienen el dinero, y me he enterado de que le han echado ojo a un local en Washington Avenue.

—Eso está demasiado cerca de nosotros —dijo Dave.

Washington Avenue quedaba justo en la otra punta de la ciudad.

—¿Cómo de lejos quieres tenerlos? —preguntó Parker.

—África. Antártida. Algún otro sitio que empiece por «A», como Alfa Centauri.

Parker hizo cuanto pudo para parecer dolido en representación de los Fulci.

—Ya sabes que si dices cosas de este estilo, ellos pensarán que no te caen bien. Y eso no sería bueno.

—¿De verdad crees que podría ser peor? —replicó Dave—. Ya beben aquí.

—Todavía tienes techo. Y paredes.

—Por poco.

Al lado del lavabo de hombres, un agujero en forma de puño marcaba el punto donde Paulie Fulci había escogido expresar su descontento por el resultado de un reciente partido de hockey. Parker no estaba presente aquella noche, pero, según los parroquianos, el bar entero tembló.

Dave le estuvo dando vueltas a lo de los Fulci durante un rato. Al final, se le iluminó el rostro.

—Si abren su propio local —dijo—, tal vez se queden a beber allí.

Parker decidió cortar esa vía por lo sano.

—Te estás agarrando a un clavo ardiendo. Para ellos el Bear es como su segunda casa, y uno nunca debe beber en su propio local. Míralo por el lado bueno: no has tenido ningún problema desde que ellos empezaron a venir.

—Pero tampoco teníamos ningún problema antes de que vinieran. Creo que afectan a mi presión sanguínea. En cuanto entran siento la necesidad de tumbarme.

—Siempre podrías jubilarte y venderles el Bear.

—Sería como entregarles mi hijo a unos piratas.

—Vamos, reconócelo: te lo pasas bien con ellos.

—De verdad que no.

—Los echarías de menos si se fueran.

—Agradecería la oportunidad de comprobarlo.

Parker pidió otra bebida y observó el bar, a los demás clientes, y a los dos hombres sentados en un apartado junto a la pared. Había visto que ambos lo habían mirado hacía un momento de un modo que era algo más que accidental, o eso le pareció, y hacía mucho que había aprendido a no ignorar sus instintos en cuestiones como ésa. El hombre vestido con terciopelo era mayor, y no lo conocía, pero el más pequeño le dio escalofríos, y su cara le resultaba familiar.

—Los tipos sentados en el penúltimo apartado junto a la pared —le dijo a Dave—. Uno viste como si tuviera una tarjeta de cliente habitual de una tienda de caridad Goodwill, y el otro como si se hubiera perdido de camino a una sesión de espiritismo. ¿Los conoces?

Dave ni siquiera tuvo que mirar. Por eso era bueno en lo que hacía, y el Bear era un lugar tan tranquilo.

—Al que va de Velvet Goldmine, no. Pero el más pequeño ha estado aquí antes. No a menudo, pero sí lo bastante para saber que no me gusta.

—¿Por alguna razón en concreto?

—Su actitud, básicamente. Aparte de eso, puros prejuicios. Suele venir solo, pero siempre rondando asuntos ajenos. Es el tipo de tío al que le gusta mirar a los niños buscando mascotas perdidas, porque él es quien se asegura de que los animalitos se pierdan. ¿Por qué te interesan?

—Tengo la impresión de que me están prestando una atención excesiva.

—Bueno, eres un hombre apuesto.

—No voy a discutir contigo en tu cumpleaños. El pequeño..., me parece que no es la primera vez que me echa mal de ojo aquí. Quizá por eso me suena.

—No sé por qué, pero intuyo que estás a punto de acercarte para que podáis presentaros de manera más formal.

Parker le dio una palmada en el hombro a Dave.

—Bueno, éste es un local donde se hacen amigos.

Quayle escuchaba con atención al hombre pequeño, que al final le había dicho su nombre: Ivan Giller. Quayle no estaba especialmente interesado en averiguar nada más sobre él. Lo único que quería de Giller era lo que sabía, o podía descubrir, sobre Karis Lamb y su hijo.

Y ahora también sobre el investigador llamado Parker.

—Salió en la televisión, fue al lugar del enterramiento —dijo Giller—. La reportera le dio mucho bombo. Supongo que ese día no había muchas noticias.

—¿Y se ha cruzado con él en su camino antes?

—No personalmente, pero nuestros conocidos me pagan para que lo tenga vigilado e informe de cualquier cosa que merezca la pena. Aunque la mayoría de las veces no hace falta. Ellos se enteran de los grandes asuntos sin mi ayuda. Si hay un problema, él lo encontrará; si no lo hay, lo provocará, sólo por pasar el rato.

—¿Ha causado alguno de esos problemas a esos conocidos?

—Es un proyecto que tiene entre manos, y ésa es la razón por la que todavía estoy aquí.

—La pregunta más pertinente es ¿por qué está *él* aquí todavía?

—¿Se refiere a que por qué no está muerto? Ya han intentado acabar con él.

—Está claro que no con el empeño suficiente.

—Le sorprendería. Usted...

Una sombra se cernió sobre la mesa y ambos hombres alzaron las miradas hacia la cara de Charlie Parker.

52

Quayle y Giller no eran los únicos que esa noche estaban pensando en las posibles implicaciones de la intervención de Parker en sus asuntos.

Holly Weaver estaba sentada a la mesa de su cocina, bebiéndose un vaso de Maker's Mark, con poco hielo y bien cargado de bourbon. El Maker's era un regalo de Navidad de su padre. Holly raramente bebía licores fuertes, pero un par de veces al mes le gustaba obsequiarse con una pequeña copa que se tomaba mientras leía un libro o veía una película antigua en el canal TCM. Así que cada Navidad, Owen Weaver le regalaba una botella a su hija, que por lo general solía durarle hasta la siguiente Navidad.

«Pero no en esta ocasión», pensó Owen. Esta botella no llegaría ni a Pascua, a no ser que ella empezara a aguarla.

—Lo he visto —dijo Holly—. En la tele. El detective privado, el que capturó a toda esa mala gente.

Owen quería preguntarle a Holly cuándo había comido algo por última vez, y si podía dormir, porque su hija había empezado a consumirse visiblemente desde el descubrimiento del cuerpo, y sus ojos hundidos, entre azulados y rojizos, miraban fijamente al vacío. Pero lo que dijo fue:

—Nosotros no somos mala gente.

—A él eso no le importa.

—No puede saber nada que no sepa ya la policía.

—Tal vez todavía no, pero ese hombre no es como la policía. Es diferente. Dios, lo que sale en internet: con que sólo la mitad de lo que se dice sobre él fuera cierto...

Owen pensaba que casi nada de lo que se decía en internet

era verdad, y casi todo lo que era verdad carecía de interés. Pero también reconocía que él podía formar parte de una generación que estaba muriendo, y con el tiempo, él y los que eran como él dejarían su sitio a hombres y mujeres que se habían nutrido de teorías de la conspiración, el eco de sus propias voces y las opiniones de dogmáticos y estúpidos.

Owen tenía el portátil de Holly abierto sobre la mesa, ante él. Estaba cliqueando las búsquedas en su historial, fijándose en un titular aquí, una noticia más adelante. Conocía el nombre de Parker, y parte de su reputación, por sus propias indagaciones, pero Holly había descubierto mucho más. Incluso asumiendo las falsedades y exageraciones, Parker era un hombre con el que resultaría difícil lidiar.

—Pero ¿quién ha podido contratarlo? —dijo Owen—. Si es un investigador privado, alguien debe haberle pagado para husmear.

Holly lo miró. Ella seguía asustada, pero el matiz del color de su miedo había cambiado.

—¿Y si fue la gente de la que huía Karis?

—No, es imposible.

—¿Por qué estás tan seguro?

—Porque he estado leyendo el mismo material que tú —dijo Owen—, y no creo que Parker sea el tipo de hombre que acepta dinero de alguien así. Todos los casos (asesinos llevados ante la justicia, mujeres desaparecidas encontradas, niños salvados de sabe Dios qué final) tienen en común cierto sentido moral, del bien y el mal.

—Dicen que ha matado a gente.

—Eso dicen —reconoció Owen—. Pero si alguien cree que el mundo se ha empobrecido con la ausencia de esa gente, desde luego lo tiene bien callado.

Holly dio un largo trago de bourbon, lo bastante copioso para vaciar su vaso. Owen esperaba que al menos la ayudara a dormir. No serían sueños felices, pero, en su estado, cualquier descanso sería bienvenido.

—Vendrá aquí —dijo Holly—. Encontrará el camino hasta mi puerta.

—Eso no lo sabes.

Ella ya no lo miraba. Había fijado la vista más allá del hombro de su padre, en la ventana, atravesando el cristal y sumergiéndose en la oscuridad que se extendía más allá, desplazándose por el bosque y los claros hasta detenerse en un hombre que se acercaba desde el sur, con paso inexorable y la pretensión de arrebatarle a Daniel.

—Te equivocas —dijo ella.

Owen cerró el portátil. Había visto cuanto necesitaba ver.

—En ese caso, podemos hacer una cosa —dijo.

—Explícamela.

—Esperamos a que Parker llegue, y la policía con él.

—¿O?

—Algunas de las noticias mencionan a dos abogados aquí, en Maine, uno en Portland y el otro en Falmouth. Parker ha trabajado para ambos. A la mujer de Falmouth no la conozco y no da la impresión de que haya trabajado con Parker últimamente, pero sí he oído hablar del segundo, Castin. Puedo ponerme en contacto con él, sólo por teléfono, sin nombres. Tendré cuidado.

Holly dejó el vaso. Empezó a llorar.

—No —dijo—. Todos son la ley.

—Necesitamos ayuda. Tenemos que contarle a alguien lo que ha pasado. Deberíamos haberlo hecho en cuanto encontraron el cuerpo.

—No nos creerán.

—Haremos que nos crean. Es la verdad.

—No puedo perderlo, papá. No puedo. ¡Me moriría!

Owen alargó el brazo por encima de la mesa para cogerle las manos. Cerró los ojos. Volvió a sentir la pala en sus manos, y el dolor en los brazos y la espalda mientras excavaba el agujero; el cuerpo de la mujer en su improvisado sudario, y lo que pesaba cuando la llevó en brazos y la depositó sobre la tierra. Le habían hecho una promesa, Holly y él, pero era una promesa que no deberían haber cumplido nunca. Owen veía otra vía posible, una en la que avisaban a la policía tras el parto, y a ellos les quitaban temporalmente el niño mientras se iniciaba un proceso que acabaría con Daniel como hijo de su hija, pero sin los secretos ni el miedo.

Un cuento de hadas.

Porque había otra posibilidad: que se identificara a la mujer; que Daniel fuera entregado a una familia de acogida; que, finalmente, apareciera el padre y se presentara a reclamar a su hijo.

«No dejen que ellos se queden con mi bebé.»

Las palabras de la mujer moribunda, con la mano en la de Owen, todavía pegajosa de su propia sangre; Holly a su lado, sosteniendo a la criatura; el niño gimoteando; y algo en el modo en que Karis Lamb pronuncia esas palabras hace que Owen le diga a su hija que acalle el llanto del bebé, que lo silencie con susurros y caricias, con la calidez de su carne y el aroma de su piel, porque si no, los cazadores podrían oírlo.

Porque, aunque no lo mencionan, tanto su hija como él tienen la certidumbre de que Parker y la policía no son los únicos a quienes deben temer.

«No dejen que ellos se queden con mi bebé.»

Ellos.

Sabía que sólo sería una cuestión de tiempo que identificaran a Karis Lamb.

Y entonces ellos aparecerían.

53

Pese al esfuerzo de Giller para poner a Quayle al tanto de todos los detalles sobre Parker, el abogado se sorprendió de su propia reacción a la llegada del detective a su mesa.

Desde la barra, Parker le había parecido un parroquiano más: altura media, pelo grisáceo, y un cuerpo que no quería rendirse a la flacidez de la mediana edad, al menos no sin luchar. Pero Parker era distinto visto de cerca. No se trataba de que un elemento concreto de su carácter destacara en la distancia corta, aunque Quayle estaba dispuesto a hacer una excepción con los ojos, que sugerían un grado de perspicacia inusual y ganado a pulso. Mirarlos directamente era como contemplar el juego de la luz sobre la superficie del océano, su azul verdoso transmitía compasión, tristeza y un potencial para la violencia que, una vez desatada, no sería fácil de someter. Pero Quayle también creyó reconocer en Parker cierto aire sobrenatural, el sentido de algüien que tiene una aguda conciencia de lo inefable. Ya se había encontrado a individuos así en el pasado, pero a menudo eran ascetas, y, de manera esporádica, fanáticos. Parker, por lo que Quayle sabía, no era ninguna de las dos cosas. Era, sencillamente, muy muy peligroso.

—Caballeros —dijo Parker—, espero que lo estén pasando bien esta noche.

Quayle se fijó en que mantenía el cuerpo ligeramente ladeado, de manera que podía vigilarlos a ambos y al gentío de la barra, en particular a Mors. De algún modo, había captado su presencia, aunque ella se mantenía a distancia.

—Muy bien —dijo Quayle—. Aunque hay demasiado ruido para mi gusto.

—No es de por aquí, ¿verdad?
—Estoy de visita.
—¿Inglés?
—Sí.
—¿Por negocios?
—Básicamente.
—¿Y a qué tipo de negocios se dedica?
—¿Forma parte del comité de bienvenida?
—El que cumple esas funciones no trabaja hoy, y yo todavía tengo que mejorar mis habilidades sociales.

Parker esperó a que Quayle respondiera su pregunta previa. Los tres hombres sabían qué estaba pasando. Ni Quayle ni Giller se mostraron molestos por que Parker hubiera interrumpido su conversación, ni pretendieron que el encuentro fuera otra cosa que lo que era: una confrontación hostil que se les había echado encima en un momento de descuido por su parte, o una demostración de la capacidad de reacción del detective a la amenaza y la agresión.

—Me dedico a cuestiones legales —dijo Quayle por fin.
—¿Es abogado?
—Sí.
—Podía haberlo dicho así.
—Ya no practico mucho.
—Aun así, aquí está, «por negocios».
—Ciertamente, aquí estoy.

Junto a la mano de Quayle había una hoja impresa: el críptico crucigrama de la edición de ese día de *The Times* de Londres. Hacerlo era uno de los placeres de Quayle, y se había visto obligado a suscribirse temporalmente al periódico, utilizando una cuenta *proxy,* para seguir disfrutándolo mientras estaba lejos de casa. La pluma de Quayle estaba al lado, y el dedo índice de la mano derecha lucía una elocuente mancha de tinta.

—¿Aficionado a los crucigramas? —preguntó Parker.
—Sólo a éste en concreto.
—Parece que lo ha completado.
—Siempre lo acabo, aunque unos días me lleva más tiempo que otros.

—Estoy seguro de que hay una metáfora en esas palabras, o una lección de vida.

—Si la descubro, no dude que la haré pública.

—Eso sería un detalle. ¿Tiene nombre?

—Sí.

—¿Le importa compartirlo?

—Sí.

Parker asintió una vez, como si Quayle acabara de confirmar cuanto necesitaba saber sobre él, y luego fijó su atención en Giller.

—Tengo la sensación de que lo he visto antes.

—No sabría decir.

—Tengo buena memoria para las caras. Y usted, ¿también tiene buena memoria para las caras?

Giller se encogió de hombros, pero no respondió.

—Lo pregunto porque le ha estado prestando cierta atención a la mía esta noche. No sé si las otras noches que le he visto aquí sentado habrá hecho lo mismo.

—Creo que se equivoca.

Parker se lo pensó.

—Podría tener razón —dijo—, pero lo dudo. Y estoy seguro de que usted tampoco es de los locuaces cuando se trata de dar nombres.

—Smith —dijo Giller—. Mi amigo de la mesa también se llama Smith.

—Bien Smith y Smith —dijo Parker—, o Smith Uno y Smith Dos, como pensaré en ustedes a partir de ahora, me alegro de que hayamos acabado con las formalidades y roto el hielo. La próxima vez, todos nos sentiremos más cómodos. Mantendré los ojos abiertos porque no me gustaría que se me perdieran de vista. Hasta entonces, que disfruten del resto de la velada. —Se apartó de ellos, deteniéndose sólo para dar unos golpecitos sobre la barra, justo a la derecha de donde estaba sentada Pallida Mors—. Y usted también, señorita.

Quayle observó cómo volvía con el grupo de gente, pero Parker sólo se quedó unos instantes antes de salir por la puerta principal.

—¿Esperará? —preguntó Quayle.

—Posiblemente —dijo Giller—. Pero no puede seguirnos a

los dos a la vez y, si nos vamos ahora, no tendrá tiempo para llamar a nadie que lo ayude.

—¿Y a quién de nosotros seguirá?

—Eso tendremos que verlo.

—¿Y el asunto del niño?

—Ya estoy trabajando en ello. Me mantendré en contacto.

—Cuanto antes, mejor.

—Lo tendré presente.

Salieron del bar con Mors detrás. El dueño, el chico del cumpleaños en persona, no mostró el menor indicio de fijarse en ellos al marcharse, ni tampoco los demás clientes. Una vez en la calle, Giller se dirigió hacia la izquierda sin decir nada más, volvió a girar a la izquierda y pronto se perdió de vista. Quayle y Mors se encaminaron hacia la derecha, hacia su coche de alquiler, pero cuando se acercaban, Mors cogió a Quayle del brazo.

—Caminemos un rato.

—¿Y el coche?

—Volveré por él más tarde.

—¿Por qué?

—Porque nos está vigilando, y el coche puede ser rastreado. Es listo.

—Lo bastante listo como para haberte visto.

Mors se tensó.

—Sí.

Mors miró hacia atrás, pero no vio rastro del detective. Pareció sorprendida, incluso decepcionada.

—¿Por qué no viene? —preguntó.

—Porque sabe que estamos aquí y qué aspecto tenemos —dijo Quayle—. Tal vez utilice otros canales para averiguar por qué.

Finalmente se acercaron a la rampa de acceso a la 295, donde Mors paró un taxi. Al subir, ninguno de los dos prestó atención a la figura que cojeaba al otro lado de la calle, apoyándose en un andador rojo. Sólo cuando el taxi hubo entrado en la autopista, metió la mano en el bolsillo y escribió con cuidado el nombre de la compañía y la matrícula y envió un mensaje de texto al número que le había dado el hombre que estaba fuera del Great Lost Bear.

Eran los veinte dólares más fáciles que había ganado en su vida.

54

Esa noche, Bobby Ocean también estaba en un bar, en su caso el Gull's Nest, en el West End de South Portland. Bobby había utilizado una de las filiales de sus empresas para hacerse con la propiedad del Gull, como todo el mundo sabía. A lo largo de los dieciocho meses anteriores, otras empresas vinculadas también habían adquirido propiedades para alquilar en los barrios de Brick Hill y Redbank, y en Western Avenue. El ayuntamiento había planificado revitalizar la zona mejorando las calles y las aceras, así como autorizando cambios en el urbanismo y aprobando una urbanización público-privada de viviendas asequibles. El West End vivía un momento de auge, y Bobby Ocean estaría en una posición ideal para explotar esa alza.

La única mancha en el horizonte era el hijo de Bobby, que en ese momento estaba con amigos en un rincón del Gull, y ya había empezado a hacer el bocazas largando sobre los nuevos dueños. Billy le había pedido a su padre que le permitiera gestionar el Gull, y su madre había apoyado la petición de su hijo. ¿Cómo podía esperarse que Billy fuera más responsable, argumentó ésta, si su padre no le confiaba algún liderazgo? Eso a Bobby le pareció como poner el carro delante de los bueyes, pero sus quejas cayeron en oídos sordos, como si su mujer prefiriera olvidarse de todas las veces que Billy había fracasado en su intento de dar un paso adelante en el pasado. Esos empleos, afirmaba ella, no eran los adecuados para su hijo. Trabajos demasiado limitados. Él era un chico sociable, decía. Caía bien a la gente.

Tal vez ella se creyera de verdad lo que decía, pero Bobby pensaba que hablaba más por aferrarse a una esperanza que por otra cosa. Su hijo no era sociable, sólo se dejaba manejar. No caía bien a la gente: lo que ésta buscaba era su dinero, que Billy arrojaba a su alrededor con la suficiente generosidad para comprarse un círculo de conocidos habituales. Algunos eran los gorrones de toda la vida, pero otros pertenecían a una estirpe más peligrosa. Bobby no tenía pensado morir pronto, pero ya le preocupaba el futuro del negocio que había levantado tan concienzudamente a lo largo de los años. Billy era su único hijo, y seguramente el único que tendría jamás. También era, por desgracia, un redomado gilipollas.

Aquella puta camioneta: si Billy no la hubiera adornado con banderas confederadas..., pero era inútil hablar con él. Es verdad que debía de haber heredado las opiniones fundamentalistas sobre la raza —por no hablar de las ideas sobre las mujeres, los homosexuales y los pobres— de su padre, pero eso no significaba que tuviera que ir por ahí aireándolas. Las banderas de la camioneta sólo eran una parte: Billy también había participado en aquella estupidez del Klan en Augusta, que fue una supina tontería. Billy había sonreído cuando se lo contó a su padre, como si esperara que lo alabara por lo que había hecho. Pero Bobby Ocean era una figura respetable en el estado, y se aseguraba de que su apoyo a las causas de extrema derecha fuera discreto y, en su mayor parte, anónimo. ¿Qué repercusión pensaba su hijo que tendría en el nombre de la familia que le interrogaran por repartir literatura del odio? ¿Qué coño tenía en la cabeza?

Pero Bobby Ocean no debería haberle pegado por lo que hizo. Eso fue un error. El bofetón le alcanzó en un lado de la cabeza casi antes de que su padre se diera cuenta de que se le había ido la mano. Y entonces —mierda, y más mierda— el chico se había echado a llorar.

Por Dios santo.

Así que tal vez tendría que cederle el Gull a Billy. En todo caso, era un antro, y con el tiempo Bobby habría tenido que cerrarlo y remodelarlo, tal vez poner una pizzería en cuanto los hipsters empezaran a llenar el barrio. Billy podría hacer lo que quisiera con él durante un par de años, siempre que no destrozara el local. Y si Bobby le daba el Gull, Billy tal vez dejaría de pensar en su camioneta, y eso estaría bien. No había pruebas de que Parker y su negro hubieran sido los responsables de lo que ocurrió, aunque Bobby sabía que estaban implicados, tenía esa intuición. Ya encontraría el modo de castigarlos por lo que habían hecho, a su debido tiempo, pero no quería que su hijo se enfrentara a un hombre como Parker.

Desde el centro de un grupo de hombres y mujeres que se reían, todos unos fantasmas y unos idiotas, su hijo alzó una copa hacia él, y Bobby le devolvió el gesto. Después de todo, quería a su hijo, y tal vez era en parte culpa suya el que Billy hubiera salido así. Pese a todo, no podía quitarse de la cabeza la idea de que una versión mejor del chico se había escurrido de la vagina de su madre antes de alcanzar el óvulo.

55

El mensaje de texto llegó mientras Parker seguía al hombre al que ahora llamaba Smith Uno. Parker conocía a ese tipo de gente: un compinche, un colega, un sirviente que complacía exigencias ajenas, independientemente de su naturaleza moral, siempre que le pagaran rápido; aunque los Smith Uno de este mundo preferían que la moralidad de sus patrones asumiera matices grises, tirando a negro.

Lo cual no implicaba que Smith Uno no fuera inteligente. Mantenía la cabeza gacha mientras recorría Ashmont, caminando a un paso constante y sin mirar atrás, pero a Parker no le cabía duda de que estaba preparado ante la posibilidad de que lo siguieran, y hasta era probable que fuera consciente de la presencia de su perseguidor. No es que a Parker le importara. No pretendía seguir a Smith Uno durante mucho tiempo. Lo que sí quería era pillarlo a la primera oportunidad que se le presentara antes de conminarle a compartir toda la información que pudiera poseer sobre la persona con quien había compartido mesa, además de los detalles de cuantos le hubieran pagado para vigilar los movimientos de Parker.

Parker redujo las distancias cuando Smith Uno cruzó Cottage Street. Deering Avenue era el siguiente gran cruce, y puesto que Parker no creía que Smith fuera vecino de Portland, por lo que era improbable que hubiera ido andando al Bear, supuso que iba a coger un autobús en Deering o que había dejado el coche en los alrededores.

Smith Uno cruzó Cottage antes de detenerse cuando algo a su izquierda llamó su atención. Se dio la vuelta despacio, atraído por una presencia que hasta ese momento permanecía oculta a la vista de Parker. Durante un instante, la textura de la noche pareció espesarse, las sombras se intensificaron. Parker notó un regusto de metal en el aire, como con la llegada de una tormenta eléctrica. El tráfico a lo lejos sonaba amortiguado, y las casas de los alrededores empezaron a perder nitidez. Parker tuvo la repentina y desagradable sensación de que se estaba sumergiendo en agua o de que se perdía en una bruma que caía rápidamente sin que ninguno de esos dos medios se manifestara con claridad. Sólo Smith Uno permanecía inmóvil e invariable, de manera que los dos hombres se encontraron atrapados en un espacio envuelto en lo inmaterial.

Un niño se acuclilló en medio de la calle: pálido y deformado, desnudo y asexuado, con las articulaciones de brazos y piernas dobladas en ángulos antinaturales, el brazo derecho se protegía los ojos como si quisiera evitar una luz que sólo veía él. Tendió la mano izquierda hacia Parker, y pese a la distancia que mediaba entre ambos, éste creyó que sentía el roce en su piel, las uñas de los dedos afiladas y frías como agujas.

Smith Uno echó a correr, pero Parker no pudo separarse del niño. Poseía una extraña realidad, y estaba presente aunque era insustancial. Daba la impresión de que era posible atravesarlo, pero que uno lamentaría profundamente esa experiencia, como traspasar una nube de gas de cloro.

Lentamente, el niño empezó a resplandecer. Parker contempló la red de venas y arterias que se extendían bajo su piel, y lo que podrían ser órganos internos —pulmones, riñones, un corazón—, aunque estaban atrofiados y parecían no funcionar porque los pulmones no se expandían ni contraían y el corazón no latía. La luz se intensificó aún más, se desgarró, y Parker oyó el rugido de un motor y el clamor de una bocina, y le dio el tiempo justo para pegarse contra el lateral de un coche cuando una furgoneta atravesó al niño y su cuerpo se desvaneció, y al instante el vehículo pasó a sólo unos centímetros de Parker, mientras el conductor le gritaba obscenidades.

El niño había desaparecido. En su lugar había un gran trozo de hielo sucio, posiblemente caído de un edificio o de un camión a causa del deshielo, con las huellas de las llantas de la furgoneta que lo había pisado. Si alguna vez se había parecido a un niño ya no era el caso.

Smith Uno también había desaparecido.

Parker esperaba que su oído y su visión recuperaran su estado normal, pero no lo hicieron. Sentía náuseas, y lo único que pudo hacer fue volver a su coche, donde permaneció sentado tras el volante hasta que algo parecido al orden natural restauró sus sentidos. Cuando se sintió lo bastante recuperado, llamó a la empresa del taxi que había recogido a Smith Dos y su acompañante. Le dijo al operador que creía que se había dejado algo en uno de sus vehículos y le dieron un número de teléfono móvil para que contactara con el conductor. Parker le llamó, pero estaba demasiado cansado para inventarse más historias. Se identificó como detective privado y le prometió cincuenta dólares si le decía el lugar donde había dejado a los pasajeros del trayecto que había recogido en Forest Avenue hacía una media hora.

—Por cincuenta dólares —contestó el conductor— le diré quién mató a Kennedy.

Parker le preguntó también si había escuchado alguna conversación que hubieran tenido sus clientes.

—No se dijeron nada —dijo el taxista—. No me parecieron muy amigables, ni siquiera entre ellos.

—¿Por qué lo dice?

—Cuando me pararon iban cogidos del brazo, pero en cuanto se subieron al taxi se sentaron cada uno pegado a su ventanilla.

Parker le dio las gracias y le dijo que pondría el dinero en un sobre y lo dejaría en la oficina de la empresa por la mañana. Entonces se encaminó a la dirección que le había dado el taxista, un motel de una planta en la ruta 1, donde mostró su identificación y un billete de veinte e informó al anciano que estaba en la recepción de que le interesaban dos huéspedes, un hombre y una mujer. Parker los describió con todo el detalle que pudo y le dijo la hora aproximada de su vuelta esa noche. El anciano examinó la identificación de Parker antes de devolvérsela, sin el billete.

—No —dijo. Llevaba una camiseta en la que se leía LOS JUGA-

DORES DE BOLOS LO HACEN CON DOS BOLAS, que a Parker le pareció un juego de palabras muy pobre.

—No... ¿qué?

—No, no tenemos a nadie que responda a esa descripción alojado aquí esta noche.

—¿Está seguro?

—Cuatro habitaciones ocupadas, dos por parejas jóvenes, las otras dos por mayores. Y quiero decir muy mayores. Yo soy viejo, pero ellos lo son más todavía. Tan viejos que podrían haber muerto ahora mismo.

—Podría habérmelo dicho antes de quedarse los veinte.

—Debería haber retenido el billete hasta tener una respuesta. ¿Lleva mucho tiempo en este negocio de investigador privado, hijo?

—Estoy pensando en jubilarme.

—No me diga.

—Sí. Podría cobrar lo que me deben y utilizar el dinero para comprar una lata de gasolina para quemar este motel.

—Tanto me da. No es mío. Y visto el modo en que desperdicia el dinero seguro que no le queda para pagar las cerillas, por no hablar de la gasolina.

—Supongo que no vería un taxi recogiendo a una pareja hace un rato.

—Vi un taxi, pero no a quién subió o bajó. No es asunto mío.

Parker concluyó que la noche no iba a mejorar, no a esas alturas. A veces un hombre tenía que saber cuándo dar algo por perdido.

—Comprenderá que no le agradezca el tiempo que me ha dedicado. Supongo que le he pagado lo bastante para pasar por alto las formalidades.

—Eso es verdad. Pero si alguna vez necesita un sitio donde alojarse, le haré un buen precio.

—Espero que sea en otro lugar —dijo Parker, y se fue.

A Parker todavía le daba vueltas la cabeza mientras se acercaba al desvío que llevaba a la entrada de su casa. Utilizó el teléfono para comprobar su sistema de seguridad. Era una reacción instintiva desde el ataque que casi le había costado la vida, pero todavía le irritaba, recordándole su propia vulnerabilidad. El sistema estaba en verde. Nadie había entrado en la propiedad desde que salió esa misma tarde. Si alguien lo hubiera hecho, el teléfono habría emitido un pitido de alarma y la cámara más cercana le habría mandado una imagen del intruso.

Aparcó, entró en la casa y buscó en el botiquín hasta que encontró unas pastillas que se suponía que aliviaban tanto los dolores de cabeza como las náuseas: una medicación que le habían recetado tras el tiroteo y que le había sobrado. Ni siquiera sabía si había caducado, pero se tragó dos pastillas a palo seco antes de dirigirse a su despacho y sentarse junto a la ventana, desde donde contempló la luna sobre las marismas y los afluentes de agua salada que se vertían lentamente como plata fundida en el mar.

Pensó en Smith Uno y Smith Dos, y la mujer que iba con ellos. Sería posible dar con Smith Uno. Alguien tenía que conocerlo y saber dónde encontrarlo. Pero los otros dos eran interesantes. Tal vez debería haberse quedado con ellos y dejar a Smith Uno para otra ocasión.

Pero todo eso era sólo una distracción pasajera, una forma de evitar pensar en lo que había presenciado en Cottage. Un niño, ¿o tal vez sólo un trozo de hielo al que él, cansado y rodeado de oscuridad, le había dado la forma de un niño? Pero Smith Uno también lo había visto. Es más, se había asustado. Quienquiera o lo que quiera que fuese para lo que trabajaba Smith Uno, éste no se había preocupado en leer la letra pequeña del contrato.

Parker sintió que empezaba a abatirse sobre él cierta somnolencia. Sabía que debía acostarse, pero no quería levantarse de esa silla, no quería apartar la mirada de las marismas. Y sabía por qué. Tenía la esperanza de vislumbrar a Jennifer, de sentir la delicada seguridad que le daba su presencia. Ésa era su hora: la noche, con su padre atrapado entre la vigilia y la inconsciencia.

Pero Jennifer no apareció, y al poco Parker dormía.

56

Quayle caminaba solo por la orilla del río Piscataquis, las luces de la posada quedaban lejos. Mors estaba dormida en su propia cama, en su habitación. Si más tarde quería acostarse con ella, la llamaría.

El regreso a Dover-Foxcroft no había resultado agradable. Reunirse con Giller en Portland fue un error, porque los expuso a la mirada de Parker. Quayle entendía por qué Giller consideraba importante que ellos conocieran al detective privado; podía incluso, si no le daba muchas vueltas, aceptar que había que encontrarse con Parker en persona para comprender su rareza y por tanto la amenaza potencial que suponía; pero Giller tenía que haberlo hecho de otro modo.

Quayle estaba fumando, un vicio que le producía gran placer, pero que en esos tiempos de intolerancia resultaba cada vez más difícil permitirse. Sólo fumaba cigarrillos Chancellor Treasurer, de boquilla plateada, que llevaba en una pitillera de color bronce. Eran caros, pero el dinero no suponía un problema para Quayle. Tenía más del que un hombre podría gastar en diez vidas.

Y Quayle lo sabía bien.

A él le importaba muy poco este mundo más allá del par de kilómetros cuadrados que consideraba propios; a decir verdad, el mundo le importaba poco más allá de su propio alojamiento, que contenía infinidad de cosas. Sólo mantenía contacto esporádico con aquellos cuyas preocupaciones afectaban a las suyas. La obsesión de Quayle era el Atlas, sólo el Atlas.

Por tanto, la existencia de Charlie Parker le había pasado por alto hasta entonces; pero todo lo que había sabido por boca de

Giller, y que había confirmado durante su breve encuentro con el detective, le había causado una inquietud tan intensa que casi resultaba refrescante. En una vida tan larga como la suya, incluso el miedo suponía una bienvenida distracción de lo cotidiano.

Lo que más turbaba a Quayle era la incapacidad de todos, pero especialmente la de los Patrocinadores, para acabar de una vez y para siempre con Parker. Según Giller, varios individuos lo habían intentado y habían fracasado, y había sido un grupo de ciudadanos preocupados de un pequeño pueblo de Maine llamado Prosperous los que más se habían acercado a poner fin a la vida del detective. Pero los Patrocinadores tenían razones apremiantes para matar a Parker, y disponían de los recursos para hacerlo. Entonces, ¿por qué no lo habían hecho todavía?, ¿qué faltaba?

A Quayle se le ocurrió una posible respuesta cuando su cigarrillo se consumió hasta no quedar más que una colilla. La arrojó a la oscuridad, y el siseo de su destrucción se perdió en el tumulto del río; entonces volvió a la posada. Tenía una conversación pendiente. El Patrocinador Principal sería convocado para que se justificara.

Razones: sí, ésas les sobraban a los Patrocinadores.

Recursos: sí.

Pero ¿voluntad?

Eso habría que verlo.

57

Al día siguiente, Parker fue en coche a Bangor poco antes del mediodía. Hacía un día radiante y despejado, y cuando se detuvo a tomar un café de camino, las conversaciones de los clientes en la barra parecían impregnadas de la clase de esperanza que siempre había considerado propia de los estados septentrionales. Llegaba con la primavera, estallaba en su plenitud en verano y desaparecía por completo al aproximarse el invierno.

Debido a la celebración del cumpleaños de Dave Evans y los sucesos menos agradables que tuvieron lugar a continuación, Parker se había perdido la mayor parte de la cobertura de la última conferencia de prensa que había dado la policía del estado. El acto había sido pospuesto desde la mañana a causa de lo que resultó ser una identificación errónea de Heb Caldicott en Crouseville, cerca de la frontera canadiense, de manera que los equipos de prensa habían tenido que correr a preparar la información para que entrara en los noticiarios vespertinos. En consecuencia, Parker se vio obligado a ir saltando entre su móvil y el *Portland Press Herald* mientras intentaba ponerse al día.

Era evidente que la persecución de Caldicott y sus socios había dominado la conferencia, y sólo se habían dedicado unos minutos al final al misterio sin resolver de la mujer del bosque. Una teniente de la policía del estado llamada Solange Corriveau era ahora la investigadora al mando del caso de la Mujer Sin Nombre, tras la reorganización de los recursos de la policía de Maine debido al asesinato de Allen. Parker no conocía a Corriveau, de manera que o era nueva en la policía, o había ascendido hacía poco. Parecía razonable: lo importante ahora era la persecución de los asesinos de Allen, de forma que la investigación menos urgente acababa siendo encargada a alguien prescindible. Por otro lado, el estado en que se descubrió el cuerpo de la Mujer Sin Nombre —enterrada tras haber dado a luz poco antes, con los restos de la placenta junto a ella— habría hecho pensar a la policía que una oficial femenina presentaría una imagen pública más apropiada.

Y, en ese caso, el razonamiento de la policía tal vez fuera acertado. Parker fue al sitio web del Channel 6 y buscó el vídeo de la conferencia, y tuvo cuidado de ponerse los auriculares para escuchar y no molestar a los demás clientes. Corriveau tenía treinta y pocos años, y hablaba despacio y con claridad. Contó a la prensa casi todos los detalles que Parker ya conocía, y subrayó que las fuerzas del orden tenían varios objetivos en la investigación: identificar a la mujer, aclarar las circunstancias de su muerte y descubrir el paradero del niño, ya que el registro de los alrededores de la tumba no había revelado la menor huella de un bebé.

—¿Se trata de una investigación de homicidio? —preguntó un reportero varón fuera de la pantalla.

—No tenemos pruebas que indiquen que fue un homicidio —respondió Corriveau—. Parece más probable que la mujer muriese como consecuencia de complicaciones en el parto, pero nos interesa averiguar cómo acabó en esa situación. —Entonces cambió de tono, adoptando uno más suave, menos formal—. Cabe la posibilidad de que alguien creyera que hacía lo que debía enterrándola y asumiendo el cuidado del niño. A veces la gente hace cosas equivocadas por las razones correctas, y nosotros lo entendemos. Pero puede haber una madre, un marido o un compañero preocupados por esa mujer, y ellos tienen el derecho a saber qué les sucedió a ella y a su hijo. De manera que si tienen alguna información que pudiera ayudarnos en la investigación, cualquier información, les pedimos que nos la comuniquen para que podamos ayudar a descansar a algunas personas. No pretendemos encarcelar a nadie, y seremos tan comprensivos como podamos, pero cuanto más se prolongue la situación, más difícil nos resultará llegar a la resolución más satisfactoria para todos los implicados.

Con esas palabras acababa el vídeo. Parker estaba impresionado. Corriveau lo hacía bien: ninguna amenaza, pero un poco de dureza en la conclusión. Dejó a un lado el móvil y el periódico, guardó las gafas de leer y pidió una segunda taza de café en un vaso para llevar. Una vez en la calle, llamó a Gordon Walsh.

—He visto la conferencia de prensa —dijo—. ¿Dónde habéis encontrado a Corriveau?

—En el Departamento de Policía de Presque Isle.

—Es buena.

—Eso díselo a los cabezas huecas que berrean contra la discriminación positiva. La habríamos contratado aunque fuera una marciana. Como has dicho, es buena. ¿Me has llamado para felicitarnos por nuestras medidas de contratación progresistas?

—Había pensado charlar un poco. ¿Qué estás haciendo?

—No me jodas.

—Anoche me crucé con un tipo en el Bear. Pequeño, alrededor de uno sesenta, viste con andrajos, como una rata que acabara de descubrir los arreglos de costura. No es de Portland, pero diría que sí de Maine, aunque por el acento no se delataría. Supongo que el término que lo define sería «estudiadamente neutral». Iba acompañado de un inglés que afirmaba ser abogado, y una mujer que no ha visto la luz del sol desde que murió Reagan.

—¿Algún nombre?

—Dijo que Smith. Pero no me parece muy digno de crédito.

—Me sorprendes, pero no pongo en duda tu instinto para el disimulo. ¿A qué viene el interés?

—Creo que me ha estado vigilando. No sistemáticamente, sólo de vez en cuando.

—No es mucho para empezar.

—Hablaré con Dave Evans. A lo mejor sacamos algo de las cámaras del bar.

—Si lo haces, mándame las imágenes y preguntaré, pero no te prometo nada. ¿Sigues husmeando para Moxie sobre la Mujer Sin Nombre?

—En eso estoy. De hecho, ahora mismo voy de camino a husmear un poco.

—Si descubres algo, cuéntaselo a Corriveau.

—De acuerdo. ¿Tienes su número?

Walsh le dio la línea directa de Corriveau y su móvil.

—¿Cómo está Angel?

—Mejorando.

—Me alegro. ¿Y el otro?

—Todavía no ha habido cambios.

—De eso no me alegro tanto.

—Pero es lo que se esperaba.

—Sí. Y acuérdate: Corriveau.

—Comprendido, y gracias.

—Esto no significa que estemos saliendo otra vez —dijo Walsh, y colgó.

La Tender House no había cambiado por fuera gran cosa desde la última visita de Parker. Su condición de refugio para mujeres maltratadas y atemorizadas seguía siendo secreta, y sólo la puerta de acero electrónica, y el hecho de que su alta valla blanca fuera metálica y no de madera, indicaba que los dos edificios adyacentes con revestimiento de tablillas podían albergar otra cosa que no fuera un complejo de apartamentos.

Parker dejó el coche junto al bordillo y llamó al timbre de la jamba. Mantuvo la cabeza alta para que las cámaras que había encima de la puerta principal y en un árbol cercano le vieran la cara con claridad. Había avisado de su llegada, pero transcurrieron sus buenos treinta segundos antes de que le dieran acceso. Sabía cuál era el motivo de la demora: mientras las dos cámaras lo vigilaban, otros ojos controlaban la calle buscando indicios de cualquier actividad sospechosa, por si un marido o un novio resentidos aprovechaban la oportunidad que ofrecía una puerta abierta para entrar en la finca y reclamar su propiedad. Había coches aparcados en la calle, pero todos vacíos, y los transeúntes estaban, además de lejos, visiblemente ocupados en sus cosas. Pero Parker tuvo el cuidado de introducirse rápidamente en el camino de entrada en cuanto se abrió la puerta, y no se dio la vuelta hasta que la barrera se cerró con firmeza tras él.

Candy estaba esperándolo en la puerta principal. Llevaba sus queridas zapatillas de conejito rosa, seguía teniendo el pelo levemente despeinado, y su sonrisa no había variado una pizca: expresaba una alegría incontenible por la presencia de Parker. Candy tenía el síndrome de Down, y era hija de los fundadores originales de la Tender House, que ya habían fallecido. Ella seguía viviendo y trabajando en la propiedad, y buena parte de su identidad estaba unida a ella. Candy era un vínculo con el pasado, pero también un símbolo de cuanto éste representaba. Candy, en esencia, era la ternura.

—Charlie Parker —dijo—, ¿qué haces aquí, querido?

Ella le dio un enorme abrazo, que él le devolvió, cerrando los ojos brevemente contra el mundo.

—¿Estás mejor ahora? —preguntó ella.

—Siempre estoy mejor cuando te veo.

—Pero te dispararon.

—Sí.

—No tienen que dispararte.

—Ése es un buen consejo. Lo tendré presente en el futuro.

De las profundidades de la casa emergió una mujer. Era corpulenta y tenía mucho pecho, con un aire que proyectaba a la vez fuerza y compasión. El pelo se le había encanecido con el tiempo, y a Parker le pareció que se movía con cierta cautela, incluso cansancio, algo nuevo en ella. Era Molly Bow; si Candy era el corazón de la Tender House, Molly era su cerebro, sus músculos, sus tendones.

—¡No estaba coqueteando! —dijo Candy en cuanto se dio cuenta de la presencia de Molly.

—¿Estás segura?

—Déjame tranquila —dijo Candy—. Charlie Parker es mi amigo. —Se volvió hacia Parker buscando la confirmación—. ¿Verdad?

—Verdad. Y te he traído un regalo.

—¿Un regalo?, ¿para mí?

Parker le dio una bolsa de Treehouse Toys que contenía un juego para «diseñar tu propio material de oficina», que incluía pegatinas, estrellas y purpurina. A Candy le gustaba hacer postales para las mujeres y los niños de la Tender House, las dejaba sobre las almohadas y las deslizaba bajo las puertas. Se le iluminó la cara en cuanto miró dentro de la bolsa.

—Gracias —dijo Candy, y abrazó de nuevo a Parker—. Voy a hacerte una postal para que te la lleves a casa.

—Me encantaría.

—Una felicitación de cumpleaños.

—Pero no es mi cumpleaños.

—Da igual.

Y Parker pensó que a lo mejor tenía razón. Uno aceptaba postales de cumpleaños donde y cuando podía.

—Pues entonces que sea una postal de cumpleaños.

Candy entró en la casa. Parker se acercó a Bow y le dio un abrazo, aunque notó que ella lo mantuvo a cierta distancia.

—¿Cómo estás, Molly?

—Voy tirando —respondió.

—¿Sólo tirando?

—Me dieron una paliza.

—¿Cuándo?

—Hará un mes.

—No lo sabía.

—No le dimos publicidad. Informamos a la policía, pero no queríamos alarmar a ninguna de las mujeres. ¿Cómo vamos a hacer que se sientan seguras si ni siquiera podemos cuidar de nosotras mismas?

—¿Quién fue?

—Ni idea. Llevaba pasamontañas, así que supongo que sería algún capullo cuya esposa o novia debió de pasar por aquí. Me pilló cuando salía del cine. Tendría que haber aparcado más cerca de la luz. Intentó arrastrarme a unos arbustos. Creo que tenía la intención de violarme, pero optó por patearme.

—¿Mucho?

—Un par de costillas rotas y un montón de moratones. Me las apañé para que no me rompiera la nariz, lo que ya es algo. Siempre me ha gustado mi nariz.

—No me refería a eso.

—Lo sé. Físicamente voy recuperándome. Psicológicamente

es otra cosa. Supongo que tenemos eso en común, ¿no? Pero, anda, pasa. Te prepararé una taza de café, y me cuentas qué te trae a nuestra puerta.

Si la fachada de la Tender House no había cambiado, su interior había sido objeto de una renovación considerable. Una ampliación de la parte de atrás del edificio principal ofrecía ahora dos espacios que podían utilizarse para reuniones o sesiones de terapia, junto a una pequeña clínica y una cocina nueva.

—Recibimos una herencia —explicó Bow—. Suficiente para montar todo esto. También tenemos a una enfermera que viene tres veces por semana, y una terapeuta que viene dos tardes.

Preparó café para los dos, y dejó a Candy sentada a la mesa principal trabajando en la tarjeta de Parker, con instrucciones de que diera un grito si necesitaba ayuda. Bow y Parker entraron en la sala más pequeña de las nuevas que habían montado, dejando la puerta un poco entornada. Se sentaron uno delante del otro, con una caja de pañuelos de papel en la mesa entre ellos.

—Y bien, ¿por qué has venido? —preguntó Bow.

—El cadáver de la mujer que encontraron en Piscataquis.

—No sé gran cosa aparte de lo que he visto en la televisión y leído en los periódicos. Dicen que no ha sido un homicidio y que murió de las complicaciones del parto.

—Seguramente una hemorragia posparto debida a un desprendimiento de placenta, o eso es lo que dice el forense. No hay indicios de otras heridas.

—¿Y tú lo investigas?

—En cierto sentido.

—¿Para quién?

—Moxie Castin.

—Moxie Castin es abogado. ¿Te ha contratado en nombre de algún cliente?

—No, el encargo es suyo.

—¿Por qué?

—Por la estrella de David que había tallada en un árbol cerca de la tumba. Moxie es judío. Intentar encontrar al hijo de la Mujer Sin Nombre es su servicio a la difunta.

—Lo que significa que tú eres su servicio a la difunta.

—Sí.

—Parece que pasas mucho tiempo al servicio de los difuntos.

—También sirvo a los vivos.

—No tanto.

Parker se lo concedió.

—¿Podría haber sido alguien con quien estuviste en contacto? —preguntó.

—No lo creo. Revisé nuestros registros tras el llamamiento que hizo la policía. Por aquella época tuvimos a dos mujeres embarazadas, pero las edades no coinciden. ¿Cree la policía que podría ser de por aquí?

—Es improbable. A estas alturas constaría en los archivos, o alguien se habría presentado con información. Ya sabes cómo es este estado: un pueblo pequeño de noventa mil kilómetros cuadrados.

—Podrías haberme contado todo esto por teléfono y te habrías ahorrado un viaje. ¿Por qué te hacía falta mirarme a los ojos?

Desde fuera llegó el sonido de Candy tarareando mientras trabajaba.

—La Mujer Sin Nombre estaba embarazada —dijo Parker—, y era de fuera del estado. El hecho de que acabara enterrada en el bosque significa que probablemente tuviera problemas desde el principio. La cuestión es: ¿qué la trajo a Maine?

—¿Familia?, ¿algún amigo?

—En ese caso, ¿por qué nadie la ha reclamado?

—Tal vez el padre de la criatura sí era de Maine, o vivía aquí.

—Una vez más, la misma pregunta —dijo Parker—: ¿qué motivos podría tener para no darse a conocer?

—Porque él la mató.

—No la mató nadie. Ella murió.

—La dejaron desangrarse. Hay muchas maneras de matar a una mujer. Algunas ni siquiera implican ponerle la mano encima.

—Vale, digamos que lo acepto. ¿Por qué dejarla morir y luego quedarse con el niño? Míralo objetivamente: ¿qué sentido tiene ocultar una muerte posparto y enterrar a la mujer en el bosque, suponiendo todo eso un riesgo, para ocultar a un bebé?

—Se me ocurren algunas razones —dijo Bow—, pero ninguna apuntaría a un final feliz para el bienestar del niño.

—Una vez más, todo eso puede ser cierto. Pero estás empezando por el final y pensando retrospectivamente. Yo voy muy por detrás de ti.

—¿En qué punto estás exactamente?

—En el momento en que ella llega aquí y busca ayuda.

—Suponiendo que lo hiciera.

—Molly...

—Vale, vale. Ella busca ayuda..., pero no acudió a nosotros.

—Y si hubiera acudido a cualquier otro de los servicios o refugios del estado, habría algún registro. Alguien se acordaría.

—Así es.

—En ese caso, ¿a quién recurres si estás muy asustada y corres mucho mucho peligro, y no quieres que se acuerden de ti?

Molly miró fijamente a Parker, pero no dijo nada.

—La Tender House es un refugio discreto —insistió Parker—, pero el hecho de que pudieran arrastrarte a ti a unos arbustos y golpearte, con toda probabilidad porque trabajas aquí, confirma que alguien está al tanto de vuestra existencia. A veces, ser discreto no basta.

—Estás tirando un anzuelo a ver si muerdo.

—Ya sabes que no.

—¿Adónde quieres ir a parar?

Parker había estado preguntando. Incluso había hablado con Rachel, su ex. Rachel era psicóloga y había trabajado con víctimas de maltrato doméstico. Había hecho unas llamadas y le había dado una información que no había podido corroborar pero que era, en su opinión, algo más que habladurías.

—He oído rumores.

—¿Sobre?

—Casas seguras. Mujeres y niños con problemas a los que se traslada de una casa a otra. Todo oculto al radar, y sólo en los casos más desesperados, los que están apenas a un paso de una muerte violenta. Sin implicación de la policía ni de los servicios sociales estatales o locales. Se entra por un extremo del túnel y se sale por el otro, muy lejos.

—Cuentos de hadas.

—No lo creo.

Molly se recostó en la silla y cruzó los brazos. Su actitud no auguraba que fuera a revelar nada.

—Y si..., si todo eso fuera cierto, ¿no crees que esas personas también querrían ayudar a resolver el misterio de la identidad de esa mujer?

—No si eso implica explicar cómo lo sabían.

—Me estás pidiendo que revele confidencias.

—Molly, hay algo muy erróneo en todo esto. Haré cuanto pueda para proteger las fuentes y no poner en peligro nada que tú u otros os hayáis esforzado por organizar, pero necesito rehacer el camino de esta cadena. Esa mujer se merece algo mejor que un entierro anónimo en una fosa común, y hay alguien por ahí que sabe dónde está el niño.

Poco a poco, Bow separó los brazos, y Parker pensó de nuevo en lo cansada que parecía. No se trataba sólo de la reciente agresión. Tal vez estaba ante una persona que podía dar testimonio del daño que los hombres estaban dispuestos a infligir a las mujeres, pero a la que resultaba difícil no caer víctima, aunque fuera temporalmente, de la desesperación.

—Se supone que yo no lo sé —dijo—. Y tú haces que suene como una especie de estructura formal o una organización secreta, pero no es así. No existe una red, ninguna jerarquía. Sólo son personas que quieren ayudar, que mantienen un contacto laxo entre sí y comprenden el valor de pasar inadvertidas.

—No se lo contaré a nadie, ni siquiera a Moxie.

—Por Dios. —Respiró profundamente—. Te daré un nombre, pero...

Parker esperó.

—Tendrás que decirle que te envío yo —dijo Bow—, y entonces ya no volverá a confiar en mí. Ninguno de ellos.

—Lo siento.

—No, no lo sientes. Me caes bien, de verdad, pero en muchos sentidos eres como cualquier otro hombre. Estás convencido de la corrección de tu propia causa. Eres inteligente, y amenazarás, adularás y camelarás hasta conseguir lo que quieres. Cuando acabes, volverás la vista atrás, al caos que has provocado, y lo único que serás capaz de hacer será encogerte de hombros y disculparte.

Parker no respondió. Sabía que en parte era verdad, y la parte que no lo era no importaba.

—Tienes que hablar con Maela Lombardi —dijo Bow—. Vive en Cape Elizabeth, no muy lejos de ti.

Parker reconoció el nombre.

—Era maestra.

—Sí.

Parker intentó recordar una imagen de Lombardi. Creía haberla visto en una ocasión, en una reunión de la comunidad local. Le pidió a Bow detalles para ponerse en contacto, y ésta le dio dos números de teléfono —el de casa y el móvil—, así como una dirección.

—¿Hay más gente como Lombardi en Maine? —preguntó.

—No que yo sepa.

—Y tú lo sabrías.

—Lo sabría.

—¿Y en el resto de Nueva Inglaterra?

—No tengo esa información.

—¿Estás segura?

—No me presiones, Parker.

Y cuando Molly Bow te pedía que no la presionaras, sabías que tenías que dejarlo.

—Gracias —dijo Parker.

—Tampoco me lo agradezcas. Tu gratitud no me hará sentir mejor.

Se levantó. La reunión había acabado. Parker sintió cierta tristeza. Comprendía que su relación había cambiado irrevocablemente, y no para mejor. Ella lo acompañó a la puerta, donde Candy esperaba con una tarjeta de cumpleaños. Él la aceptó y recibió otro abrazo por si acaso, antes de irse a su habitación a echar una cabezada dejando a Parker a solas con Bow. Ésta había vuelto a cruzar los brazos. Parecía que el de Candy era el último abrazo que iba a recibir en la Tender House.

—Lo sé —le dijo a Bow cuando ya estaba en el escalón y la calle al otro lado seguía vacía.

—¿Qué es lo que sabes?

—Que antes me mentiste.

Ella lo miró con dureza y esperó a que prosiguiera.

—Puedes identificar a quien te agredió. Si no estás segura del todo, poco te falta.

Ella guardó silencio tanto tiempo que Parker se convenció de que iba a dejar que se fuera sin decir nada más.

—No tengo pruebas —dijo por fin.

—Volverá a hacerlo. Si no a ti, a alguna otra mujer.

—No voy a darte su nombre.

—No te lo he pedido.

Por primera vez, ella lo miró decepcionada.

—A tu manera —dijo—, sí lo has hecho.

Y le cerró la puerta en las narices.

58

Daniel Weaver ya no respondía las llamadas de su teléfono de juguete. Había tomado esa decisión después de ver el reportaje sobre la mujer muerta en uno de los noticiarios que le gustaban al abuelo Owen, aunque Daniel se había dado cuenta de que a su abuelo las noticias no le hacían mucha gracia últimamente, y eso le llevó a preguntarse por qué continuaba viéndolas con tanto interés.

Pero el teléfono de juguete seguía sonando. Nunca sonaba cuando su madre o el abuelo Owen andaban cerca, al menos no desde la mañana de la cita en la dentista, cuando su abuelo dijo que se oía ruido. Era como si la mujer que se llamaba Karis no quisiera atraer esa clase de atención. Sólo deseaba comunicarse con Daniel, con nadie más.

Y Daniel no quería hablar con personas muertas.

Daniel no tenía pruebas de que Karis y la mujer muerta fueran la misma persona. Pero pese a todo lo sabía, del mismo modo que uno sabía que la voz que sale del muñeco del ventrílocuo era en realidad la del hombre o la mujer que lo sostenían, sin que importara que los labios de esa persona no se movieran. Pero él quería que Karis se marchara. No sabía por qué lo había elegido a él. No entendía por qué decía que llevaba mucho tiempo esperando para hablar con él. Él no era importante, sólo era un niño.

Y hablar con Karis no era como hablar con un adulto normal. Se parecía más a hablar con Jordan Ansell, el hijo mayor del señor Floyd Ansell, el dueño de la lavandería del pueblo. A Jordan le había pasado algo malo cuando estaba en la barriga de su madre, y ahora tenía un ojo más pequeño que el otro y no podía utilizar el brazo izquierdo atrofiado para levantar pesos. Jordan Ansell era mayor, pero todavía vivía en casa con sus padres y le pagaban por planchar ropa. Jordan Ansell hacía una pregunta y parecía escuchar la respuesta, pero las siguientes palabras que salían de su boca no tenían absolutamente nada que ver con lo que acababa de decirse; así, una conversación que podría empezar con Jordan comentando el tiempo saltaba rápidamente de la lluvia a las piedras, luego al pelaje de los perros y acababa con zapatos, porque le fascinaba especialmente lo que la gente se ponía o dejaba de ponerse en los pies. Jordan Ansell en realidad no escuchaba a nadie. Oía, pero no escuchaba.

Karis era igual. Hacía una pregunta y decía *sí sí sí* cuando le respondías, y sonaba como si estuviera fascinada por lo que oía, pero su tono nunca cambiaba, e incluso Daniel reconocía que no todo lo que él decía era interesante. Entonces, una vez que Karis había agotado sus reservas de *sí sí sí,* cortaba por lo sano, como Jordan Ansell cuando se ponía a hablar de deportivas y botas de cowboy, y le preguntaba a Daniel:

¿cuándo vendrás a visitarme?

¿cuándo vendrás?

La primera vez que lo dijo, Daniel le preguntó dónde vivía, y Karis se rio entre dientes como si Daniel hubiera contado un chiste sin querer, un chiste que sólo ella entendía.

en el bosque

—¿Dónde?, ¿en una casa?

en una casa no

La risa de nuevo. A Daniel se le erizó el cuero cabelludo.

—Entonces, ¿dónde?

entre los árboles

—¿Como una bruja?

puede que como una bruja buena

—¿Y cómo te encontraré?

empieza a caminar y yo daré contigo

—Pero ¿dónde?

al norte

—¿Y por dónde se va al norte?

esperas a que el sol empiece a ponerse y entonces caminas con el sol siempre a tu izquierda

—No puedo.

¿por qué?

—Porque el bosque es peligroso.

yo te protegeré

—¿Y por qué no vienes tú aquí?

me gusta el bosque

a ti también te gustará

puedo enseñarte los sitios secretos

y luego dormiremos

Karis no paraba de pedirle que fuera al bosque, y a veces se enfadaba con Daniel por no entender por qué era tan importante que fuera. Empezaba a hablar más deprisa, tan rápido que Daniel no podía distinguir todas las palabras porque se pisaban unas a otras hasta que al final no eran más que un torrente de ruido que se convertía en estática antes de explotar y quedar en silencio. Y cuando Karis volvía a llamar —una hora después, un día después—, era como si la conversación previa no hubiera tenido lugar y empezaran el diálogo a partir de cero.

¿cuándo vendrás a visitarme?

¿cuándo vendrás?

Pero eso fue antes de que Daniel se diera cuenta de quién era Karis. Ahora estaba seguro de que no quería ir a ver a Karis a sus sitios secretos, y tampoco quería saber dónde dormía, porque cuando intentaba imaginárselo, veía gusanos e insectos, y sentía una tierra fría y húmeda a su alrededor.

Sabía que tenía que contárselo a alguien —a su madre, a su abuelo—, pero Karis había dejado claro que no debía. Ella era amiga suya, no de los demás. Si lo contaba, ellos se enfadarían con él, y ella también. Entonces era cuando le cambiaba la voz y a Daniel le daba mucho miedo, porque comprendía que, en el fondo, Karis *siempre* estaba enfadada.

Triste, pero sobre todo enfadada.

Todo eso tenía que parar. Daniel tenía miedo de quedarse dormido. Veía el teléfono en sueños, y sus llamadas lo despertaban, aunque no emitiera ningún sonido. La estúpida sonrisa dibujada bajo el dial le ponía la piel de gallina, y los diminutos ojos negros que se movían en sus cuencas de plástico le recordaban a un perro moribundo que su abuelo y él habían encontrado a un lado de la carretera hacía unos meses. Un coche había atropellado al perro. Su cráneo había quedado hecho papilla; el pelaje, desgarrado y ensangrentado, y los ojos le daban vueltas en la cabeza. El abuelo Owen le dijo a Daniel que se pusiera detrás de un árbol mientras él iba a buscar una piedra grande.

Y el perro no había hecho ningún ruido, ni siquiera al final.

Daniel sabía que tenía que deshacerse del teléfono, pero le daba miedo tirarlo a la basura, porque su madre y su abuelo eran unos clasificadores compulsivos, y si encontraban el juguete, Daniel tendría que explicar por qué lo tiraba en lugar de ponerlo en la caja para la tienda de beneficencia. A Daniel eso no le parecía una buena idea. No quería que otro niño recibiera llamadas de Karis. Tampoco podía quemar el teléfono, porque sólo con cerillas no prendería, incluso si pudiera conseguir varias.

Así que Daniel decidió enterrarlo.

Esperó a que su madre se fuera a trabajar y su abuelo echara una cabezadita. El abuelo Owen solía adormilarse entre las cuatro y las cinco para recargar las pilas antes de que Rob Caldwell —y más tarde Lester Holt— aparecieran en el canal WCSH. El abuelo Owen decía que Rob Caldwell parecía digno de confianza, que era por lo que le gustaba verlo como copresentador de *News Center*. El abuelo Owen decía que Lester Holt también parecía de confianza, pero Rob Caldwell era un periodista local, y el abuelo Owen decía que era importante poder confiar en un tipo de la zona. Daniel no sabía muy bien por qué, a no ser que el abuelo Owen tuviera pensado dejarle a Rob Caldwell las llaves de su camión o pedirle que le vigilara la cartera.

Así que mientras el abuelo Owen roncaba en un sillón, y Willona rechazaba una proposición de matrimonio en la serie *Good Times,* Daniel fue a la hilera de árboles que había al fondo del patio que compartían las dos casas y excavó un agujero utilizando una pequeña pala de jardinería que había sacado de la leñera. El suelo era más duro de lo que Daniel había imaginado, así que tardó un rato en excavar, y se le ensuciaron las manos y la ropa, pero finalmente tenía un hoyo ante sí en el que cabría el teléfono. Daniel habría preferido que fuera más hondo —en un mundo ideal, el agujero habría llegado hasta medio camino hacia China—, pero temía que el abuelo Owen se despertara y empezara a preguntarse dónde estaba, así que echó el teléfono al agujero y empezó a taparlo. Mantenía la cara girada porque aquellos ojos de plástico lo miraban como los de una criatura viva, y hacían que se sintiera mal; pero al cabo de un rato ya no se veían, y finalmente tampoco se veía el teléfono. Pisoteó la tierra para que quedara nivelada con el entorno. Pero le pareció que, aun así, tenía un aspecto un poco distinto, aunque no tanto como para que alguien se fijara, a no ser que estuviera buscando a propósito.

El abuelo Owen empezó a moverse cuando Daniel volvió dentro, lo que le dio tiempo suficiente para ir al cuarto de baño y lavarse la tierra de las manos y de debajo de las uñas. Las rodillas de los vaqueros se le habían ensuciado y pensó que debería haber sido más previsor y haberse llevado un trozo de cartón o una toalla vieja sobre la que arrodillarse, pero ahora era demasiado tarde. Se quitó los vaqueros, los metió al fondo de una pila de ropa sucia y se puso otros. No eran del mismo color, pero el abuelo Owen nunca notaría la diferencia.

Después de hacer todo eso, Daniel fue a la cocina y se asomó para ver el punto donde ahora estaba enterrado el teléfono. Aunque sonara bajo tierra, él no podría oírlo. Nadie podría. Esperaba que eso hiciese desistir a Karis de seguir llamándole. Tal vez volvería al sitio de dondequiera que hubiera venido, fuera donde fuese. Había visto las imágenes del cuerpo que sacaron del bosque en una camilla. Le había parecido muy pequeño. Daniel se preguntó si Karis había sido pequeña en la vida real, o si era la muerte la que la había encogido así. Tal vez sólo quedaran huesos cuando la encontraron. En ese caso, ¿quién le hablaba? Los esqueletos no hablaban, salvo en los dibujos animados. Daniel había oído decir a su madre y al abuelo Owen que a la mujer muerta la habían llevado a una morgue. Cuando Daniel preguntó qué era una morgue, su madre le explicó que era un sitio al que llevaban a las personas muertas antes de que llegara el momento de enterrarlas, aunque pareció molestarle que le hubiera hecho la pregunta, o tal vez sólo se enfadó porque él les había oído hablar de la mujer; Daniel no podía asegurar cuál era el motivo. ¿Tenían teléfonos en las morgues? Daniel suponía que sí. ¿Era así como lo llamaba Karis? ¿Salía arrastrándose de su cajón por la noche (porque ahí era donde guardaban los cuerpos, en cajones, como los archivadores del abuelo Owen), haciendo que sus huesos pelados entrechocaran con el suelo, y se escondía bajo una mesa para poder llamar a Daniel?

Pero Karis no podía estar en un cajón porque dijo que vivía en el bosque, y a veces Daniel oía el ruido de ramas agitándose al fondo. Al final, concluyó que lo mejor era no darle demasiadas vueltas a esas cosas. Karis era un fantasma y ya estaba, y los fantasmas no eran como las personas. Probablemente tenían su propio estilo de hacer las cosas. Él sólo quería que Karis las hiciera en otro sitio, y con otras personas. A lo mejor sólo había que enterrarla de nuevo. Era posible que a Karis no le gustara estar encerrada en un cajón, aunque a Daniel le parecía peor todavía estar enterrado, y que te quemaran —como quemaban a algunos muertos— sonaba peor todavía.

Oyó que el abuelo Owen le llamaba y le preguntaba si estaba bien.

—Sí —dijo.

Sí, esperaba.

59

Ivan Giller no sabía nada de atlas ni de dioses enterrados. No iba a la iglesia y creía que la muerte señalaba el final de toda conciencia. Le desagradaba la violencia y en consecuencia no tenía armas, aunque solía tratar con hombres violentos. Se ganaba la vida comprando y vendiendo, básicamente información. Él era una fuente, y un canal, y lo hacía muy bien.

La presentación de Giller al abogado Quayle se había producido a través de una sucesión de intermediarios de confianza, con la promesa de cobrar un bono muy por encima de lo habitual si ayudaba al inglés a resolver sus asuntos y así —le dejaron claro— facilitar su partida de Estados Unidos. Giller sabía que la comisión provenía, en última instancia, de la misma gente que le pagaba por vigilar a Parker, aunque nunca había conocido personalmente a ninguno de ellos, y tampoco le preocupaba. Por lo que Giller había descubierto de ellos, saber un poco resultaría peligroso, y saber mucho sería letal.

Al principio le había parecido un sencillo trabajo de asistencia, pero ahora Giller lamentaba haberse metido en ello. Para empezar, estaba el propio abogado. Giller había conocido a muchos en su momento y le sobraban dedos para contar aquellos en los que confiaba, pero Quayle parecía un ser creado a partir de la esencia destilada de cuanto daba mala fama a la abogacía. Giller sospechaba que cuando Quayle muriera, se descubriría que hasta el último de sus huesos estaba torcido.

Luego estaba Mors, la sombra de Quayle, que se vestía como una institutriz y olía como el colchón de un prostíbulo. Giller no recordaba haber visto en su vida una mujer tan deforme, con su palidez funeraria, su piel demasiado brillante, sus dientes demasiado pequeños, sus dedos como las patas de un cangrejo araña y esa voz que causaba el mismo efecto en el oído que un instrumento oxidado. Cada vez que la veía le entraban ganas de esconderse en un sótano.

Y a continuación estaba Parker. Giller ya no iba a poder vigilarle a cierta distancia. Parker conocía ahora su aspecto y seguramente estaba intentando ponerle nombre —aparte de Smith— a su cara. Nada bueno podía resultar de tener a Parker interesándose por su existencia.

Por último, y más apremiante, estaba la cuestión nada trivial del niño mutilado —Giller no podía concebirlo de otro modo— que había atisbado la noche anterior. Podría haber conseguido convencerse de que se lo había imaginado, o de que lo había evocado de su subconsciente como preludio a un ataque de fiebre, pero sabía que Parker también lo había visto. Giller comprendió, a un nivel muy primario, que su presencia estaba relacionada de algún modo con Quayle y Mors, pero no le apetecía en absoluto pedir a ninguno de ellos que aclarase el vínculo. Sencillamente sabía que se había metido en una situación que no presagiaba nada bueno para nadie, sobre todo para él, y que lo mejor sería desvincularse de aquello con la máxima premura y eficacia de que fuera capaz.

Con esa idea en la cabeza, hizo una llamada a su contacto, el que le había presentado a Quayle, con la pretensión de anular lo que era, en esencia, tan sólo un pacto entre caballeros, aunque sin caballeros. El contacto era un anciano marchante en monedas y sellos raros, aunque se decía que se había asegurado una vejez confortable vendiendo en los viejos tiempos pornografía muy especializada, antes de que internet mermara gran parte de los beneficios de distribuir imágenes de contenido sexual en papel y película. El marchante le devolvió la llamada al cabo de una hora, dejando claro que la relación de Giller con Quayle no podía interrumpirse, y que no sólo la buena salud de Giller, sino la de varias personas en la cadena, incluido el propio marchante, dependían de que siguiera en buenos términos con Quayle.

De manera que Giller estaba jodido, no cabía la menor duda.

Por lo que sólo quedaba el plan B: darle a Quayle lo que quería, cobrar el bono, y plantearse no responder llamadas telefónicas durante una buena temporada.

A tal fin, Giller empezó a pedir un montón de favores.

El Patrocinador Principal estaba trabajando en la restauración de un escritorio de nogal georgiano que databa de alrededor de 1740. Cuando lo adquirió, estaba en condiciones lamentables, aunque para él eso formaba parte del reto, y del placer. Ya nada podía hacer por las patas, y los tiradores eran recambios victorianos que estaban fuera de lugar, pero la taracea de madera de boj y el ensartado de ébano seguían intactos, y había conservado la superficie de escritura de cuero original, junto con la cerradura y la llave del siglo XVIII del cajón principal.

A esas alturas, llevaba trabajando en la pieza casi un año y había recuperado unos tiradores apropiados de un escritorio similar que sufría heridas mortales. Por contra, el suyo pronto estaría en condiciones de revenderse, a través de un agente, por descontado, y sin que el nombre del Patrocinador Principal se vinculara nunca al mueble. Esperaba sacar unos dos mil dólares en una subasta, aunque esos ingresos distarían mucho de compensarle por sus esfuerzos. Pero el dinero no era el objetivo, sino el acto de recuperar algo al borde de la muerte. Se trataba de devolver cierta belleza al mundo. Por eso ponía tanto esmero en ocultar su implicación en la restauración. Estaba rodeado de quienes veían este mundo como un castigo y por tanto considerarían incluso la menor mejora estética como un indicio de un malestar más profundo, merecedor de ser investigado a fondo.

A su lado, empezó a sonar su móvil. Se limpió el aceite de las manos antes de contestar.

—¿Diga?

—Es Quayle —dijo una voz de mujer. Se llamaba Erin y se encargaba de las minucias de los asuntos de los Patrocinadores.

—¿Qué quiere ahora?

Una pausa.

—Quiere verse con usted.

El Patrocinador Principal era una persona con cierto renombre público, con un círculo de conocidos, tanto profesionales como personales, que no sabían nada de su vocación más mezquina, pero tenía la cautela de reunirse en cónclave con sus colegas Patrocinadores sólo una o dos veces al año, y todavía no se había visto personalmente con Quayle. En teoría, Quayle no conocía la verdadera identidad del Patrocinador Principal, pero en la práctica...

—Supongo que rechazar la invitación es impensable —dijo.

—Bueno, siempre es una opción. El que sea aconsejable es otra cosa.

El Patrocinador Principal reflexionó sobre la situación. Tal vez era hora de cobrarse los favores a cambio de la asistencia que Quayle ya había recibido. Haría que Erin transmitiera los detalles pertinentes. Quayle no se negaría. Deseaba el Atlas desesperadamente.

—¿Dijo algún sitio?

—Eso lo dejó en sus manos. ¿Qué le parece su club?

El club de Boston del Patrocinador Principal era a la vez exclusivo y discreto. Se realizaban regularmente barridos en busca de dispositivos de escucha de todo tipo, y las ventanas habían sido tratadas con película antiseñales para interferir las transmisiones wifi e impedir el uso de micrófonos láser para captar datos de voz. Era un refugio seguro para aquellos a quienes les preocupaba que les oyesen sus competidores comerciales, el Gobierno estadounidense o cualquier agencia legal hablando de sus asuntos, por lo que podía cobrar unas tarifas exorbitantes por ser miembro.

—¿Por qué no? Les avisaré para que fumiguen cuando se haya ido.

—Ésa no parece la mejor actitud para abordar la cita.

—Gracias por su preocupación —dijo el Patrocinador Principal—. Ahora encárguese de los preparativos. Y... ¿Erin?

—Sí.

—Manténgase a distancia de él.

—Sólo tiene este número.

—En ese caso, después de que le informe de la hora y del lugar de la reunión, y de un pequeño favor que quiero pedirle, cuyos detalles le mandaré, quiero que se cambie de teléfono.

Era una medida excepcional de precaución, incluso para los estándares de los Patrocinadores. El teléfono era nuevo. Hacía muy poco que Erin había pasado el número a los demás.

—¿Quiere que pida protección adicional para usted? —preguntó.

—No hay protección —dijo el Patrocinador Principal—, no de Quayle.

60

Parker llamó a Maela Lombardi desde el coche, pero tanto en el móvil como en el teléfono de casa saltó directamente el buzón de voz. Supuso que Molly Bow había intentado ponerse en contacto con Lombardi para informarla de que le había hablado de ella a Parker, y tal vez fuera mejor así. En el caso de que Lombardi estuviera implicada en una red para dar refugio a mujeres desesperadas perseguidas por hombres violentos, era posible que su imagen del sexo masculino fuera bastante desfavorable. Y Bow, incluso en su actual estado de ánimo, sería capaz de allanar el camino.

Parker estuvo peleándose con el tráfico durante la mayor parte del viaje y sólo le gritaron cuando llegó a las afueras de Portland. Pensó en dejar el encuentro con Lombardi para la mañana siguiente, ya que había oscurecido y no quería molestar a una anciana que debía de estar a punto de acomodarse con la cena delante del televisor. Entonces recordó que se trataba de una anciana que estaba vinculada a algo equivalente, por lo que se refiere a víctimas de maltrato, al Ferrocarril Subterráneo,* y probablemente estaba acostumbrada a que la hicieran levantar del sillón a horas intempestivas. Llamó a los números de Lombardi por cuarta vez, con el mismo resultado, antes de decidirse a llamar a Molly Bow mientras cruzaba el puente de Casco Bay hacia South

* El Ferrocarril Subterráneo fue una red clandestina e ilegal que, de principios a mediados del siglo XIX, ayudaba a los esclavos afroamericanos a escapar de las plantaciones del sur de Estados Unidos hacia los estados libres o Canadá. *(N. del T.)*

Portland. Siempre cabía la posibilidad de que Bow se hubiera puesto en contacto con Lombardi, y que ésta ahora estuviera cerrándose en banda ante él. De ser así, ella había subestimado lo insistente que podía ser Parker.

Bow pareció muy preocupada cuando contestó al teléfono, pero podría haber sido un vestigio de su conversación previa.

—Sólo una pregunta rápida —dijo Parker—. ¿Te has puesto en contacto con Maela Lombardi desde que hablamos?

—No. A ver, quiero decir que lo he intentado, pero no he podido.

—Yo tampoco.

—¿Dónde estás?

—En South Portland. Ahora voy de camino a su casa.

—Suele responder al teléfono. Muy raramente lo desconecta, por razones obvias.

—Si pensara irse de la ciudad, ¿avisaría?

Una pausa.

—No puedo darte más nombres. Ni siquiera debería haberte dado el de Maela.

—Vale, lo entiendo. —Y lo entendía, aunque hubiera preferido no hacerlo—. Echaré un vistazo a la casa y averiguaré qué está pasando. Pero si vuelvo a contactar contigo, prepárate para hacer algunas llamadas. No alarmes a nadie todavía.

Molly estuvo de acuerdo. No es que tuviera muchas opciones, y eso no le gustaba. Todavía se lo estaba explicando a Parker cuando éste colgó, pero para entonces él ya había captado el mensaje.

La casa de Lombardi en Orchard Road estaba a oscuras cuando llegó Parker, que no vio ningún coche en el camino de entrada. Llamó dos veces al timbre, sólo por si Lombardi estaba dormida, y luego dio una vuelta a la propiedad. Todas las puertas y ventanas estaban cerradas, y nada parecía fuera de sitio cuando iluminó el interior con su linterna de bolsillo.

Estaba a punto de llamar de nuevo a Molly Bow cuando una vecina empezó a moverse en un patio al otro lado de la calle.

Parker se acercó y le enseñó su identificación a la mujer. Tenía cuarenta y tantos, pero el tipo de pelo largo prematuramente grisáceo que indicaba una inmensa confianza en sí misma o el bendito estado de quien le importa un bledo el color de su pelo. A juzgar por su ropa, que era cara pero informal, Parker optó por la primera posibilidad, pero aun así creía que el pelo no le favorecía nada. Supuso que se la podría describir como «guapa», pero Parker no lo haría. Cary Grant era guapo. Muchos hombres lo eran, pero, en términos generales, era mejor que las mujeres evitaran esa etiqueta.

La vecina le dijo que se llamaba Dakota —un nombre que le pegaba— y que hacía diez años que vivía en Orchard. Conocía bien a Maela Lombardi: trabajaban juntas en varias organizaciones de la comunidad. Dakota preguntó si Parker estaba preocupado por Maela, y él respondió que todavía no, pero que quería hablar con ella.

—Hace varios días que no la veo —dijo Dakota.

—¿Es raro?

Dakota frunció el ceño y arrugó la nariz. El gesto la rejuveneció, si uno se olvidaba de aquel infame pelo gris.

—Mire, sí que es un poco raro. Normalmente me avisa si se va algún sitio para que le eche un ojo a su casa. No es que haya muchos robos por aquí, pero nunca está de más ser precavido.

Resultó que Maela Lombardi tenía una sobrina llamada Janette Howard que vivía a un par de manzanas, en Arlington Lane, así que Parker se acercó en coche, aparcó delante de la puerta y llamó al timbre. Le abrió una mujer joven a la que podrían habérsele echado quince años de no ser por los tres pequeños, dos niños y una niña, que se alternaban tirándole de los brazos y llamándola «mami» mientras miraban con diversos grados de interés al visitante que estaba en el umbral.

—¿Janette Howard?

—¿Sí?

Por segunda vez en media hora, Parker se identificó y explicó que intentaba hablar con Maela Lombardi.

—Mi tía vive aquí cerca, en Orchard —dijo Howard—. A estas horas debería estar en casa.

—No está. Me preguntaba si le habría comentado algo sobre si tenía intención de ir a algún sitio.

—Maela nunca sale de aquí. No es partidaria de las vacaciones.

—¿Le avisaría a usted si tuviera intención de hacer un viaje?

—Tal vez, si pensara estar fuera de la ciudad durante un tiempo, pero, como le digo, es una mujer casera. —Hizo callar a los niños y el silencio duró un momento—. ¿Llamo a la policía?

Parker dijo que era decisión suya, pero que si quería comprobar la casa primero, a él le encantaría acompañarla.

—No tengo a nadie que cuide de los niños. Mi marido trabaja por las noches esta semana.

Parker vio que la joven empezaba a preocuparse.

—¿Y qué me dice de la vecina que vive enfrente, Dakota? —preguntó Parker—. ¿Le parecería bien si entrara en la casa conmigo?

A Howard le pareció bien aquella sugerencia de Parker, y la aceptó siempre que Dakota o él la llamaran en cuanto hubieran echado un vistazo dentro. Así que Parker volvió a Orchard Road, donde Dakota le esperaba en el patio de Lombardi porque Janette Howard la había llamado entretanto para informarla de que Parker tenía su permiso para entrar en la casa. A él no le preocupaba todavía la posibilidad de contaminar la escena de un crimen: Lombardi podía haberse ido fuera un par de días, pero también podía haberse caído o estar enferma. Él tampoco violaba ninguna propiedad privada, pues contaba con el consentimiento de la sobrina para entrar. Se puso un par de guantes, por si acaso, y utilizó la llave de Dakota para abrir la puerta principal.

La alarma no sonó: ése fue el primer detalle anómalo en que se fijó Dakota.

—Maela siempre deja conectada la alarma antes de salir —dijo—. Mierda.

Dakota llamó a Maela por su nombre, pero no hubo respuesta. Parker le dijo que se quedara en la puerta mientras él inspeccionaba la casa, y que no tocara nada.

No tardó mucho en confirmar que estaba vacía. Las camas estaban hechas, y la cocina y el baño, inmaculados. En las estanterías había mucha poesía y obras sobre estilos de vida alternativos —Carlos Castaneda, Robert Pirsig, Khalil Gibran—, pero no demasiada ficción. Más libros de temas similares se apilaban sobre un baúl que hacía las veces de mesita en el salón comedor, junto al ejemplar más reciente del *Maine Sunday Telegram,* doblado y abierto por la página del crucigrama. Al lado del periódico había una pluma y unas gafas bifocales.

Dakota no se había movido de su sitio junto a la puerta, pero Parker podía verla desde donde estaba, y ella a él. Se había metido las manos hasta el fondo de los bolsillos de los vaqueros y estaba encorvada e inquieta.

—¿La casa siempre está tan ordenada? —preguntó él.

—Maela es ese tipo de persona.

Parker volvió a fijarse en las gafas. Dada su edad, no era raro que Lombardi necesitase unas bifocales, y eso quería decir que conducía con ellas.

—No sabrá si Maela lleva un par de gafas de repuesto en el coche —dijo Parker.

—No, lo siento. Ahora que lo dice creo que sí se las pone para conducir, pero no sabría decir si tiene unas sólo para el coche.

Parker salió y comprobó el buzón. Contenía algo de publicidad, pero nada más. Regresó a la casa y volvió a revisarla, esta vez examinando con más detalle cada habitación. No había descubierto nada nuevo al acabar. Finalmente, comprobó el contestador automático en el teléfono y escuchó los mensajes de voz. Dos de Molly Bow y unas cuantas llamadas cortadas, que eran sus propios intentos previos de contactar con Lombardi, pero eso era todo.

Sonó el móvil de Dakota. Ella miró la pantalla.

—Es su sobrina —dijo.

—Más vale que conteste.

—¿Y qué le digo?

—Que su tía no está aquí, y que iré a hablar con ella en cuanto pueda.

Dakota hizo lo que le pidió Parker mientras él se situó entre la mesa del comedor y el arco de la cocina, tratando de encontrar algo, lo que fuera, que pudiera darle razones para inquietarse, pero no conocía a Maela Lombardi, así que no estaba familiarizado con sus costumbres. Sólo podía asumir lo que le había contado Dakota de que Lombardi mantenía su casa impecable, y él no quería alarmar a nadie sin motivos. Dakota dijo que no había visto a Lombardi desde hacía unos días, pero ¿cuánto tiempo pasa a veces sin que se vean dos vecinos? No era muy sorprendente. Del mismo modo, el hecho de que Lombardi no hubiera informado a su sobrina de que iba a estar fuera de la ciudad unos días tal vez se debiera a que no iba a ningún sitio especial. No era ilegal que una anciana saliera por ahí durante un tiempo sin avisar al ejército, la marina y la guardia nacional. La alarma no estaba conectada, pero tal vez Lombardi tenía prisa al salir y se olvidó de activarla.

Y pese a todo, había algo que no encajaba, porque él podía olerlo: un leve pero desagradable tufo. Era más intenso junto a un gran sillón que encaraba el televisor. Parker se arrodilló y reparó en una leve mancha sobre el tejido del sillón, y luego en otra en el suelo. Se inclinó para acercarse más. Olisqueó. Alguien había vomitado allí, y hacía poco. Tocó con un dedo una de las manchas. Al apartarlo estaba ligeramente húmedo.

Bien: la gente mayor a veces vomita, como los niños. No significaba gran cosa. Salvo que Maela Lombardi mantenía su casa impecable y a Parker le pareció el tipo de persona que habría limpiado más a fondo si hubiera vomitado. Eso no bastaba para pulsar el botón del pánico, pero no dejaba de ser extraño.

No parecía que pudiera hacer nada más. Le dio las gracias a Dakota por su ayuda, la observó mientras cerraba —fijándose en que ésta sí se detuvo a conectar la alarma— y volvió a la casa de Janette Howard. Se sentó a la mesa de la cocina mientras sus hijos jugaban en el ordenador, y le preguntó con cuánta frecuencia hablaba con su tía.

—Bueno, no todos los días —dijo Howard.

Sonó un poco culpable al decirlo.

—Pero se llevaba bien con ella... —dijo Parker.

—Sí, en general.

Parker siguió con cuidado. No quería perder la confianza de la joven.

—No pretendo entrometerme —dijo.
—Maela y yo mantenemos opiniones diferentes sobre ciertos temas —dijo Howard.
—¿Como cuáles?
—Eh, ella es muy liberal.
—¿En qué?
—En todo. El matrimonio homosexual, el aborto. Ya sabe, temas sociales.
—Y usted no lo es.
—No hay nadie tan liberal como Maela.
—Entonces, ¿con cuánta frecuencia hablan?
—La llamo una vez a la semana, o puede que un poco menos, para asegurarme de que está bien.
Parker se dio cuenta de que había vuelto al principio: no tenía la menor idea de si Maela Lombardi había desaparecido o no.
—Su tía ¿ha estado enferma últimamente?
—¿Maela? —Howard se rio—. Está sanísima. ¿Por qué?
—En la casa olía como si alguien hubiera vomitado, no mucho, sólo lo bastante para dejar un resto de olor y un par de manchas.
—Eso no es normal en Maela, aunque no estoy segura de que admitiera siquiera que se encontraba mal. Seguramente seguirá diciendo que todo está bien mientras la meten en una caja de pino.
Howard se dio cuenta de lo que acababa de decir, y pareció avergonzada.
—Dios —dijo—. Ahora sí debo llamar a la policía, ¿no?
—Es una anciana. No hace ningún mal avisar.
Howard no pareció entusiasmada ante la perspectiva, pero poca gente reacciona de otro modo.
—Maela tiene mala opinión de la policía —dijo.
—¿Por qué?
—Ella es contracultural. Si llamo a la policía, más vale que haya desaparecido. Si sólo ha salido al cine y a cenar, va a cabrearse mucho cuando vuelva.

61

Daniel Weaver estaba acurrucado junto a la puerta de su habitación, escuchando discutir a su madre y al abuelo Owen. Dado que discutían a menudo, casi siempre sobre cosas sin importancia, Daniel se había acostumbrado y era casi como el ruido de fondo de su existencia. Pero su madre y el abuelo Owen vivían sus vidas con el volumen muy alto. Su madre decía que, al haberse pasado la vida en camiones, su abuelo Owen se había vuelto sordo a las razones, así que no le quedaba otra que gritarle. El abuelo Owen le contestaba que al menos él tenía una excusa.

Esta vez, su toma y daca tenía un tono diferente, que era lo que había llevado a Daniel a escuchar a hurtadillas. Ya había aprendido que si los adultos intentaban mantener una conversación en voz baja, solía deberse a que hablaban de algo que merecía la pena escucharse.

—Hice lo que me dijiste. —Era el abuelo Owen el que hablaba—. Te he dado tiempo para pensar, pero esto no va a ninguna parte. Cuanto más se alargue, menos probable es que tengamos un juicio justo.

—Me lo quitarán. —Daniel tenía que estirar el cuello para captar las palabras de su madre.

—Contrataremos a un buen abogado.

—¿Con qué? ¿Es que los abogados aceptan ahora cupones de beneficencia?

—Me queda un poco de dinero en el banco. Y está el camión.

Silencio.

—No puedes vender el camión.

—Estoy cansado. Ya no puedo con los transportes de larga distancia. Todavía vale algo de dinero, no tanto como me gustaría, pero algo.

Recogieron los platos, se oyó el tintineo del cajón de la cubertería.

—Tendríamos que haber hablado desde el principio.

—Ella nos pidió que no lo hiciéramos.

—Pues no debió —dijo el abuelo Owen—. No era justo.

—Pero mira lo que nos ha dado a cambio.

Se oyó cómo alguien arrastraba una silla, un crujido cuando un peso se acomodó sobre ella. Su madre, pensó Daniel, porque el abuelo Owen siempre gruñía cuando se levantaba o se sentaba.

—Lo que hicimos estuvo mal, pero no tanto —dijo el abuelo Owen—. Se darán cuenta de que está mejor con nosotros. El Estado no quiere que los niños acaben en hogares de acogida, no si puede evitarlo. Resulta demasiado caro.

El sonido de su madre llorando. Daniel quería ir con ella, pero eso revelaría que había estado fisgando. Lo único que podía hacer era seguir sentado y escuchar. No quería que nadie lo apartara de su madre y del abuelo Owen. Se escaparía si lo intentaban. Y si no podía escaparse, pelearía.

—Te lo he explicado —dijo el abuelo Owen—, haré la llamada desde un teléfono público. Tendré cuidado de no usar la línea demasiado tiempo. Tantearé el terreno, veré qué dice Castin, y luego tú y yo podremos hablarlo antes de hacer nada más.

—¿Y si no nos gusta lo que dice?

Daniel esperó la respuesta.

—Podríamos irnos, supongo. Buscar algún sitio lejos de aquí.

El abuelo Owen sonó como un hombre al que le piden que salte sobre un río que parece demasiado ancho para él.

—Pero...

—Si levantamos el campamento y nos vamos —dijo el abuelo Owen—, es posible que nos delatemos.

—Y entonces nos encontrarán, ¿verdad? Mandarán al detective ese, Parker. Él nos perseguirá. No quiero que venga a por nosotros. Me da miedo.

—Entonces..., ¿hago la llamada?

Esta vez, el silencio se alargó tanto que Daniel se convenció de que se le había escapado la respuesta de su madre, hasta que oyó su voz, muy baja:

—Sí. Pero todavía no.

—Dios.

Daniel oyó que echaban una silla hacia atrás, y estaba de vuelta entre las sábanas cuando apareció su madre en la puerta de la habitación. Fingió que dormía cuando ella se sentó al borde de su cama. No le tocó, no intentó despertarlo, pero él oía su respiración, olía su perfume y percibía el calor abrasador del amor que ella sentía por él. Finalmente, se fue, él se dio la vuelta en la cama como si se moviera en sueños, y así pudo verla cuando cerraba la puerta antes de perderla de vista.

62

Parker estaba sentado en el despacho de su casa, poniendo a Moxie Castin al día de sus muy escasos avances, cuando se activó la alarma de su teléfono, y al cabo de unos segundos un coche sin matrícula, con el intermitente del salpicadero encendido para identificar al conductor como policía, se detuvo delante de su puerta. Parker ya había hablado con Molly Bow, alertándola de la posibilidad de que Maela Lombardi hubiera desaparecido y pidiéndole permiso para informar a la policía si se presentaba preguntando. De momento, no le había dado ese permiso.

—Para empezar, creo que no debería haberte hablado de Maela —dijo Molly—. Si la policía interviene, me veré obligada a darles más nombres todavía.

—No pueden obligarte a darles nada. Y déjame recordarte que me dijiste que no tenías «esa información».

—Entonces, ¿por qué me los echas encima?

Parker admitía que su razonamiento tenía cierta lógica, pero ésta quedaba anulada por una falta de lógica equiparable: si Lombardi había desaparecido, Bow al menos había ayudado a poner en marcha una investigación sobre su paradero, y así había hecho lo correcto al revelar su nombre a Parker, fueran cuales fuesen sus temores de traicionar la confianza de otras personas.

Pero también tenía que reconocer que: a) Lombardi tal vez no hubiera desaparecido; y b) si lo había hecho, era posible que su desaparición no tuviera nada que ver con los restos de Piscataquis. El trabajo de Lombardi con mujeres en situación de riesgo bien podría haberla expuesto a un puñado de parejas agraviadas con ganas de vengarse, como podía confirmar Bow por su experiencia personal. Bow podía disponer de información que ayudaría a la policía a encontrar a Lombardi, pero le ponía dificultades a Parker al intentar mantener su nombre fuera de la investigación.

A veces, la vocación de Parker le daba dolor de cabeza.

Si albergaba alguna duda sobre las razones de la presencia policial en su casa, ésta se disipó en cuanto se abrió la puerta del coche y una oficial de civil se bajó. Se llamaba Kes Carroll —Kes era la abreviatura de Kestrel, y era la persona con el nombre más exótico que conocía Parker, además de la mujer más alta, pues medía metro noventa descalza—, y era la única detective de Departamento de Policía de Cape Elizabeth. Esporádicamente, Parker había tenido contacto profesional con ella, y siempre le pareció un ejemplo de rectitud. Carroll se acercaba a los sesenta años y podría haberse retirado sin problemas hacía tiempo, pero parecía sentirse realizada en su trabajo, ¿y quién era Parker para criticarla?

Abrió la puerta principal antes de que Carroll tuviera tiempo de llamar al timbre y la invitó a pasar y tomar un café. Ella se sentó a la mesa de la cocina mientras él buscaba unas tazas. La cafetera ya estaba al fuego.

—Lamento lo tarde que es —dijo Carroll.

—No estaba haciendo gran cosa, la verdad. Supongo que esto tiene que ver con Maela Lombardi.

—Llamó su sobrina, dijo que había hablado contigo.

—¿Parecía preocupada?

—Más bien compungida.

—Su tía y ella no intimaban demasiado.

—Eso nos dijo. Pero parece que has encendido una hoguera debajo de ella.

—Podría no ser nada.

—¿Contigo implicado?

Parker sirvió café para ambos y puso leche y azúcar en la mesa.

—¿Y bien? —preguntó Carroll mientras se echaba leche—, ¿qué es lo que pasa?

—Lo que pasa es la Mujer Sin Nombre de Piscataquis. Moxie Castin me contrató para averiguar lo que pudiera sobre ella y su hijo desaparecido. No puedo contarte más, pero es posible, sólo posible, que Lombardi hubiera mantenido algún contacto con la Mujer Sin Nombre.

—Sigue.

—He estado intentando imaginar por qué una mujer embarazada vendría a Maine, por no hablar de cómo acabó enterrada en una tumba superficial junto con la placenta. Si tenía parientes aquí, a estas alturas se habrían presentado.

—A no ser que fueran quienes la enterraron..., ellos o el padre del niño.

—Pero ¿por qué ocultar una muerte durante un parto? No es un crimen, salvo que alguien pueda demostrar negligencia intencionada.

—Ya conoces este estado. Una vez que entras en el culo del mundo no hay forma de saber por qué la gente hace lo que hace. ¿Qué te llevó a Lombardi?

—Me dijeron que tenía una casa refugio extraoficial para mujeres que huían del maltrato. ¿Y si la Mujer Sin Nombre estaba escapando del padre de su hijo? ¿Y si estaba desesperada? Si no quería recurrir a los servicios del estado, o a Planificación Familiar, o a cualquier otra organización que estuviera en condiciones de ofrecer ayuda, ¿adónde iría? Incluso si Lombardi no la conoció, tal vez podría estar al tanto de alguien que sí lo hizo.

—¿Pero Lombardi no se habría presentado a la policía si supiera algo del caso?

—Eso es lo que quería preguntarle. Tal vez se sentía presionada para proteger su red de casas seguras, porque creo que ella no es más que un eslabón en la cadena.

—¿O?

—O la Mujer Sin Nombre le hizo prometer que no lo contaría.

—¿Por qué?

—Porque quienquiera que fuese del que huyera era tan perverso que no era su vida la única que corría peligro, sino también la de su hijo, y tal vez la de cualquiera que la ayudara.

—Eso es un salto muy grande en el razonamiento.

—Los he dado más grandes todavía.

Carroll probó el café y se atragantó.

—Es espantoso —dijo.

—Descafeinado orgánico.

—¿Por qué?

—Me hace sentir virtuoso.

—Bueno, cualquier cosa sirve para eso. —Carroll no alejó de sí la taza y optó por sostenerla entre las manos, agradeciendo el calor, pero no el sabor. La primavera había llegado, pero las noches seguían dejando la huella del invierno—. En cuanto a Lombardi, soy reticente a emitir una Alerta de Plata hasta que haya transcurrido algo más de tiempo.

Las Alertas de Plata mandaban notificaciones sobre ancianos desaparecidos a las patrullas de carretera del estado, pidiendo a los motoristas que estuvieran atentos.

—Le dije a la sobrina que nada le impide avisar públicamente ella misma en los tablones de anuncios de la comunidad, o por Facebook, Twitter, lo que pueda ser de ayuda —prosiguió Carroll—, y si Lombardi no se ha puesto en contacto por la mañana, me encargaré de acelerar los trámites. Pero Howard estaba convencida de que su tía no había mostrado ningún indicio de demencia. Si Lombardi se subió al coche y se fue, sabía qué estaba haciendo, y adónde iba.

—A no ser que no se fuera voluntariamente.

Parker le contó a Carroll lo de las manchas y el olor.

—¿Sabes? —dijo ella—, ves un montón de sombras. Tendrías que dejar el descafeinado, vuelve al normal. A lo mejor ayuda.

Carroll probó otra vez con el café, aunque sólo fuera para corroborar que era tan malo como le había parecido, luego echó lo que quedaba por el fregadero y dejó la taza dentro.

—¿Conoces a Solange Corriveau? —preguntó.

—Sólo por su fama.

—Voy a tener que contarle lo que acabas de decirme.

—No son más que conjeturas. Ya has visto lo cogido por los pelos que está todo.

—Por los pelos o no, ella está a cargo ahora de la Mujer Sin Nombre, y aceptará cualquier información que se le dé. No me extrañaría que contactara contigo mañana en algún momento, sobre todo si Lombardi sigue desaparecida a primera hora. Querrá saber más sobre cualquier posible relación entre Lombardi y la difunta.

—Ningún problema por mi parte, pero mi fuente sí podría tenerlo.

—A Corriveau le dará igual en cualquier caso. Ella bebe café bien cargado de cafeína y come carne cruda.

Parker le dio las gracias a Carroll y la acompañó hasta el coche.

—¿Cómo está tu hija? —preguntó ella mientras abría la puerta del conductor. Carroll había visto a Sam un par de veces cuando ella estaba de visita, y una vez la llevó a dar una vuelta con la sirena encendida. Sam quedó debidamente impresionada.

—Está bien.

—Está en Vermont, ¿no?

—Sí.

—Es una larga excursión.

—Lo es.

Carroll alargó la mano y apretó con suavidad el brazo de Parker, un gesto extrañamente tierno e íntimo.

—Cuídate —dijo.

—Tú también.

Parker observó cómo se alejaba y sintió una soledad que hizo que le escocieran los ojos.

63

Daniel Weaver permaneció despierto durante lo que a él le pareció mucho tiempo, dándole vueltas a lo que había oído. Tenía la sensación de que la conversación anterior estaba relacionada con Karis. ¿Era a ella a quien le habían hecho la promesa? ¿Y qué clase de promesa era ésa que lo implicaba a él? La respuesta merodeaba como una presencia al borde de su conciencia, pero no quería, o no podía, sacarla a la luz.

En un momento dado se quedó dormido y tuvo sueños confusos, hasta que el sonido del despertador de su madre en la habitación contigua lo devolvió a la conciencia, pero cuando abrió los ojos, la oscuridad era todavía demasiado densa para que hubiera amanecido, y el sonido no procedía de dentro de la casa sino de fuera.

Apartó el edredón. Se levantó de la cama. Se acercó a la ventana y descorrió las cortinas.

Ahí, sobre el alféizar, manchado de tierra, estaba el teléfono de juguete.

Sonaba.

En su habitación en Vermont, a Sam la sacó del sueño el sonido de un teléfono. No era un sonido con el que estuviera familiarizada, no como el del móvil de su madre ni el de sus abuelos, ni siquiera como el de la línea fija de la casa principal que ya nadie parecía utilizar, pero del que su abuelo no quería deshacerse porque, decía, «nunca se sabe», significase eso lo que significase.

El sonido del teléfono procedía de muy lejos, y tenía un tono desagradable. A Sam no le gustaba. Deseó que parara. Estaba cansada, y todavía faltaba mucho para que amaneciera. El sonido parecía proceder del otro lado de la ventana, pero eso no era posible, a no ser que hubiera alguien en el jardín, y si lo había, esa persona no tenía ninguna razón para estar ahí.

Se levantó sigilosamente de la cama y se acercó a la ventana pisando sin hacer ruido. Su madre y ella vivían en unos establos remodelados adyacentes a la casa de sus abuelos, a la que se unían a través de un sendero acristalado que también hacía las veces de invernadero. La habitación de Sam estaba en la primera planta, separada de la de su madre por un pequeño baño. La ventana del dormitorio era una combinación de cristales policromados y normales, que había sido sustituida hacía poco tras un incidente con un pájaro que había chocado contra ella unos meses atrás.

Abrió la ventana. El jardín estaba a oscuras y no veía signos de movimiento, pero seguía oyendo el sonido del teléfono, aunque no más claro pese a que no lo amortiguaba el cristal. Sonaba tan distorsionado que podría haber procedido de debajo del agua.

Sam se volvió hacia la figura que estaba en el alféizar: su hermanastra Jennifer, cuya cara centelleaba bajo los mechones de cabello que le caían por encima ocultando los peores daños que le había infligido el Viajante hacía muchos años.

Jennifer, que se movía entre los mundos.

—¿Por qué has venido? —preguntó Sam.

Jennifer tendió la mano y cogió la de Sam. Su tacto era frío, pero no exánime. El cuerpo de Jennifer parecía existir en un estado de leve vibración, como si una pequeña carga eléctrica lo atravesara constantemente. Y aunque Sam no tenía miedo de Jennifer, e incluso la quería a su manera, no le gustaba el contacto físico con ella. La hacía sentir mareada y le daba dolor de cabeza.

Pero a veces a Jennifer le resultaba más sencillo comunicarse a través del tacto. Jennifer era una criatura de impulsos y emociones. Más que pensar, sentía.

Ahora Sam también sentía.

El lago en cuya orilla estaba sentada Jennifer contemplando el paso de los difuntos, velando mientras los convocaban al mar; el acercamiento de la madre de Jennifer, o de una manifestación de ella, conduciendo de la mano a una mujer desconocida; un intercambio de palabras, de preocupaciones, con Jennifer junto al agua; luego la partida, las dos mujeres mayores volviendo al lugar de donde habían venido, haciendo tan sólo una pausa para que Jennifer y su madre puedan intercambiar las palabras de siempre.

¿cómo está tu padre?

vivo

¿y seguirás a su lado?

sí

si decides marcharte, sólo tienes que decirlo

no lo abandonaré

entonces adiós

Sin besos, sin abrazos. Pero, bien mirado, ésa ya no era en realidad la madre de Jennifer. Conservaba su forma y algunos de sus recuerdos, pero uno no podía emerger sin cambios del Mar Eterno. Entrar en él era perderse, una disolución gradual pero en última instancia definitiva. Cada vez que volvía, la madre de Jennifer traía consigo menos de su antiguo ser. Al final, Jennifer lo sabía, su madre ya no podría recordarla, ni al hombre que en el pasado había llamado «amor», el padre que compartían Jennifer y Sam.

El contacto físico entre Sam y Jennifer se interrumpió brevemente.

—¿Quién era la mujer que iba con ella? —preguntó Sam.

se llama Karis

—¿Y qué quiere Karis?

la Karis triste, descansar

Jennifer volvió a tocar a su hermana, esta vez rozándole el dorso de la mano con el índice, y Sam comprendió por qué la mujer que se llamaba Karis había acudido a Jennifer en busca de ayuda. Al morir, Karis había ido al mar, pero había dejado tras de sí algo de sí misma, un vestigio enterrado en un agujero en la tierra, rodeado de árboles altos y cantos de pájaros. Era una entidad peligrosa, llena de miedo y dolor, pero también con un amor terrible y malogrado. Tenía deseos. Quería tener cerca a su descendiente. Pretendía coger a su hijo y atraerlo hacia sí, abrazarlo entre la tierra y las raíces, allí, donde yacerían juntos, hasta el momento en que el niño, como esta versión de su madre, durmieran en la tierra.

nuestro padre está intentando ponerle nombre a eso

No a «ella», se fijó Sam, a «eso». Fuera lo que fuese lo que quedara de Karis sólo era femenino en su aspecto.

—¿Sabe nuestro padre lo del niño?

todavía no

—No puedes permitir que el niño vaya. Eso lo matará. Ella, o eso, no querrá hacerlo, pero lo hará.

lo sé

Sólo en ese momento Sam se percató de que no oía el teléfono. Se había detenido.

Y Jennifer ya no estaba.

64

Daniel no quería contestar al teléfono. No era sólo que le diera miedo oír la voz al otro extremo de la línea. Él lo había enterrado y alguien, de algún modo, lo había desenterrado y lo había puesto en el alféizar de su ventana. No, alguien no: Karis había desenterrado el teléfono, lo que significaba que no era sólo una voz incorpórea que le hablaba a través de un aparato de plástico. Podía remover la tierra. Podía salir del bosque.

Podía hacerle daño.

Pero él no iba a dejar que el teléfono siguiera sonando porque su madre a lo mejor lo oía, y entonces tendría que mentir; o peor aún, para empezar, tendría que explicarle por qué el teléfono estaba en el alféizar. Karis le había advertido que no contara sus pequeñas charlas a los demás, y aunque Daniel se preguntaba si eso era más en provecho de ella que de él, sabía que la advertencia contenía una amenaza sin especificar, pero que ahora adquiría nueva fuerza dada la realidad de la presencia física de Karis en el mundo.

Daniel contestó al teléfono.

—¿Diga?

Le pareció que la voz de Karis sonaba más clara que antes. Podría deberse a la rabia que mostraba, pero Daniel también detectó un débil eco, como cuando su madre le dejaba hablar con el abuelo Owen por su móvil aunque él estuviera en la habitación contigua. No una voz, sino dos: la primera real y hablando desde cerca, y la segunda a través del instrumento que él sostenía en las manos.

Igual que ahora, porque Karis estaba cerca.

estoy muy enfadada contigo
¿cómo pudiste hacerlo?
¿cómo pudiste enterrar el teléfono?
—Lo siento —dijo Daniel.
sentirlo no basta, caballero
¿por qué lo hiciste?
dímelo
Daniel se echó a llorar
llorar tampoco servirá de nada
llorar es de bebés y tú no eres ningún bebé
¿por qué enterraste el teléfono?
—Tenía miedo.
¿miedo de qué?
¿de mí?

Daniel no quería decir nada más. No quería enfadar a Karis más de lo que ya estaba.

estoy esperando una respuesta
¿Qué otra cosa podía hacer?
—Sí.
Y entonces Karis dejó de estar enfadada.
oh, cariño, lo siento
no debes tenerme miedo
nunca te haría ningún daño
te quiero
debes entenderlo bien
te quiero tanto...

El teléfono se apagó en la mano de Daniel. Su atención se desplazó hacia el jardín, donde había una chica en la hierba, con la cabeza inclinada levemente para que él no pudiera verle la cara, mirando fijamente hacia el bosque que se extendía al fondo de la propiedad. Tenía el pelo rubio e iba descalza, daba la impresión de que sus pies no llegaban a tocar del todo la hierba. No se movió, pero cuando habló, su voz —más baja y suave que la de Karis, pero con un tono que no era del todo distinto— le llegó de muy cerca, como si ella estuviera dentro de la habitación de Daniel en lugar de a media docena de metros sobre una tierra todavía fría por el recuerdo del invierno.

vuelve a acostarte

Daniel colgó el teléfono. No se le ocurrió preguntarle a la chica quién era ni de dónde venía. No sabía cómo, pero estaba seguro de que ninguna de esas preguntas habría obtenido respuesta.

—¿Qué hago con el teléfono?

Pronunció las palabras hipando porque todavía lloraba.

yo me encargaré

—Intenté deshacerme de él, pero eso enfureció a Karis. No quiero volver a enfadarla.

hablaré con ella

—¿Y no se enfadará?

le pediré que no lo haga

—Quiero que se vaya. Quiero que me deje en paz.

lo sé

—Pero no le digas que te lo he dicho.

no se lo diré

Daniel echó una última mirada al teléfono antes de cerrar la ventana y correr las cortinas. Al cabo de unos segundos. Oyó cómo se llevaban el teléfono del alféizar.

—No hagas que se enfade —suplicó—. No la enfurezcas, no la enfurezcas, no la enfurezcas...

Jennifer estaba en la linde del bosque, las dos casas de los Weaver quedaban a su espalda, los árboles de delante se difuminaban, pasando de ser presencias tangibles a formas sombrías y finalmente perderse en la oscuridad.

tienes que dejarlo en paz

No obtuvo ninguna respuesta, pero Jennifer sabía que Karis —o lo que quedaba de ella, el vestigio que llevaba su nombre— estaba allí delante, escuchando. Jennifer no sabía a partir de qué materiales se había formado: otros huesos, tal vez de restos tanto humanos como animales.

lo estás asustando

Un parpadeo gris recortándose sobre la oscuridad, moviéndose agazapado como un animal. Los ojos de Jennifer lo siguieron.

le harás daño

Sí, ahí estaba. Ahora erguida. Mirándola.

y no puedo dejar que le hagas daño

Odiándola.

Jennifer dejó el teléfono en el suelo antes de alejarse. El juguete empezó a ennegrecerse mientras de él se alzaban volutas de humo. Los ojos se derritieron, y los cables que conectaban el auricular al cuerpo principal se licuaron y gotearon sobre el suelo del bosque. Finalmente, el resto se fundió y entonces se prendió fuego y el teléfono ardió por sí solo y las llamas iluminaron a Jennifer y los árboles de los alrededores, y el juguete quedó reducido a cenizas que se llevó el viento y las esparció por el suelo del bosque hasta no dejar huella.

Pero a esas alturas Karis había desaparecido.

Tercera parte

THOMAS: ¿Quién lo tendrá?
TENTADOR: El que venga.
THOMAS: ¿En qué mes?
TENTADOR: El último a contar desde el primero
THOMAS: ¿Qué daremos por él?
TENTADOR: La pretensión de poder sacerdotal.
THOMAS: ¿Por qué hemos de darla?
TENTADOR: Por el poder y la gloria.

T.S. Eliot, *Asesinato en la catedral*

65

A cualquiera que todavía quisiera creer que los Estados Unidos de América eran una sociedad sin clases le hubiera bastado con poner el pie entre las paredes del Boston's Colonial Club para darse cuenta de lo equivocado que estaba. Pero, dado que cualquiera que creyera que los Estados Unidos de América eran una sociedad sin clases era improbable que pudiera plantearse siquiera ser miembro del Colonial Club ni que lo admitieran en su *palazzo* de la Commonwealth Avenue por otra puerta que no fuera la de la entrada del servicio, es probable que esas ilusiones se mantuvieran intactas. El Club alardeaba de una grandiosa escalera con la que sólo rivalizaba la del Metropolitan Club de Nueva York, un humidificador de puros mayor que el de la Union, y una bodega de vinos valorada en siete dígitos. En una sociedad sin clases, no habría existido.

Uno no solicitaba ser miembro del Colonial; hacerlo suponía ganarse que lo excluyeran de por vida. Si se le invitaba, daba sus datos bancarios sin preguntar por el coste de ser miembro. La mera mención de las tarifas bastaría para la retirada súbita e irrevocable de la invitación, así como la insinuación de que las finanzas tal vez no fueran tan incuestionables como se había pensado. En ocasiones, el precio de las acciones se había visto afectado por la oferta o la retirada de la condición de miembro, o incluso por no renovar el compromiso, y al menos dos suicidios habían sido consecuencia de rumores que se desataron tras incidentes así.

En el Viejo Mundo, la sangre era el indicador de la clase: cuanto más antiguo fuera el linaje, mayor el derecho a formar parte de la aristocracia. En el Nuevo Mundo, el indicador era el dinero, y cuanto más antiguo, más alta la clase. En el Colonial, la mayor parte del dinero era ciertamente muy antiguo. La lista de normas era considerable, pero podrían resumirse así:

Ninguna exhibición vulgar de riqueza.
Y nada de pobres.

Quayle llegó al club poco antes de mediodía y le hicieron pasar inmediatamente a un oscuro vestíbulo, donde un empleado detrás de una mesa anotó su nombre en el libro de visitantes antes de levantarse para abrir una puerta interior, donde un segundo empleado esperaba para acompañarlo a uno de los comedores privados más pequeños. Allí, el Patrocinador Principal ya estaba sentado a la única mesa de la sala, que era para cuatro pero sólo tenía servicio dispuesto para dos, dando sorbos a un jerez fino seco antes de comer.

Los dos hombres no se estrecharon las manos. No eran amigos, colegas ni socios de negocios. No compartían nada aparte de los pactos que habían firmado, e incluso éstos eran con dioses distintos.

Apareció un camarero para tomar nota de la bebida de Quayle. Éste dijo que prefería esperar al vino que tomaría con la comida, pero pidió un vaso grande de leche fría mientras tanto. Ambos hombres optaron por el venado como plato principal y luego se quedaron incómodamente solos.

—¿Cómo ha encontrado las colonias? —preguntó el Patrocinador Principal de un modo que indicaba que él habría preferido que Quayle no las hubiera encontrado.

—Perturbadoras.

—¿Había estado antes?

—Nunca tuve el deseo. Ningún hombre mínimamente intelectual quiere dejar Londres.

—Es una cita del doctor Johnson.

—Con otras palabras, pero sí.

—Dicen que era un melancólico.

—Entre otros defectos.

—En ese caso, tal vez Londres no fuera tan beneficioso para él.

—Tal vez no, pero a mí aquel entorno me parece propicio para una buena salud y una larga vida.

—Notablemente larga, diría uno.

Quayle reconoció el ingenio del comentario con una leve inclinación de la cabeza. Apareció el sumiller y sirvió el vino. Dado que el plato principal sería venado, el Patrocinador Principal había seleccionado un Grand Cru Classé Pauillac de 1996. El vino, que ya había sido probado y decantado, era un buen principio. Quayle recibió su vaso de leche, y la sopa llegó al instante. El Patrocinador Principal la probó, la encontró de su gusto y comenzó a comer. Por el contrario, Quayle dejó su cuenco intacto.

—No ha preguntado por qué he pedido esta reunión —dijo Quayle.

—Sólo hay una razón para todo lo que hace, o eso me han dicho: su Atlas.

—No es *mi* Atlas. Es *el* Atlas.

El Patrocinador Principal no iba a discutir sobre artículos o posesivos con Quayle. Sólo deseaba que se largara de estas costas lo antes posible, y no se esforzaba por ocultarlo. Pero Quayle se habría percatado igualmente si el Patrocinador Principal hubiera puesto más empeño en disimular sus verdaderos sentimientos.

—Debería estar más preocupado por él —dijo Quayle.

—¿Por qué?

—El Atlas ha cambiado el mundo, lo está cambiando ahora mismo, y, en última instancia, lo alterará de forma permanente.

—No veo ninguna prueba.

—No mira lo bastante de cerca: guerras, hambre, inundaciones; fanatismo, odio...

—¿No ha sido siempre así este mundo?

—Nunca en tiempos tan supuestamente civilizados. Yo veo la regresión. El Atlas se va imponiendo lentamente.

—Eso afirma usted, pero lleva generaciones diciendo lo mismo, o eso nos ha hecho creer.

—¿Duda de mí?

—Es abogado. Dudo de usted por principios.

—¿Y más allá de mi profesión?

El Patrocinador Principal se encogió de hombros.

—Me han llegado historias sobre un hombre que vive en estancias a las que no se les ha quitado el polvo desde que murió la reina Victoria; que afirma haber nacido antes de la Reforma; que se sienta a esperar un libro de mapas para reconstruirlo porque cree que transfigurará la naturaleza del mundo de tal manera que permitirá el retorno de los No-Dioses, y así provocará el final de los tiempos y lo liberará a él para que muera por fin. Corríjame si me equivoco en algún punto.

—En su versión, suena casi mundano.

—He oído historias más extrañas aún.

—No, simplemente se ha convencido de ellas. Y esto no es ningún cuento.

Tras esa conversación se hizo otra vez el silencio hasta que llegó un camarero para llevarse los cuencos de sopa. El Patrocinador Principal estudió al abogado con toda su desaliñada elegancia y concluyó que no se parecía a las descripciones que le habían dado de su aspecto. Era más esbelto, más joven incluso. Si los rumores eran ciertos, la longevidad de Quayle pasaba inadvertida en Londres porque, a intervalos irregulares, algún aislado miembro de la familia Quayle fallecía y era sustituido por otro —un hijo, un sobrino, un primo— a cuyas manos pasaría la herencia de su antecesor. De ese modo, uno se convirtió en muchos, y muchos en uno.

Por otro lado, pensó, podía ser que Quayle simplemente estuviera loco.

Entraron dos camareros con el venado. Estaba tan poco hecho que resultaba casi gelatinoso en el centro, pero ninguno de los dos se quejó. Reanudaron su conversación cuando la puerta quedó bien cerrada, como si la llegada de la carne ensangrentada les hubiera recordado a qué habían ido allí.

—Hay quien creería que usted preferiría que no acabáramos nuestro trabajo —dijo Quayle.

—¿«Nuestro» trabajo?

—¿Es que usted y yo no tenemos el mismo propósito?

—No. Usted sirve a sus propios amos.

—Del mismo aspecto y naturaleza que el Dios Enterrado.

—Aun así.

Quayle se inclinó hacia delante. Había comido un poco del venado y el jugo le salpicaba la barbilla.

—Explíqueme su posición —dijo—. Anhelo entenderla..., y entenderle a usted.

El Patrocinador Principal miró a Quayle con abierta hostilidad, incluso repugnancia.

—Su Atlas es un contaminante —respondió—. Si lo que usted sostiene es cierto, y el libro es restaurado, nada sobrevivirá. El mundo arderá en llamas y se convertirá en ceniza y los No-Dioses contemplarán cómo arde antes de centrar su atención en la guerra con el Dios Antiguo.

—Y al hacerlo liberarán al Dios Enterrado. *Su* dios.

—Quizás.

—Es un idiota —dijo Quayle.

El Patrocinador Principal no dio la menor muestra de haberse ofendido.

—¿Lo soy?

—Cree que puede negociar con el Dios Enterrado. Usted y sus amigos, generación tras generación, han acumulado riqueza e influencia, y ahora son reacios a renunciar a su posición. ¿O acaso se toman en serio su búsqueda del Dios Enterrado? Tal vez prefieran dejarlo donde está y posponer indefinidamente el pago de su deuda.

El Patrocinador Principal dejó que su mirada vagara alrededor, como si buscara fuerza y consuelo en los polvorientos retratos de miembros del club fallecidos hacía mucho, en las representaciones decimonónicas de paisajes urbanos y espacios ahora tan devastados por el progreso que las obras de arte guardaban la misma relación con el estado actual de sus temas que una virgen con una prostituta.

Era irónico, reflexionó el Patrocinador Principal, que muchos miembros de este club, tan esclavos de las normas y el comportamiento correcto cuando se trataba del Colonial, y tan protectores de su reputación y entorno, hubieran alcanzado su elevada posición social en la vida conspirando en el saqueo del mundo más allá de sus paredes. Ésta era la guarida de hombres y mujeres que hacían regularmente donaciones de millones de dólares a museos y galerías de arte, que se consideraban a sí mismos —y de hecho también eran vistos así por los demás— como benefactores y guardianes del legado cultural de la nación, pero se oponían a pagar un salario decente a sus trabajadores o a financiar los modestos dispositivos de seguridad requeridos para garantizar que esas mismas personas y sus familias pudieran acceder a un aire respirable y beber agua no contaminada por bacterias y venenos. Si fuera cierto que detrás de toda gran fortuna se oculta un gran crimen —y eso era verdad tanto en el Nuevo Mundo como en el Viejo, hasta es posible que más en éste—, entonces los registros de los miembros del Colonial daban fe de una criminalidad ininterrumpida a gran escala, y el Patrocinador Principal era el peor de todos, porque estaba asociado con fuerzas que hacían que los excesos más graves de los demás miembros del club parecieran simples hurtos de carteristas y timadores.

Y ahora tenía a Quayle ahí delante, desprendiendo un hedor a antigüedad, denso por la descomposición de los años, recordándole que pronto vencería el plazo para pagar la factura. ¿Quién podría culpar al Patrocinador Principal por intentar posponer el pago?

—Nuestras vidas son breves —dijo el Patrocinador Principal—. Sus palabras son las de un hombre que ha vivido demasiado tiempo.

—En eso, al menos, estamos de acuerdo.

El Patrocinador Principal comió un poco más de venado. Estaba bueno —la comida del Colonial siempre era excelente, aunque a veces le parecía que se pasaban con la crema—, y no iba a permitir que la presencia de Quayle le arruinara su disfrute, así que siguió comiendo incluso cuando su compañero de mesa permaneció sentado, observando cómo los restos de su venado se enfriaban, después de haberlo tocado apenas haciendo un pequeño corte que había dejado a la vista la carne roja.

—Sean cuales sean mis reservas sobre sus propósitos —dijo el Patrocinador Principal—, le hemos ofrecido la asistencia que solicitó. Le dimos a Giller, y él viene muy bien recomendado. Cumplimentamos la petición de un arma de fuego que nos hizo su... —buscó la palabra correcta para sintetizar la relación de Mors con Quayle, y la diversidad de servicios que ella sin duda proporcionaba: «zorra» parecía demasiado crudo, así que optó por un término menos peyorativo— su *compañera*. Pensaba que un encuentro personal entre nosotros dos era a la vez innecesario y, dadas las circunstancias, un riesgo considerable. Así que sigo sin entender por qué estoy comiendo con usted.

—Hábleme de Parker —dijo Quayle.

El Patrocinador Principal se entretuvo un instante dándose unos toquecitos en la boca con una servilleta y ordenando sus pensamientos. En su favor cabe decir que había sido consciente de la posibilidad de que surgiera esa pregunta, dada la intrusión de Quayle en el territorio de Parker, pero esperaba que Quayle consiguiera lo que quería sin llegar a cruzarse nunca en el camino del detective. Era, ciertamente, un sueño imposible: el mero hecho de que la búsqueda de Quayle le hubiera llevado a Maine significaba que Parker debía de estar involucrado de algún modo, por tangencial que fuera. El detective estaba tan implicado como Quayle y el Patrocinador Principal en todo lo que pasaba. La única duda era cómo, y, por el momento, seguía sin respuesta.

—El hecho de que me pregunte por Parker indica que ya sabe mucho. ¿Le habló Giller de él?

—El señor Giller propició involuntariamente que nos conociéramos.

—¿Ha conocido a Parker? ¿Él lo ha visto?

Giller no había informado a nadie del encuentro, pese a tener instrucciones estrictas de transmitir toda la información relacionada con las actividades de Quayle a quienes habían organizado su contratación. Alguien tendría que recordarle a Giller cuáles eran sus obligaciones.

—Por primera vez parece sinceramente preocupado por mi bienestar —dijo Quayle.

—Nuestra experiencia nos dicta que es mejor mantenerse alejado de Parker.

—Su experiencia con él es precisamente lo que me inquieta a mí.

—¿Qué relación tiene con lo que está buscando?

—Según parece, lo han contratado para encontrar al hijo de Karis Lamb.

—¿Está seguro de que el cuerpo es el de Lamb?

—Quedan muy pocas dudas.

—En ese caso, le recomiendo que empiece a pagarle el doble a Giller, para animarle a acelerar el trabajo en su nombre. No sería bueno para usted que Parker diera con el niño primero.

—Para empezar, tal vez tendría que haber contratado a Parker.

—Estoy convencido de que siempre puede preguntarle —dijo el Patrocinador Principal—. Imagino que le interesaría escuchar su versión de la historia.

—Su sarcasmo suena muy hueco procediendo de alguien que ha permitido que esta amenaza perviva. ¿Por qué no está muerto Parker?

—*Estuvo* muerto. Según parece lo resucitaron en el quirófano... más de una vez. De manera que su presencia continuada en el mundo no se debe a que no haya habido intentos de eliminarlo.

—¿Intentos por su parte?

—No directamente.

—¿Por qué no?

—Por ninguna razón en concreto, pero básicamente porque cuenta con aliados, y actuar contra él nos los echaría encima. Aunque no tuvimos nada que ver con el ataque que casi acabó con él, sus repercusiones sí nos afectaron. A consecuencia de eso sigo teniendo que dedicar un tiempo precioso a impedir que se haga una investigación federal.

Quayle bebió su vino. Esperó. Como no parecía inminente que se le ofreciera más información, presionó.

—¿Y?

El Patrocinador Principal no quería ahondar tanto, pero, aunque detestaba a Quayle y habría preferido creer que el abogado era una figura aislada, sabía que no era así: Quayle era el agente de lo numinoso.

—Y —dijo el Patrocinador Principal— Parker puede que sea diferente.

—¿En qué sentido?

Habiendo llegado a ese punto, al Patrocinador Principal no le quedaba más opción que continuar, aunque le doliera.

—Entre los nuestros hay quienes creen que la naturaleza de Parker es, en parte, divina.

Por un momento reinó el silencio en la sala, hasta que Quayle soltó una carcajada.

—¿Por qué?, ¿por haber sobrevivido a un ataque con armas de fuego?

—Porque ha sobrevivido a muchos ataques.

—Usted y sus socios están peor de la cabeza de lo que pensaba.

El Patrocinador Principal no reaccionó al insulto. Los norteamericanos habían soportado siglos de condescendencia de los británicos. Uno acababa acostumbrándose al cabo de un tiempo.

—Usted ha conocido a Parker —dijo el Patrocinador Principal—, ¿qué impresión le causó?

—Un hombre perceptivo. Captó mi interés por él, aunque apenas miré en su dirección. También detectó la presencia de Mors. Es peligroso, supongo. Hasta ahí llegan las pruebas. Pero... ¿divino? No.

El Patrocinador Principal no quiso discutir.

—Incluso si estuviéramos equivocados —dijo—, se pensó que los riesgos que implicaba eliminarlo eran mayores que los posibles beneficios.

—Hasta ahora.

El Patrocinador Principal renunció a seguir disfrutando de su comida y dejó a un lado el cuchillo y el tenedor.

—Deje que Giller haga su trabajo —dijo—. Es de confianza, y tiene efectivo para gastar. Parker no paga sobornos. Giller, sí. Encontrará al niño.

—¿Y si Parker lo encuentra antes?

El Patrocinador Principal enseñó los dientes, literal y metafóricamente.

—Usted está de visita en nuestro país, y hay ciertas normas que está obligado a observar. Haga lo que tenga que hacer. Ponga a su mujerzuela plateada a trabajar si es necesario. Pero ya le he informado: no conviene hacer daño a Parker.

—No ha respondido a mi pregunta: ¿y si él encuentra al niño antes que Giller?

—Escúcheme, Quayle. No me importan sus páginas perdidas. No me importa su búsqueda. No me importa su Atlas. No me importa cuánto tiempo ha vivido o imagina que ha vivido. No me importa ver qué puede pasar si su maldito libro llega a ser restaurado. Espero que incluso mis más lejanos descendientes lleven mucho tiempo en sus tumbas antes de que eso suceda.

»Nosotros no le invitamos a este país, pero puede que requiera nuestra ayuda para abandonarlo. Créame cuando digo que esa ayuda se le dará de buena gana, aunque tenga su precio, del que usted y Mors ya están al tanto. Pero Parker es una pieza de un rompecabezas, un elemento único, puede que crucial, en un complejo entramado, y no se le hará daño hasta que podamos estar seguros de las consecuencias de esa acción. ¿Ha quedado claro?

—Oh, muy claro —respondió Quayle. Dejó a un lado la servilleta, ordenó los cubiertos sobre el plato y entonces inclinó con cuidado el vaso de leche, derramando su contenido sobre el plato que tenía delante—. Impide que el servicio coma lo mismo que sus superiores —explicó—. Sólo por si tienen la tentación de olvidar el lugar que les corresponde. —Entonces se levantó—. Gracias por su hospitalidad. Me perdonará que no me quede para el postre, pero, como usted mismo ha señalado tan oportunamente, no haría bien entreteniéndome si debo encontrar al niño antes que Parker. Mors se encargará de sus otros problemas como recompensa por sus esfuerzos en nuestro nombre. Parker se lo dejaré a usted, y espero que él le mate por su cobardía.

El Patrocinador Principal no se levantó ni hizo gesto de despedirse. Cuando Quayle abrió la puerta, apareció un factótum para acompañarle fuera del recinto, y la puerta volvió a cerrarse tras ellos dejando al Patrocinador Principal brevemente a solas con sus pensamientos, su vino y el olor de sangre y leche.

66

Al no tener noticias de Maela Lombardi, y en vista de que todas las veces que la llamaban al móvil saltaba directamente el buzón de voz, Kes Carroll decidió que se emitiera una Alerta de Plata. Se contactó con los periódicos y los canales de televisión locales y se distribuyó una fotografía reciente de Lombardi, junto con su descripción física y la marca, el modelo y número de matrícula de su coche.

Mientras tanto, Parker recibió una llamada de la teniente Solange Corriveau. Parker se mostró colaborador con ella y sólo se negó a darle el nombre de Molly Bow por el momento, aunque le dejó claro a Corriveau que lo estaba haciendo.

—¿Quiere decirme por qué? —preguntó Corriveau.

—Porque Lombardi era el contacto de la Mujer Sin Nombre en Maine, y eso significa que es la única que puede identificarla. No veo ninguna razón para romper la confidencialidad cuando afecta a otros implicados en proteger a mujeres en peligro.

—En ese caso, ¿por qué no se presentó Lombardi cuando se encontró el cadáver?

—Tal vez porque la Mujer Sin Nombre no llegó a ponerse en contacto con ella, y, de ser así, Lombardi no tenía nada que decir.

—Pero, si ése es el caso, ¿dónde está Lombardi?

Parker no tuvo que repasar mentalmente las posibilidades con Corriveau, porque sabía que ella estaría pensando en las mismas respuestas. La primera era que Lombardi había sido cómplice de lo que le sucedió a la Mujer Sin Nombre —y a su hijo— y optó por huir cuando la investigación empezó a cobrar cuerpo. Pero, dado el compromiso de Lombardi con las mujeres en peligro, eso parecía improbable, por no decir absolutamente fuera de lugar.

La segunda posibilidad era que Lombardi conociera la identidad de la difunta, pero prefiriera mantenerla oculta para proteger al niño. Eso seguía sin explicar la ausencia de Lombardi, a no ser que ahora estuviera en la carretera con la criatura detrás.

La tercera posibilidad era que el hecho de que Lombardi conociera a la Mujer Sin Nombre suponía un peligro para aquellos que la habían enterrado y habían hecho desaparecer al niño, y eso significaba que Lombardi podría estar muerta a esas alturas.

La última posibilidad era una que Parker tendría que abordar con Molly Bow antes de que la policía o él mismo pudieran investigarla más a fondo: que había alguien más interesado en la Mujer Sin Nombre o su hijo, y había rastreado su huida a través de la red de refugios.

Lo cual tampoco presagiaba nada bueno para Maela Lombardi.

Parker prometió a Corriveau que se mantendría en contacto con ella. Le sorprendió que últimamente estuviera haciendo tantas promesas similares a las fuerzas del orden. Tendría que empezar a facturar sus llamadas al Estado.

Apenas había colgado a Corriveau cuando su teléfono volvió a sonar. El identificador de llamadas le dio un nombre.

—Molly —dijo Parker.

Y Molly Bow contestó:

—Creo que deberíamos hablar.

67

Moxie Castin había dejado de darle vueltas sin parar al asunto de la Mujer Sin Nombre. Al contratar a Parker, creía haber hecho todo lo que estaba en sus manos por ella y el niño, si es que el niño seguía con vida. Moxie no era un judío especialmente creyente ni practicante, pero valoraba la sutil distinción entre *mitzvé* y *mitzvá*. Técnicamente, un *mitzvé* era algo que se hacía por otra persona, una buena obra; un *mitzvá* representaba la voluntad de Dios. Al financiar en privado la búsqueda del hijo de la Mujer Sin Nombre, Moxie pensaba que estaba matando dos pájaros de un tiro: era una buena obra y seguramente también representaba la voluntad de Dios.

Un número considerable de los colegas de Moxie en la comunidad legal de Maine opinaban que cometía una locura al relacionarse con Charlie Parker. Moxie compartía esa opinión a veces, pero en general no era así. A su modo, pensaba Moxie, la presencia en esos momentos de Parker en su vida también podía cubrir un par de *mitzvot*.

Además, Parker hacía que la vida profesional de Moxie resultara interesante, y que, esporádicamente, hasta mereciera la pena. Por el contrario, Moxie estaba revisando en ese momento el expediente de una mujer que afirmaba haberse resbalado sobre nieve artificial en un centro comercial, con el resultado de un tobillo roto, un hombro dislocado y la agresión sexual de un elfo de plástico. Moxie no estaba muy seguro de que un elfo de plástico, tratándose de un objeto inanimado con forma de ser mítico, pudiera cometer una agresión sexual, pero por la declaración de la mujer y el testimonio de varios testigos sorprendidos, quedaba claro que ella había caído de manera tan ridícula como íntima sobre el pie estirado de uno de los elfos de Santa Claus. Ese pie suponía al menos unos diez mil dólares más de indemnización, así que Moxie había pedido que el elfo en cuestión fuera envuelto en plástico y conservado como prueba. Era un caso fácil, en el que lo único que había que dirimir era la gravedad de los daños, pero no puede decirse que fuera un *mitzvé,* y menos aún uno de los seiscientos trece *mitzvot.* A Moxie no le hacía falta comprobarlo para estar seguro de ello.

Así que cuando oyó la voz de su secretaria al teléfono, Moxie agradeció que lo distrajeran de la lectura de los detalles íntimos del moratón a causa del incidente del elfo, incluso antes de que ella le dijera de qué quería hablar la persona que llamaba.

La mujer del bosque.

Parker quedó con Molly Bow en Augusta, que, aunque no era equidistante entre Portland y Bangor, implicaba unas molestias similares para ambos, sobre todo si Parker tenía pocas ganas de conducir todo el trayecto hasta Bangor para escuchar algo que Bow debería haberle contado la última vez que se vieron.

Bow ya estaba esperándolo cuando Parker llegó al Fat Cat's, en State. Estaba bebiendo algo que parecía sano y orgánico y seguramente contenía leche de soja, una bebida que a Parker le parecía que quitaba las ganas de volver a pisar una cafetería. Se acercó a ella antes de dirigirse a la barra, extendió la mano y le pidió tres dólares.

—¿Para qué?

—Para mi café. Supongo que tengo que cobrarte también la gasolina, pero esperaré a escuchar lo que tengas que decir antes de echar cuentas.

Bow farfulló, pero acabó sacando un billete de cinco de su bolso.

—Quiero el cambio.

Parker pidió un americano, dejó una buena propina, y recogió veinticinco centavos.

—Tu cambio.

—Eres un hombre desesperante.

—No lo sabes tú bien. —Dio un sorbo al café—. A ver, ¿qué no me contaste ayer?

A Bow no le hacía gracia que la obligaran a reconocer un error, así que cada una de sus palabras fue como si le clavaran una espina en la lengua.

—Que aparte de Maela conocía a más personas.

Eso ya lo sospechaba Parker.

—¿Alguien más en Maine?

—No, en eso te dije la verdad; Maela es la única por lo que concierne a este estado. El otro nombre es el de una mujer en Sioux City. También ha estado intentando ponerse en contacto con Maela, así que ha acabado llamándome a mí.

—¿Y?

—Me contó que hace un par de semanas, en un incendio en Cadillac, Indiana, murió un hombre llamado Errol Dobey. Era el dueño de un restaurante, además de comerciar y coleccionar libros raros. Estaba muy implicado en lo que hacemos. Su novia, Esther Bachmeier, desapareció por la misma época. Ella también estaba implicada.

—¿Qué dice la policía?

—No hay indicios de que el fuego no fuera accidental. A Dobey le gustaba fumar un poco de maría a última hora de la noche, y ya había tenido un par de sustos en el pasado. Perdió parte de su colección en un incendio en 2008, pero parecía que desde entonces era más cuidadoso.

—¿Y Bachmeier?

—No era de las que van por ahí provocando incendios, ni deliberada ni accidentalmente, o eso me han contado. Dobey y ella eran buenas personas. Bueno, Dobey lo era, y Esther, supongo que todavía lo será. Dios, ya me entiendes. No tendría que hablar de ella en pasado.

—Yo he hecho lo mismo esta mañana al hablar con la policía del estado sobre Maela Lombardi. —Captó la mirada de Bow—. No mencioné tu nombre, y Solange Corriveau tampoco me presionó al respecto, pero si lo que vas a contarme es relevante para la investigación, tendré que compartirlo con la policía.

Bow no planteó ninguna objeción. Parker vio que estaba nerviosa. Esperó a que prosiguiera.

—La noche después del incendio —dijo Bow—, alguien intentó secuestrar a una de las camareras de Dobey, una chica llamada Leila Patton, delante de su propia casa. Patton empezó a gritar y se resistió. Consiguió pinchar a su agresora con una llave, Patton cree incluso que pudo hacerle daño en la cara, porque había sangre en la llave cuando todo acabó.

—¿«Agresora»?

—La atacante era una mujer. Enmascarada, pero con toda seguridad una mujer.

—¿Y qué relación tiene eso con Lombardi? —preguntó Parker.

—Hará unos cinco años (mi contacto de Sioux City no estaba segura del todo de las fechas porque no es de la que lleva registros formales), Dobey y Bachmeier podrían haber enviado a una mujer a Maine, vía Chicago. Una con un embarazo muy avanzado.

—¿Tenía nombre esa mujer?

—Karis.

—¿Apellido?

—Mi contacto lo desconocía, y al menos uno de los que lo sabía está ahora muerto.

Parker anotaba todo en su cuaderno. En los buenos tiempos, cuando era más joven y vigoroso, se habría fiado de su memoria, pero ya no.

—Necesito el nombre y el número del contacto.

—No. Me contó todo lo que podía. Te lo garantizo. Me puedes echar a la policía encima si quieres, pero no servirá de nada.

—Lo siento, pero como ya te he advertido, seguramente tendré que hacerlo. No creo que para ti suponga demasiados inconvenientes, pero seguir ocultando tu nombre a mí sí me causaría un montón de problemas.

—Tú verás.

—¿Y qué me dices de Leila Patton? ¿Alguien tiene su número de teléfono?

Una vez más, en los buenos tiempos, Parker habría marcado el 411 de información telefónica, pero, al parecer, la mitad de la gente que conocía sólo utilizaba móviles y ése era el caso por partida doble entre los menores de treinta.

—Preguntaré.

Parker siempre podía llamar a la policía de Cadillac, suponiendo que Patton hubiera denunciado el intento de secuestro, pero en el pasado había tenido todo tipo de experiencias con los departamentos de policía de pueblos pequeños, hasta el punto de que al menos uno había participado en un intento de asesinarlo. Dadas las circunstancias, era comprensible cierta cautela por su parte.

—¿Podrías hacerlo ahora? —preguntó.

Bow salió afuera a hacer la llamada. Parker la observó mientras caminaba arriba y abajo. Vio que había entablado una conversación, que no dejaba un mensaje. Eso era una buena señal.

Comprobó sus notas. Karis no era un nombre habitual, y no habría muchas personas desaparecidas que se llamaran así. Eso suponiendo, claro, que se hubiera denunciado su desaparición. Que no se hubiera presentado un aluvión de gente preocupada para dar ese nombre como una posible identidad de la difunta indicaba que tal vez no había sido el caso.

Molly Bow volvió.

—Va a llamar a Leila para asegurarse de que le parece bien que te dé su número. No le he dicho que probablemente la encontrarás de todos modos. No me pareció que ayudara.

Bow dejó el teléfono en la mesa, pero lo puso en silencio, de manera que si entraba una llamada, se iluminara sin montar ningún alboroto.

—Una mujer con mis mismos gustos —comentó Parker.

—Espero que no, sinceramente. —Bow se mordisqueó el labio inferior—. He visto la Alerta de Plata por Maela. ¿Sirven de algo?

—A veces, si un anciano simplemente se ha perdido.

—Pero Maela no se ha perdido, ¿no?

—Lo dudo.

—Para mí no tiene ningún sentido. ¿Por qué iba a querer alguien hacerle daño a Maela, a Dobey o a cualquier otro por ese cadáver encontrado en el bosque? Lo único que podrían saber ellos era su nombre.

—Si Karis es la Mujer Sin Nombre, estaba huyendo de alguien. Dado que estaba embarazada, esa persona tal vez fue contratada por el padre del niño, o es el propio padre.

—Pero qué sentido tiene matar a alguien... sólo para averiguar qué ha sido de un bebé.

—Has conocido a hombres que estaban dispuestos a matar a sus parejas por intentar alejarlas de sus hijos.

Bow se lo pensó.

—Sí, los he conocido. Incluso puedo entender el tipo de rabia y narcisismo que da lugar a esa reacción. Pero si la mujer enterrada en el bosque es Karis, lleva mucho tiempo muerta. No puede hacérsele más daño. Por lo tanto, ¿qué intenta conseguir esa persona al ir a por Maela y los demás?

—Descubrir dónde está el niño. Lo demás podría ser simple venganza.

—¿Venganza?

Parker estaba pensando en voz alta. Apenas se daba cuenta de la presencia de Bow.

—Por haberse implicado. Por ayudar a ocultar a Karis. Por proteger al niño. Es el padre. Tiene que serlo.

El teléfono que tenían delante se iluminó. Bow lo cogió y volvió a salir, pero no antes de que Parker le diera su pluma y una hoja que arrancó de su cuaderno. Cuando volvió, había un número escrito en el papel.

—Leila Patton hablará contigo —dijo.

Parker acompañó a Bow hasta el coche, un sol agradable les templaba la cara. Daban ganas de pasear sin chaqueta si se estaba dispuesto a confiar en la clemencia continuada del tiempo y, de hecho, en la de Dios mismo. Parker no estaba predispuesto, en ninguno de los dos sentidos.

Al otro lado del aparcamiento, una mujer ponía a un bebé en el asiento infantil de la parte de atrás de su coche. Mientras se afanaba en ello, su otro hijo, un niño de unos tres años, salió corriendo en busca de libertad. Parker estaba a punto de avisarla a gritos cuando la mujer vio lo que pasaba y fue tras el niño.

Así de fácil era, pensó Parker: un momento de descuido.

La Mujer Sin Nombre tenía ahora una posible identidad: Karis. ¿Cómo fue posible que desapareciera sin que nadie se preocupara por lo que pudiera haberle sucedido? ¿Mala suerte, enfermedad mental, pobreza? Ésas eran circunstancias, no excusas. No podían utilizarse para justificar una tumba sin identificar. Ahora ya era demasiado tarde para ella, pero tal vez no para su hijo. Moxie Castin lo entendía, y también Parker.

Dio unas palmadas en el techo del coche de Molly Bow cuando ésta arrancó, ya no estaba irritado con ella en absoluto, porque Molly sentía la misma preocupación que él.

Una mujer con sus mismos gustos.

Moxie Castin intentaba recordar la última vez que había tenido una conversación telefónica tan frustrante como la que mantenía en ese momento. El hombre al otro extremo de la línea llamaba desde un teléfono público, pero parecía creer que Moxie contaba con los mismos recursos que la NSA para localizar el paradero de quienes se ponían en contacto con él. Además, colgaba siempre antes de que pasaran tres minutos, al creer —seguramente por ver demasiadas películas— que se requerían más de tres minutos para que las fuerzas del orden localizaran una llamada. Moxie intentó convencerlo de que ése no era el caso desde 1980, aunque Moxie no rastreaba llamadas por entonces, como tampoco intentaba localizar ésta. Pero el hombre le replicó a Moxie, no sin cierta razón, que eso era lo que diría alguien que intentara localizar una llamada, y así acabaron otros tres minutos y a Moxie le llegó el sonido de que estaban volviendo a llamar.

Por la voz y sus conocimientos con respecto a teléfonos y aplicación de la ley, Moxie supuso que el que llamaba no era joven. También supo que era de Maine, eso lo dejaba claro el acento. Pero, más importante, Moxie creía que ese hombre podía ser quien había enterrado a la Mujer Sin Nombre, lo que significaba que también conocía la suerte del niño.

—Nosotros no la matamos —dijo el hombre cuando llamó por tercera vez.

Moxie escribió «nosotros» en letras mayúsculas en su cuaderno legal, junto a las notas que estaba tomando taquigráficamente de cuanto se decía.

—¿Quiénes somos «nosotros»?

Su interlocutor pareció darse cuenta de que había cometido un error, pero ya no podía echarse atrás. Moxie miró el reloj. Habían transcurrido noventa segundos, quedaban otros noventa.

—No importa.

—Vale.

—Estaba mal cuando la encontramos. Empezó a dar a luz sola, en el bosque, pero sangraba mucho cuando llegamos hasta ella. Mi... Bueno, uno de nosotros tenía algún conocimiento de primeros auxilios, pero no los suficientes para salvarla, ni de lejos.

—¿Cómo se llamaba? —preguntó Moxie.

Una pausa, y luego:

—Karis. Ése era su nombre de pila, y es todo lo que voy a contarle por ahora.

—¿Qué me dice de la criatura?

—El niño estaba vivo. Y lo sigue estando.

Moxie añadió «varón» en su cuaderno.

—Nos pidió que lo cuidáramos —prosiguió el hombre—. Quería que lo mantuviéramos a salvo.

—¿Por qué no llamaron a la policía o a los servicios sociales?

—Nos hizo prometerle que no lo haríamos justo antes de morir. Dijo que el niño correría peligro a manos del padre si lo hacíamos.

Moxie decidió jugársela.

—¿Cómo sé que me está contando la verdad de todo esto? No pretendo ofenderle, pero en casos como éste se presenta un montón de gente rara contando historias descabelladas.

—¿Y por qué iba a llamarle para mentir?

El hombre pareció genuinamente desconcertado. En circunstancias menos agobiantes, Moxie le habría contado la triste verdad de que muchos individuos le llamaban sólo para mentir, sobre todo para no ir a la cárcel. La abogacía no era un buen negocio si uno valoraba la verdad, o incluso la justicia. Era lo único que Moxie podía hacer para no acabar ahogado en cinismo.

—Bueno —dijo Moxie—, la gente va contando cosas porque quiere sentirse importante o porque está sola.

—Yo sé que no soy importante, y no estoy solo.

—Algunos simplemente están locos.

—Tampoco estoy loco.

—Al menos, no lo parece —reconoció Moxie—, pero lo que me cuenta puede ser cierto o no, no tengo forma de saberlo sin que...

—Grabé una estrella de David en un árbol cerca de donde la enterré.

—Eso ha salido en las noticias.

—La grabé en una pícea, de cara al norte. Empecé a añadir una fecha, pero me lo pensé mejor, así que la corteza está dañada por debajo de la estrella.

Eso podría comprobarse fácilmente, por lo tanto, ¿por qué iba a mentir al respecto su interlocutor?

—Muy bien —dijo Moxie—. Ahora le creo. ¿Por qué grabó la estrella?

—Porque ella llevaba una estrella de David en una cadena alrededor del cuello. Me pareció que era lo correcto.

—¿Todavía conserva esa cadena?

Se acabó el tiempo, y la llamada quedó interrumpida por tercera vez.

Moxie aprovechó la pausa para llamar a su secretaria.

—Pon a Parker en línea, luego pon la siguiente llamada en altavoz en tu teléfono para que pueda oírla desde su móvil. Quiero que la escuche.

Pero el teléfono no volvió a sonar.

68

El Patrocinador Principal no abandonó el Colonial Club en cuanto acabó de comer. Se tomó su tiempo, leyó los periódicos e hizo algunas llamadas. Como en tantos otros aspectos, el Colonial tenía normas estrictas sobre el uso de móviles y dispositivos similares en su interior. Ésa era una de las ventajas de ser miembro por lo que al Patrocinador Principal concernía, porque el mundo más allá de las paredes del club era cada vez más hostil al silencio, o incluso a los buenos modales, en cuanto aparecían las comunicaciones electrónicas.

El Patrocinador Principal suponía que, con el tiempo, se produciría una reacción contundente contra la ubicuidad de los móviles, algo que él procuraba acelerar mediante sus inversiones. Era el mayor inversor en la idea de una cadena de cafeterías que prohibirían hacer o recibir llamadas telefónicas, y a aquellos que se empeñaran en ver películas o vídeos en sus pantallas se les exigiría que llevaran auriculares. La idea se le había ocurrido tras un viaje a Rusia, donde participó en una reunión en un restaurante de Moscú que mantenía esa prohibición y requería que todos los móviles se entregaran a la recepcionista en la puerta. En el caso de que un cliente recibiera una llamada, se enviaba un recadero a la mesa para preguntar si el comensal deseaba contestarla, y, de ser así, se le invitaba a entrar en una cabina para garantizar que a nadie le molestara la conversación. El Patrocinador Principal creía con optimismo que el modesto riesgo que había asumido rendiría beneficios tanto financieros como en términos de proporcionarle otro refugio frente a los maleducados.

Ahora, en una de las dos únicas salas del Colonial donde estaba permitido utilizar un teléfono —con discreción y a un volumen mínimo—, el Patrocinador Principal realizó una llamada múltiple para hacer un resumen de su conversación con Quayle a dos de sus socios de mayor confianza.

—¿Podemos estar seguros de que no irá a por Parker? —preguntó la primera socia, cuya voz generaba un leve eco por su altavoz Bluetooth.

—Se lo dejé todo lo claro que pude.

—El problema es que el camino de Parker ya se ha cruzado con el de Quayle. Una confrontación entre ellos tal vez sea inevitable.

—En ese caso, esperemos que Quayle encuentre lo que ha venido a buscar y se vaya antes de que suceda.

—Tengo la impresión —apuntó el segundo Patrocinador— de que ayudar a Quayle nos está causando muchas molestias y gastos, y lo único que parece probable que recibamos a cambio es exasperación.

—Le he dejado bien claro a Quayle el precio de nuestra colaboración —dijo el Patrocinador Principal.

—¿Que es...? —preguntó la mujer, que no sabía nada al respecto.

—Hemos contratado los servicios —dijo el Patrocinador Principal— de su asesina domesticada.

Desde su vehículo, Mors observó la limusina que se detenía en Commonwealth Avenue. Al cabo de un momento, apareció el Patrocinador Principal en la puerta del club, con el abrigo colgado del brazo, bajó lentamente las escaleras y se dirigió hacia el conductor que esperaba junto a una de las ventanillas traseras del coche.

—¿Qué quieres que haga con él? —preguntó ella.

—Nada —contestó Quayle desde el asiento de atrás—. Por ahora. Y agilizaremos su petición de ayuda, a no ser que tengas alguna objeción.

—Ninguna, pero sé que estás preocupado. ¿Ha perdido la fe?

—Creo que está asustado.

—¿De qué?

—De todo lo que está por venir.

Mors giró levemente la cabeza para poder ver el reflejo de Quayle en el retrovisor.

—Cuando mueras —dijo ella—. Yo también moriré. No quiero quedarme aquí sola.

—Me conmueves —dijo Quayle, pero no la miró al decirlo.

—No seas cruel —dijo ella—, conmigo, no.

Y Quayle pensó que, en otra vida, él casi la habría querido.

69

Parker estaba sentado en el despacho de Moxie Castin. El abogado había grabado todas las conversaciones con el hombre que afirmaba haber enterrado a la Mujer Sin Nombre y se las había puesto dos veces a Parker.

—Es de Maine, y seguramente vecino de Piscataquis —dijo Parker, confirmando lo que había pensado Castin—. Pero lo suponemos porque conocemos la ubicación de la tumba.

—Y parece que tiene al niño, o sabe dónde está.

—Lo tiene; si no, no llamaría.

—Lo que significa que está preocupado —dijo Moxie—. ¿Crees que eso podría impulsarle a hacerle daño?

—Si nuestro hombre dice la verdad, que se ocupara del niño fue la última voluntad de la madre. ¿Por qué iba a hacerle daño ahora? Si ésa fuera su intención, no se habría tomado la molestia de llamarte. Para empezar, ni siquiera sé muy bien por qué lo ha hecho.

—No es precisamente un secreto que estás investigando esto, y has aparecido por la televisión relacionado con el caso. En el pasado has trabajado para mí, así que no es difícil pensar que yo podría estar implicado o tal vez podría servir de canal de comunicación. Creo que quiere hacer un trato, y piensa que será más fácil si él da el primer paso para el acercamiento en lugar de esperar a que la policía o tú llaméis a su puerta.

—Me pregunto si estará casado —dijo Parker.

—Eso parecía. Dijo «nosotros», así que mantiene, o mantenía, algún tipo de relación.

—Es duro renunciar a un niño que has criado desde que nació.

—A lo mejor tiene la esperanza de que no se llegue a ese extremo.

—¿Tiene posibilidades?

—Muy pocas.

—¿Incluso contigo de su parte?

—Incluso conmigo.

—No será eso lo que quiera escuchar si vuelve a llamar.

—Por eso no se lo diré —dijo Castin—. Y volverá a llamar, no te quepa duda.

El sol se estaba poniendo, y Parker estaba cansado. Había dejado un mensaje para Leila Patton después de despedirse de Molly Bow, pero hasta el momento ella no le había devuelto la llamada. Esperaba que Patton no se lo hubiera pensado mejor. No quería verse obligado a viajar hasta Indiana para buscarla, y eso en el caso de que ella tuviera algo interesante que contarle. Pero ya había hecho viajes más largos con peores excusas y a veces servían de algo.

—¿Cómo vamos a manejárnoslas con la policía? —preguntó.

—Tenemos que atraer al tipo misterioso que ha llamado y eso requiere confianza —dijo Moxie—. No voy a decir nada a la policía hasta que oiga su versión de la historia.

—Al menos ha confirmado el nombre que dio el contacto de Molly Bow.

—Karis —dijo Moxie, para ver cómo sonaba—. No creo haber conocido a ninguna mujer llamada Karis.

—Y eso que has conocido a mujeres de sobra para toda una vida.

—Mi problema es que me casé con la mayoría. Las pensiones que tengo que pagar equivalen a la deuda nacional.

—Trágico —dijo Parker—. Deberíamos comunicarle a Corriveau la pista de Karis.

—¿Quieres hacerlo tú?

—No, creo que deberías encargarte tú. Si le ofreces toda la colaboración que puedas por adelantado, es posible que nos apoye cuando finalmente convenzas a nuestro hombre de que se presente con el niño. En cualquier caso, después de hablar contigo, Corriveau se pondrá en contacto conmigo.

Moxie cruzó las manos sobre la barriga. Su traje, camisa y corbata eran de seda, y muy caros, aun así le quedaban espantosamente mal. Hacía años que Parker conocía a Moxie y todavía no sabría decir si el abogado elegía deliberadamente ropa incompatible con su complexión, o si el corte de cualquier atuendo se fastidiaba en cuanto él se lo ponía. Ése era, suponía Parker, uno de los grandes misterios de la vida.

—Y estás preocupado por Maela Lombardi —dijo Moxie.

—Más de lo que lo estaba antes de que Molly Bow me contara lo que había pasado en Cadillac, Indiana.

Parker tenía la sensación —recurrente en el curso de sus investigaciones— de que le rodeaba una serie de piezas dispares, y de que algunas, ninguna o todas podían estar relacionadas. El reto consistía en resistirse a imponer un patrón donde no existía ninguno, porque hacerlo era seguir una vía que podía alejarle de la verdad. Había aprendido a examinar aisladamente cada pieza del rompecabezas, mientras, a la vez, permanecía al tanto de los lugares donde encajaban las pestañas y las ranuras con la esperanza de conformar finalmente una imagen por el momento desconocida. En cualquier situación, esta tarea la dificultaba el hecho de que cada pieza estaba sujeta a múltiples interpretaciones. Cada una era un significante, pero también podía ser lo significado. La investigación práctica como semiología: quizá, pensó Parker, podría escribir un manual sobre el tema, si vivía lo bastante y se aburría mucho.

—¿Quieres ir hasta allí? —preguntó Moxie.

—¿A Indiana?

—Sí.

—¿Has estado en Indiana?

—No. Creo que ni siquiera conozco a nadie que haya estado. Serás el primero.

—Todavía no he dicho que vaya a ir.

—No te he preguntado si vas a ir; sólo si querías ir. Son dos preguntas distintas.

—No recuerdo haber subido al estrado, su señoría.

—Viejas manías que tiene uno.

Parker no quería ir a Indiana, pero Leila Patton seguía sin ponerse en contacto y él temía que acabara huyendo. El viaje a Indiana podía suponer una o dos noches fuera, si todo iba bien. También había vuelos directos de Boston a Cincinnati, el aeropuerto más cercano, por poco, a Cadillac, y eso le ahorraría un transbordo. Pero seguía siendo Indiana. No tenía nada contra ese estado; simplemente no quería ir.

—Pareces impaciente por librarte de mí —dijo Parker.

—En absoluto. Pero si la desaparición de Lombardi está relacionada con la muerte del tal Dobey y la desaparición de Bachmeier, eso significa que alguien se está esforzando mucho, visto el incidente de Patton, por encontrar al niño desaparecido.

—Lo que significa que el tipo que ha llamado no sólo tiene que preocuparse de nosotros y de la policía.

—Puede que ya lo sepa —dijo Moxie—, y que ése sea el motivo por el que se ha puesto en contacto.

—Razón de más para que lo atraigas cuanto antes.

—Haré todo lo posible. Mientras tanto, vete a casa y descansa un poco. Pareces agotado. No me gusta verte así. Podrías obligarme a que me preocupe. Ya te informaré de lo que me diga Corriveau.

Parker ya estaba en la puerta cuando Moxie gritó como si fuera una versión mejor alimentada de Colombo:

—Una cosa más. ¿Sabes algo nuevo de Bobby Ocean o el idiota de su hijo?

—Nada.

—Bien. —Moxie volvió a sus papeles—. Ese cabrón de chaval es un problema.

70

Las farolas iluminaban la pintura llena de manchas de la camioneta de sustitución que las circunstancias habían obligado a conducir a Billy Ocean. Cada vez que Billy se sentaba al volante de ese montón de mierda de segunda mano, se acordaba de su difunta Chevy. Dado que tenía que conducir la camioneta usada para trabajar y así justificar el salario que le pagaba su padre, se veía forzado a recordar constantemente lo que había perdido.

Bobby Ocean tenía propiedades esparcidas por Portland, South Portland, Westbrook, Gorham y Auburn. La tarea más importante de su hijo era gestionar esas propiedades, una tarea que Billy cumplía con la peor actitud imaginable. Hacía caso omiso de, como mínimo, una de cada tres llamadas que recibía en su teléfono de la empresa, pues siempre eran quejas relativas a humedades, ruido, cañerías, olores, basura, ratas y cucarachas, y uno no podía escucharlas sin que le entraran ganas de descalabrar a alguien. Siempre había algún problema pendiente que resolver, o, más bien, no resolver, como solía ser el caso.

El incumplimiento de los deberes laborales por parte de Billy podría haber supuesto un grave problema si su padre hubiera estado al tanto, aunque sólo fuera porque Bobby Ocean no quería ningún problema con los inspectores de urbanismo. Pero como la empresa de gestión no llevaba el nombre de la familia, y la mayoría de los inquilinos eran pobres o inmigrantes con poco dominio del inglés (a los Stonehurst les encantaba exprimir a los no nativos por tener la temeridad de infestar los Estados Unidos) o deficientes mentales, Billy podía pisotearlos sin tener que preocuparse por si alguien presentaba alguna denuncia a una autoridad superior. Los inquilinos sólo contaban con la empresa de gestión como contacto y, aparte de una única secretaria, Billy era la empresa entera.

El hecho de que los alquileres fueran bajos y que los ocupantes vivieran atemorizados de encontrarse en la calle si montaban algún lío ayudaba. Pero, en cualquier caso, tarde o temprano acabarían en la calle, como Billy sabía. La gentrificación había provocado que los alquileres en la ciudad subieran el cuarenta por ciento en cinco años, y varias personas influyentes, entre ellas Bobby Ocean, se ocupaban de limitar las posibilidades de estabilización de los precios. Al final, incluso los apartamentos que eran propiedad de los Ocean se volverían inasequibles para muchos. En ese momento, merecería la pena invertir algún dinero en las viviendas y encontrar inquilinos con un nivel de ingresos un par de escalones por encima de los actuales, tal vez unos que pudieran mantener una conversación en inglés, o que no se quedaran boquiabiertos cuando no hablaban.

Pero hasta que sucediera eso, Billy se sentía razonablemente satisfecho manipulando un sistema que estaba creado a propósito para la explotación de los pobres. Su padre prestaba poca atención mientras el dinero siguiera entrando y no se le incordiara con problemas de mierda. Eso dejaba las manos libres a Billy para cobrar multas en efectivo por las menores infracciones; considerar las fianzas como no reintegrables, utilizar cualquier excusa —desde una mancha en la alfombra a un estante roto— como justificación para una retención, y dar rienda suelta a sus conocimientos de abogado con un título sacado por correspondencia para aprovechar las fisuras de los contratos, reales o supuestas, básicamente en forma de amenazas regulares de denunciar que no se había avisado con el tiempo requerido que se iba a abandonar el piso, porque incluso si se había hecho, resultaba difícil de probar. Esa gente carecía de los recursos para presentar una notificación a través de sus propios abogados o contables porque apenas si les llegaba para comer todos los días, y eso que, a Billy, lo que comían le parecía bazofia extraterrestre y le olía a basura. Y, así, Billy embargaba sin problemas los salarios y cuentas bancarias de media docena de personas que no habían hecho nada peor que firmar un contrato de arrendamiento con una empresa deshonesta.

Billy esperaba dejar todo eso algún día. Detestaba tener que arreglar retretes rotos y recoger basura que se desbordaba. Dirigir el Gull podría ser el primer paso a cosas mejores y más grandes. Su padre le había confiado un nuevo negocio, y estaba en manos de Billy sacarlo adelante, con lo que demostraría ser capaz de asumir mayores responsabilidades.

Al pensar en su padre, Billy se dio cuenta de que se estaba tocando la mejilla izquierda, donde le había abofeteado. Ya no la tenía roja, pero todavía le dolía en lo más hondo. Y todo por dejar unos folletos bajo los limpiaparabrisas de los coches en la calle; todo porque Billy había decidido hacer públicas sus opiniones.

Billy se preguntó si el negro que le había volado la camioneta sería uno de sus inquilinos actuales o lo había sido en el pasado. Tenía un par de somalíes en un piso en Gorham, y no le cabía duda de que alguno estaba concienciado políticamente, pero no tenía claro que ellos supieran siquiera qué aspecto tenía una bandera confederada, o, si lo sabían, qué significaba. Por otro lado, simplemente podrían haber visto su camioneta y decidir desquitarse por el basurero donde vivían. Pero Billy llegó a la conclusión de que, bien pensado, parecía muy improbable.

Por descontado, también era posible que alguien se hubiera enterado de sus actividades extraoficiales, las que implicaban meter panfletos racistas bajo felpudos y limpiaparabrisas en plena noche. Billy no sabía gran cosa del Klan más allá de las sábanas y las cruces ardiendo, y le interesaba menos todavía averiguarlo, pero sí entendía el valor de la marca.

Y eso le llevó de vuelta a las banderas.

Y eso le llevó de vuelta, como siempre, al negro en el bar.

Billy Ocean no iba a olvidar el incidente.

Era una cuestión de principios.

71

Angel dormía. Había transcurrido un día desde su regreso al apartamento del Upper West Side que compartía con Louis, en el edificio que ambos poseían porque todo lo de Louis era también de Angel. Eso, pensaba Louis, no era seguramente una situación anómala para Angel: como ladrón profesional durante buena parte de su vida, Angel se sentía cómodo al concebir el sentido de propiedad como algo fluido, y las volátiles ambigüedades del término.

En el apartamento de la planta baja, como sabía Louis, la señora Bondarchuk estaría viendo la televisión rodeada de sus alborotadores lulús de Pomerania, la mejor raza de perro guardián. La señora Bondarchuk ya estaba de inquilina cuando Louis compró el edificio, y no vio razones para alterar el acuerdo. Pagaba un alquiler tan bajo que hasta ella misma se avergonzaba, y les suministraba una variedad de guisos contundentes y comidas horneadas para compensar cualquier desequilibrio. También mantenía una vigilancia continua del edificio, sus vecinos, el entorno y cualquiera que se detuviera en la calle más tiempo del necesario para atarse los cordones, recibir una llamada o parar un taxi. Tenía colocado el televisor de tal manera que con sólo una mirada a su izquierda podía asegurarse de que todo estaba bien. También optó por asumir la ficción de que los dos caballeros que ocupaban las plantas superiores eran meros inquilinos, como ella misma; y aunque su educación era europea oriental, católica y profundamente conservadora, se sentía agradablemente escandalizada por su sexualidad. Hacía que se sintiera exótica por asociación.

Louis cogió un paño húmedo y enjugó el sudor de la cara de Angel. Angel no reaccionó, y continuó respirando superficialmente en su sueño inducido por los narcóticos. Sólo el movimiento de su pecho, subiendo y bajando, alteraba la quietud de su figura.

«Éste será el aspecto que tendrá cuando muera», pensó Louis. «Me está obligando a que lo vea así.»

La enfermera apareció por detrás de Louis.

«No quiero que me deje, me vendré abajo.»

—Puedo sustituirle, si quiere —dijo.

El equipo de tres enfermeras que cuidaban de Angel alternándose, cada una solapando su jornada durante una hora con otra, había sido cuidadosamente elegido. Su agencia era conocida por su discreción, su personal había atendido las necesidades de príncipes, dictadores y criminales. Los criminales, según el dueño de la agencia, eran siempre los más educados.

—Gracias —dijo Louis. Dejó el paño en su cuenco, reajustó la manta sobre el pecho de Angel y alisó las arrugas.

—Ya tiene el número. Llámeme para cualquier cosa.

Louis sabía que debía permanecer junto a Angel, pero no podía. Huía de nuevo. Era un cobarde.

—Lo haré —dijo la enfermera—, pero estará bien.

Ella se sentó en la silla y Louis cerró la puerta silenciosamente a sus espaldas. Cuando se despertara, Angel entendería la razón de la ausencia de su compañero. Esos periodos de fuga eran la única forma con la que Louis podía quitarse de encima el miedo que crecía en su interior, y así ser fuerte para ese hombre al que amaba.

El edificio contaba con tres apartamentos, de los cuales sólo dos estaban ocupados. El de la segunda planta era utilizado por épocas como taller, oficina y lugar de retiro tanto por Angel como por Louis —casi siempre el primero, pero esporádicamente también el segundo— cuando uno u otro desquiciaba a su compañero. En ese momento servía de hogar a los hermanos Fulci, que seguirían vigilando a Angel —por *muy* poco tiempo, rogaba Louis— durante la primera fase de su recuperación, con lo que Louis podía ausentarse con mayor facilidad. La señora Bondarchuk, atenta siempre a todo lo que pasaba, no tenía armas.

Por otro lado, tampoco estaba loca.

Pero lo cierto es que parecía curiosamente encariñada de los Fulci, de Pauli en particular, que en ese momento estaba viendo la televisión con ella. Tony, mientras tanto, estaba sentado en el salón del apartamento que ocupaban, con la puerta abierta mientras trabajaba en una maqueta inmensa del USS *Constitution*. Según su hermano, el terapeuta de Tony le había recomendado la construcción de maquetas de barcos como método para calmarse. Tony había calculado que cuanto más grande fuera la maqueta, más valor terapéutico tendría, y por eso el USS *Constitution* mediría un metro de largo cuando estuviera acabado.

Falso, había que tachar lo anterior y sustituirlo por: si es que llegaba a acabarlo. Ésta era, según parecía, la decimosegunda maqueta en la que se había embarcado Tony. Las once anteriores habían sido destruidas en ataques de ira en diversas fases de construcción. El terapeuta de Tony, pensaba Louis, se agarraba a un clavo ardiendo.

Louis se puso la americana y cogió el abrigo. El coche lo esperaba fuera. Cuando no conducía él, Louis utilizaba los servicios de un chófer uzbeco llamado Alex. Louis no se fiaba de mucha gente, pero Alex era uno de los pocos elegidos.

Se despidió de los Fulci y de la señora Bondarchuk. Instintivamente comprobó que no hubiera nadie en la calle antes de abrir la puerta exterior del edificio, aunque sabía que Alex ya lo había hecho, porque si no, no habría estado esperando pacientemente junto al coche, con un rostro que era la viva imagen de la calma centroasiática.

—Buenas noches, Alex.

—Buenas noches, señor.

—¿La familia bien?

—Muy bien, gracias por preguntar.

Siempre la misma conversación. A veces, Louis se preguntaba si Alex reconocería siquiera que algún miembro de su familia no estaba tan bien. Tal vez, bajo la cuidadosa vigilancia de Alex eso había dejado de ser una posibilidad.

Louis sólo había cogido un pequeño maletín de cuero como equipaje para volar a Portland. Contenía una pluma y un libro.

Había empezado los *Ensayos* de Montaigne. Louis pensaba que le habría gustado conocer a Montaigne, que le parecía no sólo sabio, sino sensato.

El coche se apartó de la acera. Louis abrió los *Ensayos,* pero en lugar de leer a partir de donde lo había dejado, volvió a una página que había marcado antes, esa misma semana, mientras escuchaba fuera de la habitación del hospital cómo una joven enfermera ayudaba a Angel a cambiar de postura para evitar las úlceras. Desde la introducción del volumen, Louis sabía que Montaigne era amigo de un poeta llamado Étienne de La Boétie, cuya muerte lo sumió en el dolor. De su amistad, Montaigne escribió: «Si me presionan para que diga por qué lo amaba, sólo puedo decir que porque él era él y yo era yo».

Louis rozó la página con los dedos.

«Sí», pensó. «Sí.»

72

Billy Ocean se detuvo en el aparcamiento que había detrás de las tres viviendas de alquiler en Auburn. El edificio estaba temporalmente vacío debido a un problema de humedades que lo hacía inhabitable, aunque Billy sabía que la gente pagaría un buen dinero por vivir ahí, pese al riesgo para su salud. Olía un poco, y sólo un idiota habría puesto algo con cierto peso sobre varios de los tablones del suelo, pero era mejor que dormir bajo las estrellas.

Billy estaba posponiendo la reparación porque su manitas habitual —que trabajaba barato pero facturaba mucho, permitiendo que Billy y él se repartieran la diferencia— languidecía en la cárcel del condado de Cumberland por no pagar la pensión de sus hijos. Era improbable que volviera a respirar pronto aire libre, ya que debía quince mil dólares por sus chicos, que vivían con su madre en New Jersey. Según la ley federal, era un delito que una persona residiera en un estado distinto que el de sus hijos si debía más de cinco mil dólares de la pensión de manutención, y eso significaba que el encargado de mantenimiento de Billy se enfrentaba a dos años de cárcel y a una multa que podía llegar al cuarto de millón. Incluso con un informe de la oficina de libertad condicional que mostrara cierta comprensión, no iba a estar en condiciones de resolver el problema de humedades de Billy antes de que el edificio empezara a desmoronarse. Eso dejaba a Billy con el problema añadido de encontrar a un contratista lo bastante corrupto para sustituirle, y dar con buenos trabajadores era difícil.

Billy abrió la caja de seguridad de la camioneta y sacó una

bolsa de plástico con comida, un paquete de cervezas Silver Bullet y una botella de Johnny Drum Black. Se metió el bourbon en el bolsillo del abrigo y se encaminó al edificio. Al entrar dando fuertes pisadas por la puerta trasera, una cortina se retorció en una de las ventanas de la segunda planta.

Cada uno de los apartamentos tenía su propia cocina, pero Billy había tomado la precaución de cortar el gas hasta que se hubieran acabado las obras de mantenimiento. Sin embargo, todavía había suministro eléctrico, así que su huésped podía cocinar con el microondas y ver DVD en un televisor cutre. Nada de lo cual disminuía las quejas, como si todo lo que había ocurrido fuera culpa de Billy, que no lo era, pero Billy se había enfangado en la mierda hasta la barbilla, y no le quedaba otra que seguir remando. No veía cómo aquel lío podía acabar bien. Sólo esperaba que, cuando llegara el final, sucediera lejos de Auburn, y lejos de él.

Billy subió las escaleras con cuidado, pegado a la pared y evitando el cuarto y el quinto peldaño. Ya había apoyado el pie izquierdo en el cuarto escalón en una visita anterior, y eso provocó que se hiciera un leve esguince en el tobillo y que se abriera un agujero en la madera como una boca mellada, y sólo un crujido de advertencia en el quinto peldaño le había ahorrado más daños. Esta vez llegó a la segunda planta sin contratiempos, y pateó la puerta en lugar de llamar con el puño, porque llevaba las manos ocupadas. Finalmente, tras oír una andana de tacos y pasos arrastrando los pies, la puerta se abrió y apareció el hombre más buscado en el estado de Maine.

—Vaya —dijo Heb Caldicott—, te has tomado tu puto tiempo.

Parker se dirigió a su casa para darse una ducha después de hablar con Moxie Castin, pero no se molestó en prepararse la cena. Sabía que Louis estaba de camino, regresando a Portland, y habían quedado en verse para tomar una hamburguesa a última hora en el Nosh de Congress. Mientras tanto, Parker habló con Kes Carroll, que confirmó que la Alerta de Plata había generado algunas llamadas, pero ninguna apuntaba a que se tratara de Lombardi. Parker no sabía si Moxie le había hablado ya a Solange Corriveau de la pista de Karis, o de lo que había sucedido en Indiana, pero no veía razones para no compartir con Carroll lo que él sabía. La información no alegró a Carroll, pero la ayudó a concentrarse. También aumentó la probabilidad de que la desaparición de Lombardi dejara de ser competencia de ella para unirla a la investigación de la Mujer Sin Nombre —o de Karis, como Parker empezaba a llamarla—, suponiendo que Corriveau asumiera la posibilidad de conectar ambos casos.

Después, Parker intentó ponerse de nuevo en contacto con Leila Patton. Esta vez la llamada no saltó inmediatamente al buzón de voz, pero el número estuvo sonando hasta que el salto se produjo automáticamente. Patton, al parecer, había apagado su servicio de mensajes. Sin nada mejor que hacer, Parker puso el teléfono en modo altavoz y siguió pulsando el botón de rellamada mientras calentaba un poco de agua para hacerse un café instantáneo y se comía un par de galletas Fig Newtons para aliviar las punzadas del hambre.

—¿Diga?

—¿Leila?

—Sí.

—Me llamo Charlie Parker. Yo...

—No quiero hablar con usted. No tengo nada que decir. Déjeme en paz.

Estaba claro que Patton se había replanteado su decisión de colaborar. Parker sabía que sólo disponía de unos segundos.

—Errol Dobey —dijo—. Esther Bachmeier.

Oyó el sonido de la respiración de Patton. Al menos, no había colgado.

—¿No le importa lo que les haya podido suceder?

Siguió sin responder.

—¿Leila?

Ella se echó a llorar y la llamada se interrumpió. Cuando Parker volvió a marcar el número, sólo recibió un mensaje pidiéndole que lo intentara más tarde. Se llevó el café a su despacho, encendió el ordenador y reservó un billete de ida y vuelta a Cincinnati.

Heb Caldicott no tenía buen aspecto, aunque, dadas las circunstancias, no era de sorprender. Había recibido una puñalada en el costado izquierdo y otra en el brazo, y en el pecho lucía un tajo de treinta centímetros de largo y más de medio centímetro de profundidad, todo gracias a Dale Putnam, que había demostrado cierto vigor en sus últimos instantes en esta tierra.

Caldicott había decidido liquidar a Putnam y a Gary Newhouse en cuanto le contaron que habían matado al policía del estado. Hubiera preferido librarse de ellos antes de aceptar darles cobijo bajo su techo, y tal vez no debería haber sugerido que a la zorra de su novia le gustaría follar con uno o con los dos para ganar algo de tiempo para pensar, pero es muy fácil ser listo después de que las cosas hayan pasado.

Pese a todo, enseguida se le ocurrió un plan para deshacerse de ellos. Escogió una furgoneta del aparcamiento, escondió a Putnam y a Newhouse en la parte trasera bajo mantas y basura, les dio una botella de bourbon Old Grand-Dad para ayudarles a quitarse el frío y asegurarse de que estaban bien y tranquilos, y condujo hacia el sur, manteniéndose fuera de la autopista y por debajo del límite de velocidad. La furgoneta todavía llevaba pintados el nombre y los detalles de contacto de una empresa de decoración que había cerrado un año antes, cosa que la volvía menos interesante para los policías que un vehículo sin identificar. Finalmente, no lo detuvieron ni una sola vez durante el trayecto, aunque se cruzó con un par de coches patrulla con las luces encendidas, y llegó a su destino sin incidentes.

Ese destino era Pintail Pond, aunque hacía mucho tiempo que la superficie del estanque no la agitaba ningún pato rabilargo ni ninguna otra ave porque Pintail Pond era una de las acumulaciones de agua más tóxicas del estado de Maine, gracias, en no poca medida, a la costumbre de Heb Caldicott de arrojar a sus profundidades diversos restos de basura del automóvil, fluidos y envases, entre ellos, sustancias cancerígenas utilizadas en el aceite del motor, botellas vacías de freón y refrigerantes, y baterías inservibles. Su intención era añadir los cadáveres de Putnam y Newhouse a esa mezcla y dejar que la naturaleza siguiera su curso.

Junto al estanque había una cabaña que hacía mucho que estaba desvencijada, pero todavía mantenía las cuatro paredes y la mayor parte del tejado. Caldicott condujo hasta allá a unos reticentes Putnam y Newhouse, que estaban un poco borrachos, aunque no tanto como le hubiera gustado a Caldicott. Una vez más, visto en retrospectiva, lamentaba no haber matado primero a Putnam, pero Newhouse estaba más cerca de él cuando entraron en la cabaña, así que le pareció natural meterle una bala en la nuca del cráneo antes de pasar a Putnam.

Desgraciadamente, quedó claro de inmediato que Putnam era un desconfiado. Caldicott se las había ingeniado para quitarle antes la pistola con el argumento más que razonable de que no era sensato llevar encima un arma que había sido usada recientemente para matar a un policía del estado, y Newhouse no era de los que suelen llevar armas de fuego. Pero Putnam había conservado un cuchillo, de cuya existencia Caldicott no tenía ni idea hasta que Putnam lo usó contra él mientras el cuerpo de Newhouse todavía se retorcía en el suelo. Putnam consiguió infligir muchas heridas a Caldicott antes de que éste le pegara dos tiros, ya que alcanzar un blanco en movimiento de cerca era mucho más difícil de lo que la gente cree, sobre todo un blanco en movimiento empeñado en destripar a alguien con un cuchillo.

Dice mucho de la resistencia física y psicológica de Heb Caldicott el hecho de que, tras haber sido apuñalado, rajado y estar sangrando, fuera capaz de arrastrar a Newhouse y Putnam hasta la orilla del Pintail Pond y atar un peso a cada uno de los cuerpos, aunque al final se vio obligado a tumbarse en el suelo y empujarlos dentro del agua con las suelas de sus zapatos. Putnam había emitido una especie de gemido antes de hundirse. Caldicott no sabía si el ruido salía del cadáver o si Putnam no estaba muerto del todo cuando empezó a hundirse, pero sí sabía qué hubiera preferido él..., y no era la primera opción.

Entonces, frío, agotado y con no poco dolor, Caldicott se las arregló para llamar a su viejo amigo Billy Ocean —su colega en prejuicios y en la conspiración para rejuvenecer lo que pasaba por ser el Klan en Maine— y pedirle que fuera a recogerlo. Había otros a los que Caldicott podría haber llamado, pero todos eran más listos que Billy. Eso significaba que en cuanto se enteraran de la gravedad del lío en el que se había metido Caldicott, lo más probable era que lo dejaran morir, o incluso aceleraran su final antes de abandonar su cuerpo en alguna parte donde no tardara en ser descubierto, poniendo así fin a cualquier interés policial en el asunto. Pero Billy era el chico de Heb, y había ido a recogerlo, que era por lo que Caldicott residía ahora en uno de los pisos de alquiler menos salubres de Ocean mientras intentaba averiguar cómo podía evitar pasarse en prisión el resto de su vida.

El problema era la herida que tenía en el costado. El pinchazo en el brazo no era nada, y una combinación de antisépticos y sutura de la farmacia parecía mejorar el tajo en el pecho, pero Caldicott había sentido cómo el cuchillo se retorcía en su interior al entrar bajo sus costillas, ya fuera intencionadamente o por la propia reacción de Caldicott al sentir que lo penetraba el acero. Billy había limpiado la herida lo que mejor que había sabido, e incluso le había dado algunos puntos, pero empezaba a oler, y ahora caminar, o incluso estar de pie mucho rato, suponía una tortura para Caldicott.

En cuanto se cerró la puerta, Caldicott desgarró la bolsa de patatas fritas y se las zampó con tragos de bourbon Johnny Drum. Billy empezó a desempaquetar el resto de la comida.

—¿Quién te crees que eres? —dijo Caldicott—, ¿mi madre?

A Billy no le caía mal Heb Caldicott —no estaría ahí si no fuera así—, pero tampoco le pareció que ser la madre de Caldicott era algo que proclamar a grito pelado. Sin embargo, se guardó lo que pensaba.

—Sólo intento mantener las cosas ordenadas —dijo Billy.

—¿Has mirado últimamente a tu alrededor cuando vienes?

Vale, el apartamento no estaba lo que se dice impoluto, pero no era culpa de Billy que Caldicott hubiera esparcido por todas partes colillas, latas de cerveza y envoltorios de comida. El hecho de que fumara preocupaba especialmente a Billy. Si el edificio se incendiaba con Caldicott dentro, se harían preguntas a las que Billy no podría dar unas respuestas convincentes.

—¿Quieres que te reserve una habitación en un hotel?

—No te hagas el listillo. Y aquí huele como una letrina.

Una vez más, eso era en buena medida obra de Caldicott. Billy le había dejado algo de lejía para el lavabo, pero no parecía dispuesto a utilizarla, ni siquiera a abrir una ventana un rato para que se aireara un poco.

—Sólo digo que esto es todo lo que puedo hacer.

—Ya, bueno...

Era lo más parecido a una disculpa que podría haber recibido Billy.

Billy acabó con la comida, puso las cervezas en la nevera y se sentó delante de Caldicott. Se metió la mano en el bolsillo interior de la chaqueta y sacó dos cajas de Vicodin y un paquete de antibióticos. El Vicodin lo había pagado, pero los antibióticos los había encontrado en el botiquín de su madre. Billy no era médico, pero suponía que una infección era una infección y que la herida en el costado de Caldicott era, a todas luces, séptica. Aparte del olor, y del dolor, Caldicott tenía fiebre. Su ropa estaba empapada de sudor.

Caldicott agitó las cajas.

—Lo has hecho muy bien —dijo antes de meterse dos pastillas en la boca y tragarlas con un poco más de Johnny Drum. Los antibióticos se los tomó a palo seco.

—Creo que he encontrado a alguien que puede echarle un vistazo a la herida —dijo Billy.

En las películas, hombres como Heb Caldicott conocían a médicos dóciles a los que podían recurrir, o blandir armas en la cara de veterinarios intimidándolos para que los atendieran. Pero Caldicott no conocía a ningún médico que estuviera dispuesto a ir a la cárcel por ayudarle, y Billy no se imaginaba permitiendo que alguien apuntara con un arma a la doctora Nyhan, que cuidaba de *Toby,* el bichón frisé de su madre, y era una mujer muy agradable.

—No hace falta —dijo Caldicott—. Ahora que tengo los antibióticos estaré recuperado en un par de días.

Billy se preguntó si Caldicott se lo creía de verdad. Tal vez el Vicodin hacía efecto antes de lo esperado.

—Aun así, alguien tendría que verte la herida para que empieces a pensar qué vas a hacer —insistió Billy—. No puedo seguir viniendo con provisiones. Alguien se dará cuenta.

—Tú tienes todo el derecho a venir aquí. Es tuyo, ¿no? Por lo que veo, la única razón por la que llamas la atención en esta calle es porque eres blanco.

Eso era verdad. Esa zona concreta de Auburn en la que se encontraba el edificio de apartamentos le recordaba a Billy el barrio de Kennedy Park en Portland, que era una mezcla de somalíes, etíopes y asiáticos del sur, y adonde acudían los noticiarios de Maine cuando querían asegurarse de que las cámaras grabaran diversidad étnica.

—Este tío que te digo..., lo echaron de la facultad de medicina, pero acabó los tres primeros cursos. Es...

—Billy —dijo Caldicott—, déjalo.

Esa insinuación de resignación entristeció a Billy. No quería que Caldicott se rindiera. Y no se trataba sólo de sentimentalismo por su parte: quería que se largara del edificio, por si al viejo de Billy se le metía en la cabeza ir a echar un vistazo en persona, en cuyo caso todas las esperanzas que había puesto Billy en administrar el Gull, o cualquier otro bar, se desvanecerían como el rocío al alba. Pero también sabía por experiencia que no servía de nada discutir con Caldicott, que era de un talante terco e intransigente por naturaleza.

—Como quieras —dijo Billy.

Comió algunas patatas fritas antes de coger una Coors de la nevera. No estaba fría, pero tampoco importaba.

—Creo que un negro voló mi camioneta —dijo Billy, por dar conversación.

—Mierda. ¿Cómo te has enterado?

—Me lo dijo uno que trabaja para mi viejo.

—¿Quién?

—Dean Harper. Mi padre lo despidió por contármelo.

Billy lo sentía por Dean. También le preocupaba toparse con él cuando estaba de borrachera, porque tenía claro que le daría una buena paliza.

—Me refería a qué negro.

—Ni idea.

—¿Pretendes averiguarlo?

—Sí.

—¿Cómo?

—Ni idea tampoco.

—Si me encontrara mejor, te echaría una mano. Aunque no diéramos con el negrata correcto, podríamos coger a otro por la calle y hacerle pagar por los pecados de su hermano. Al fin y al cabo, todos parecen iguales.

Caldicott se rio, y Billy con él, aunque él no creía que todos parecieran iguales. No le gustaban, pero no creía que parecieran iguales.

Billy encendió la televisión y juntos vieron una película de policías hasta que Caldicott empezó a sumirse en el sopor. No estaba seguro de que Caldicott se hubiera dado cuenta de que se marchaba. Billy alzó la mirada hacia las ventanas del apartamento. Las cortinas opacas ocultaban el resplandor de la televisión y las lámparas no tenían bombillas. Por el momento, los únicos indicios de que estaba habitado eran los restos de comida.

Billy se preguntó qué pasaría si él dejaba de ir, como el que deja de alimentar a un pájaro en una jaula. Tal vez Heb Caldicott simplemente se moriría. O tal vez intentara irse, bajando las escaleras dolorido hasta llegar al quinto peldaño contando desde abajo, que con un poco de suerte cedería bajo su peso y, junto con el cuarto peldaño ya dañado, enviaría a Caldicott a su destino fatal en el sótano. Aunque, bien pensado, también podía llegar a la calle, lo cual jodería vivo a Billy.

Billy se subió a la camioneta y puso el motor en marcha, pero no se fue de inmediato, no durante cinco largos minutos. Se quedó mirando la noche y pensando que las cosas no iban a mejorar para él.

Ni ahora ni nunca.

73

Cuando llegó Parker, el Nosh estaba tranquilo, asentado en la cómoda calma entre la cena y la llegada de los noctámbulos que acudirían tras las actuaciones musicales o a la salida de los últimos turnos de los restaurantes. Encontró una mesa con luz suficiente para leer y hojeó la última edición de *The Portland Phoenix*. Al Diamon, uno de los principales columnistas políticos del estado, y sin duda el más irascible, se mostraba tenso ante la calidad de los futuros candidatos a gobernador. Fueran cuales fuesen los defectos de éstos, al menos el actual titular del cargo —elegido como «El más loco de América» por la revista *Politico* en 2014, antes de que hubiera empezado siquiera su segundo mandato, en el que incluiría, entre otras cosas, afirmaciones como que estaban acudiendo a Maine traficantes de drogas de fuera del estado para vender heroína y «dejar preñadas a chicas blancas», o el desafiar a un duelo a un legislador demócrata, y supuestamente colarse en la lista de espera y privar a una víctima de agresión sexual de una terapia con un perro, al que posteriormente llamó *Veto*— tendría que desvanecerse en el anonimato político, y los habitantes de Maine podrían dejar de culparse unos a otros por haberlo elegido. Salvo, claro, aquellos que *sí* le habían votado, aunque era difícil imaginar quiénes podrían ser viendo cómo ahora se callaban que lo hubieran hecho, seguramente por vergüenza.

En cuanto a Al Diamon, Parker pensaba que debía requerir mucha energía ser tan crítico todo el tiempo, incluso si Diamon se divertía —y divertía a los demás— con ello. Como el duque de Saint-Simon en la corte del Rey Sol, probablemente no era una cuestión de si Al Diamon estaba irritado un día determinado, sino simplemente de con quién lo estaba.

Parker echó un vistazo a la lista de las próximas actuaciones en los diversos locales musicales de la ciudad antes de concluir que era demasiado viejo para la mayoría porque no reconocía a ninguno de los que actuaban. Hacía mucho tiempo había descubierto que uno sabía que se estaba haciendo viejo cuando no podía tararear ninguna melodía de la lista de los Hot 100. Una mujer se sentó sola en la barra y le sonrió, y él le devolvió la sonrisa antes de concentrarse de nuevo en el *Phoenix*. Tal vez ése era otro signo de que envejecía: prefería leer el periódico a dedicar un rato a charlar con una mujer desconocida en un bar. Pero también estaba esperando a Louis, cuyo interés por conversar con desconocidos del sexo que fuera era nulo.

Para acallar cualquier discusión más al respecto, apareció el susodicho. La mujer también le sonrió a él, haciendo que Parker se sintiera un poco menos especial. Louis pidió un Dirty Martini. Parker apenas había tocado su vino.

—¿Angel? —preguntó Parker, en cuanto Louis se hubo acomodado.

—Durmiendo mucho. La infección le debilita un poco, pero los médicos dicen que es mucho más fuerte de lo que parece.

—Eso podríamos habérselo dicho nosotros.

—Pero es bueno tener una opinión profesional.

Pidieron hamburguesas y unas patatas fritas para compartir. Parker sintió que sus arterias se endurecían agradablemente ante la perspectiva.

—¿Significa eso que estás menos preocupado por él? —preguntó Parker.

—No. Sólo que estoy preocupado de un modo distinto.

—Ah. ¿Cuánto tiempo tienes planeado quedarte por aquí?

—Un par de días. Bueno, ya sabes...

Parker no insistió. Hablaron de otras cosas, entre ellas, la creciente querencia de Louis por esta ciudad costera.

—Es el mar —dijo Louis—. Una vez que te acostumbras a verlo desde la ventana, empiezas a echarlo de menos cuando no puedes hacerlo.

Parker lo entendía. Por eso daba igual la cantidad de veces que se planteaba vender la casa de Scarborough y mudarse a Portland, porque siempre acababa quedándose donde estaba, incluso después de que la inviolabilidad de su hogar y su propia sensación de seguridad hubieran sido socavadas por el atentado contra su vida. Eran las marismas y los canales de las mareas que las recorrían, y el olor a sal en el aire. Era la luz sobre el agua, y el sonido distante del mar, como un susurro en el fin del mundo.

Y también era la conciencia de que su hija muerta y él estaban conectados por el agua. Él se había sentado a su lado en la orilla de un lago que desembocaba en el mar, atrapados entre los vivos y los moribundos. La había cogido de la mano y la había observado cuando un coche se detuvo en una carretera que discurría por encima de ellos, en cuyo interior iban las sombras de los padres difuntos de Parker, invitándole a acompañarlos, a emprender el Largo Viaje.

Pero él no los acompañó. Volvió: al dolor, a los recuerdos, a los vivos. Pero el mar seguía llamándolo, igual que llamaba a Jennifer. Recordó una canción de cuna infantil, una que le cantaba a Jennifer cuando ella era poco más que un bebé, mientras se arrodillaba a su lado y la arrullaba para dormirla: «Si todos los mares fueran un solo mar, qué *gran* mar sería...». Su mar y el de Jennifer eran un único mar, aunque cada uno lo veía desde una orilla distinta. Pero cuando llegara el momento entrarían juntos, y todo el dolor acabaría.

Les sirvieron la comida. La mujer de la barra todavía sonreía, pero ahora sólo para sí misma. Louis pidió un segundo martini mientras Parker le contaba lo que había sucedido los últimos días, optando por omitir sólo lo que había visto mientras intentaba seguir a Smith Uno desde el Great Lost Bear. No se trataba de que temiera que Louis no le creyera —a esas alturas, Louis se hacía pocas ilusiones sobre la naturaleza del mundo de Parker—, sino porque era un suceso que él mismo todavía no entendía.

—¿Alguna razón concreta que te haga pensar que los dos Smith podrían estar relacionados con el descubrimiento del cadáver en el bosque? —preguntó Louis.

—No se me ocurre ningún otro motivo por el que estuvieran merodeando a mi alrededor. Ahora mismo no estoy trabajando en nada más, a no ser que los Smith sean unos fanáticos de los fraudes de seguros.

—Tú mismo eres interesante.

—Y tú un encanto, lástima que no seas mi tipo.

—Mira, si pudiera retirar esas dos últimas palabras...

—Te permito que reformules la frase, incluso te animo a ello.

—Tú atraes la atención. Tu historia atrae la atención.

—¿Así que han venido a ver al león en el circo?

—Bueno, yo no lo diría así. —Louis masticó una patata frita cubierta de beicon—. Mierda, estas patatas están buenísimas. Te matarán, pero están buenísimas.

Un hombre se unió a la mujer de la barra. La besó en los labios antes de ocupar el taburete que había a su lado.

—Me sonrió cuando entré —dijo Louis.

—También a mí.

—Vaya decepción. Tal vez sea simplemente una mujer cordial.

—Éste es un ambiente cordial.

—No tan cordial —dijo Louis—. Volvamos a los mirones del Bear.

—Desaparecidos.

—¿Para siempre?

—No tengo esa sensación.

—¿Preocupado?

—Tangencialmente.

—¿Ninguna pista sobre Smith Uno?

—Nada. He preguntado a Dave Evans, pero Smith Uno mantuvo la cara oculta de las cámaras del Bear. Creo que sabía que estaban ahí.

El camarero se acercó a recoger su mesa. Parker pidió café.

—Todavía no puedo combinar el café con el vino —dijo Louis.

—En un mundo de dolor, eliges librar unas batallas muy raras.

—No estoy luchando con nada, sólo te lo contaba. ¿Cuándo te vas a Indiana?

—Mañana por la tarde.

—¿Crees que esa Leila Patton todavía andará por allí cuando llegues?

—Si es una persona normal, sí —dijo Parker—. A la gente normal le cuesta huir a toda prisa. Y Portland seguramente parece muy lejos de Cadillac. Puede que esté preocupada por si la llamo más veces, pero no por que yo aparezca ante su puerta.

—¿Quieres compañía? Nunca he estado en Indiana.

—Pensaba que habías estado en casi todas partes.

—En casi todas, salvo en Indiana.

—Curioso, últimamente muchos me han dicho lo mismo.

Llegó el café de Parker. Optó por pasar por alto la expresión dolida en el rostro de Louis.

—En circunstancias normales —prosiguió Parker—, aceptaría la oferta, pero ahora tengo que pedirte un favor. Moxie Castin está intentando que colabore el hombre que enterró a Karis, y si alguien puede persuadirle de que lo haga, ése es Moxie. Pero si hay alguien buscando, por la razón que sea, al hijo de Karis, ese hombre podría estar en peligro.

—Puedes decirle a Moxie que ando por aquí si me necesita.

—Gracias.

—¿Y qué hay del confederado más norteño?

—¿Billy? Según Moxie, se ha comprado un vehículo nuevo.

—¿Y ha mostrado el mismo gusto en la decoración?

—Todavía no.

—Resulta agradable pensar que los sucesos anteriores pueden haber supuesto una experiencia positiva de aprendizaje para él.

—Agradable, sí, pero improbable.

Louis cogió la cuenta. Parker le dio las gracias.

—No me lo agradezcas a mí sino a Moxie. Voy a facturarle mis gastos.

—Moxie —dijo Parker— estará encantado de verte.

74

Dado que parecía imprudente quedarse demasiado tiempo en Dover-Foxcroft, Giller había buscado para Quayle una base desde la que trabajar: una cabaña de vacaciones en Piscataquis, cerca de Abbot, propiedad de un residente temporal de Hilton Head, Carolina del Sur, que no haría preguntas mientras ganara un poco de dinero para seguir haciendo su vida. Para Quayle tenía sentido permanecer cerca de donde se había descubierto el cadáver de Karis Lamb. Seguía convencido de que si el bebé había sobrevivido, se encontraba en algún lugar de la región.

Quayle estaba solo en la cabaña porque Mors se había ausentado temporalmente para cumplir con sus deberes con los Patrocinadores. Volvería al día siguiente, una vez hubiera acabado su tarea. Giller, mientras tanto, creía que se estaba acercando al niño. Su tono había delatado cierta emoción la última vez que Quayle y él habían hablado por teléfono. Una posible pista, dijo Giller, pero se necesitaba hacer un pago en efectivo. ¿Cuánto? Cinco mil dólares. Mors había entregado el dinero a Giller de camino al sur, y el simple aspecto de la mujer fue una advertencia de que se esperaban resultados a cambio de aquel dispendio.

¿Cómo de cerca estaba Parker de encontrar al hijo de Karis? Si Parker continuaba buscando, estaba siguiendo vías diferentes de las de Giller, porque éste le aseguró a Quayle que las personas con las que había hablado no habían sido contactadas hasta ese momento por el detective privado.

Pero Giller también le proporcionó un interesante chismorreo sobre Parker. Él y un negro llamado Louis, que hacía las veces de acompañante y pistolero de Parker cuando se le requería, eran sospechosos de haber quemado deliberadamente una camioneta en Portland. No había pruebas, así que era improbable que se tomaran medidas, aun en el caso de que en el Departamento de Policía de Portland se tuviera la voluntad de detener a cualquiera de ellos dos, algo que Giller consideraba dudoso. Mientras tanto, el dueño de la camioneta —un tal William Stonehurst, conocido como Billy Ocean— estaba muy interesado en averiguar la identidad de los responsables. Según Giller, Billy Ocean era un patriotero y un memo con pocas luces. Cualquiera de esos defectos de su personalidad proporcionaba un buen margen a la manipulación, pero ambos combinados podían llegar a ser de gran utilidad. Quayle no quería enfrentarse a los Patrocinadores actuando abiertamente contra Parker, pero eso no excluía que trabajara mediante terceros. Cuando Mors regresara de Boston, Quayle y ella mantendrían una conversación con el señor Ocean.

Y desde un rincón de la cabaña, donde no llegaba la luz, el Niño Pálido observaba a Quayle con unos ojos que no pestañeaban, y mantenía sus secretos ocultos en su corazón hueco.

75

Ivan Giller estaba descubriendo la dificultad, por no decir lo poco aconsejable, de intentar servir a dos amos.

Técnicamente, había sido contratado para asistir al inglés Quayle en su búsqueda de un niño que ahora estaba al cuidado de una familia que no era pariente de la madre biológica. Pero quien lo había contratado también había avisado a Giller de que había gente importante muy interesada en el desarrollo de sus pesquisas y que debía ser informada de cualquier descubrimiento antes de comunicárselo a Quayle.

A él le había parecido bien, y no era nada raro en su tipo de trabajo, sobre todo cuando sus pagadores habituales estaban involucrados, pero las cosas se habían complicado cuando aquella mujer llamada Mors hizo un aparte con Giller y le ordenó que mantuviera la boca cerrada en todo cuanto se refería al niño, y que sólo hablara al respecto con Quayle y con ella. Giller pensó que era como si Quayle y la mujer estuvieran al tanto de las instrucciones que le habían dado; o tal vez sencillamente trabajaban siempre asumiendo la duplicidad en todos los tratos, lo cual le pareció muy sensato, viendo cómo estaban las cosas. Por otro lado, eso no aliviaba que le preocupase su propio bienestar una vez que Mors y Quayle se hubieran ido de esos lares, porque iba a tener que afrontar solo el enfado de aquellos a quienes había dejado a un lado por desconfiar de ellos.

A Giller, el vaivén resultante de todo aquello le producía migrañas y —junto con el recuerdo que lentamente se iba desvaneciendo del niño deforme que había atisbado en Portland— no le dejaba conciliar el sueño. Sin más opciones, había aclarado con Quayle las condiciones de su trabajo. En consecuencia, Quayle le permitía a Giller pasar información cuidadosamente cribada al primer intermediario. Y aunque Giller pudiera sufrir alguna represalia una vez que hubiera acabado el trabajo de Quayle, podría sacar a relucir toda la información que había compartido con ellos y aducir que ignoraba todo lo demás.

Pero Giller estaba haciendo avances en su búsqueda del niño. La información parcial obtenida de las agencias de adopción le había permitido descartar a algunas familias, y sus contactos locales eliminaron algunas más, dejándole con un total de unos veinte niños, a partir del entierro a finales de invierno o principios de primavera del cadáver de la madre. Ahora, bajo una lluvia ligera pero continua, conducía en dirección a Brunswick para ver a una mujer que podría estrechar la búsqueda todavía más, tal vez incluso a un único niño.

La pista se llamaba Connie White. Un par de años antes, White había sido despedida de su empleo como funcionaria en Piscataquis por filtrar información sobre licitaciones por contratos del condado y solicitar sobornos a los contratistas. En consecuencia, ahora estaba llena de suficiente bilis, vinagre y orina para alimentar diez vidas de rencor. Aunque White nunca trató directamente con el registro de nacimientos, que era por lo que Giller no se había molestado en contactar con ella antes, una de sus fuentes afirmó que White conocía muy bien el funcionamiento del condado. Si podía joder a alguien y, de paso, sacarse algo de dinero, Connie White estaría abierta a cualquier cosa.

White vivía en una caravana doble en un pequeño campo rodeado de árboles, con un arroyo que recorría el perímetro del lado oeste. El lugar, en conjunto, podría haber sido bonito, incluso bucólico, pero sólo sin la caravana, que tenía una pinta desastrada y acababa con todo el aire pastoril. Un chucho grande y marrón estaba encadenado a un poste clavado en el suelo no lejos de la puerta. El perro empezó a ladrar y a tensar la cadena en cuanto Giller se detuvo, lo que a su vez hizo que el poste se tambaleara de manera alarmante. Junto al chucho había una caseta en la que habían pintarrajeado toscamente con pintura roja brillante las palabras: ESTE PERRO TE MATARÁ.

Giller optó por no apearse de su vehículo hasta que acudiera alguien a encargarse del perro.

Se abrió la puerta de la caravana y salió una mujer. No era lo que Giller había imaginado, aunque estaba dispuesto a aceptar que había prejuzgado a Connie White al ver la caravana, el perro y las historias de bilis, vinagre y orina. Era rubia y esbelta, debía de acercarse a los cincuenta, pero se conservaba bien. Llevaba unos ceñidos tejanos azules, metidos en unos minúsculos botines deportivos amarillos, y vestía una sudadera azul con capucha de los Red Sox sobre una camiseta blanca. Levantó una mano a modo de saludo y utilizó la otra para acallar al perro apretándole el hocico.

Giller se apeó del coche sin quitarle el ojo al perro.

—Soy Giller —dijo.

—Venga. No se preocupe por *Steeler*. Es un bonachón, siempre que yo se lo mande.

Este comentario a Giller no le pareció especialmente tranquilizador, y tomó nota mental para no irritar a Connie White. Cuando se acercó a la caravana el perro le gruñó mostrando unos dientes afilados y unas encías rosáceas a través de la mano de White. Al menos, pensó Giller, sería una mordedura limpia.

Antes de soltar al perro, White esperó a que Giller entrara y luego se metió tras él. El exterior de la caravana contradecía el interior, que estaba tan ordenado y limpio como la mujer que vivía allí, aunque exhibía demasiados adornos de punto para el gusto de Giller. Una gran bolsa de plástico llena de ovillos reposaba en un rincón y en la mesa que tenía delante había lana, agujas y el comienzo de lo que podría ser una manta.

White se fijó en cómo lo miraba.

—Con eso gano algo de dinero —dijo ella—. No mucho, pero el suficiente. Y, ya que estamos...

De cerca, Giller vio la dureza de la mujer: la tirantez alrededor de su boca, los ojos sin calidez. Un poco más de carne alrededor de los huesos la habría mejorado, pero no mucho. Connie White era un conjunto de aristas afiladas de pies a cabeza:

un hombre podría cortarse con ella si no se andaba con cuidado.

Giller sacó un sobre, el más pequeño de los dos que llevaba, y le enseñó el contenido: quinientos dólares. Estaba dispuesto a subir hasta dos mil quinientos si su información era buena, pero no más. El resto pretendía quedárselo, seguramente para gastos adicionales, pero sobre todo porque podría necesitarlo si todo salía mal y se veía obligado a desaparecer.

—Esto no es lo que acordamos —dijo White.

Giller se sentó. Estaba en terreno conocido. Se había pasado muchos años negociando y era un experto en ese arte.

—No llegamos a ningún acuerdo —respondió—. Usted me dijo cuánto quería y yo le dije que estaba muy interesado en hablar con usted.

Deslizó el sobre por la mesa y esperó a que ella lo cogiera. No tuvo que esperar mucho.

—Tómelo como un anticipo, una prueba de buena voluntad —dijo Giller—. Puede quedárselo.

En cuanto eso estuvo claro, el sobre desapareció, perdiéndose de vista en uno de los bolsillos delanteros de los tejanos de White. A ella no se le suavizó el rostro —Giller no la creía capaz—, pero una nueva luz le iluminó los ojos, aunque sólo fuera el resplandor de la avaricia.

—¿Quiere un café? —preguntó ella.

—Claro.

Eso también formaba parte del proceso de la negociación: acepta cualquier gesto de hospitalidad que te ofrezcan, siempre que no parezca que vas a tener que pagarlo al final.

White llenó dos tazas pequeñas de una cafetera que había en la cocina. Giller declinó el azúcar y la leche.

—¿Lleva mucho tiempo viviendo aquí?

—Unos seis meses. Mi hermano es el propietario de la finca. Ha pasado por delante de su casa en la carretera principal. Yo perdí la mía después de perder el empleo. Intenté conservarla todo lo que pude, pero ya sabe cómo son los putos bancos.

Giller lo sabía. El juez le había concedido a White la libertad condicional por los cargos de corrupción, pero en esta gloriosa era de internet su nombre estaba mancillado. Había tenido suerte de conseguir empleo vendiendo perritos calientes delante de estadios deportivos, y los banqueros no solían ver con buenos ojos a los delincuentes convictos, a no ser que el delincuente en cuestión fuera uno de ellos.

—Mantiene esto en muy buen estado —dijo—. Ordenado.

—Eso es porque tuve que vender la mayoría de mis cosas para llegar a fin de mes. No puedo desordenar lo que no tengo. ¿Hemos acabado con los cumplidos?

Giller supuso que sí.

—Cuénteme lo que sepa —dijo.

White se recostó, con los brazos cruzados. Dios, se rindió Giller, y le enseñó el segundo sobre, que contenía mil dólares más. Los últimos mil se los daría si la información era buena.

—Hay un tipo, Gregg Mullis, que vive en Medford —dijo White—. Estaba casado con una mujer que se llamaba Holly Weaver, pero se separaron hará seis o siete años. Ahora ella anda por Guilford. Tiene un hijo, de unos cinco años, llamado Daniel. En el certificado de nacimiento no consta el nombre del padre, sólo el de la madre.

Giller no traslució el menor indicio de que conociera el nombre, pero Daniel Weaver constaba en su lista de veinte niños.

—Después de separarse, Mullis salió por un tiempo con una amiga mía. Él quería hijos, mi amiga no, o no con él, y Mullis la dejó. No era un mal tipo, me dijo ella, pero tampoco el caballo que estaba buscando para un largo viaje.

Ella se calló y esperó. Giller sacó cinco billetes de cincuenta y se los pasó. Desaparecieron con la misma celeridad con que lo habían hecho los primeros quinientos dólares, aunque en el otro bolsillo, y White reanudó su relato.

—Pero Mullis estaba dolido. Su exesposa y él habían intentado tener hijos, pero no pudieron. Mullis temía que fuera culpa suya, pero los dos se hicieron pruebas y resultó que su mujer era la estéril. Consideraron la posibilidad de adoptar, pero Mullis no quería el hijo de otro. Quería el suyo. Es curioso cómo son algunos hombres.

Giller coincidió en que era curioso.

—Y entonces, un par de años más tarde, su esposa registra el nacimiento de un hijo —concluyó White—, ¿cómo es eso posible?

—Tal vez siguió algún tratamiento.

—Ya, o tal vez el niño es Jesucristo.

—¿Es todo lo que sabe?

—¿No le parece suficiente?

—No lo sé, y no lo sabré hasta que hable con Mullis.

—Tengo su dirección, y una copia del certificado de nacimiento. Estoy segura de que podría encontrar ambas cosas usted solo, pero su tiempo tiene un precio, ¿no?

—Otros doscientos cincuenta. Si Daniel Weaver es el niño que estoy buscando, le daré lo que falta hasta los mil. —Giller pensó que incluso podría darle los otros quinientos si la información de White conducía a que el trabajo que estaba realizando para Quayle acabara con éxito.

—Me dará otros dos mil.

—¿Y por qué iba a hacerlo?

—Porque el dinero no es suyo. Sé quién es usted. Trabaja para otros, así que el niño no le importa más allá de encontrarlo para quien le paga. No tengo ni idea de cuánto está sisándoles, pero no permitiré que me engañe, o no por una cantidad que me duela. Usted no sólo está pagando por información: está comprando mi buena voluntad, y mi silencio, porque apostaría a que su patrón no pretende hacerle ningún bien al niño, a no ser que me diga que es el hijo perdido de un multimillonario y usted sólo intenta asegurarse de que recibe su herencia, en cuyo caso, quiero mucho más que tres mil.

Fue todo un discurso, incuestionable en su esencia. Connie White casi era digna de admiración por la pureza de su corrupción.

—No sé por qué quieren encontrar al niño, si es que Daniel Weaver es realmente el niño que buscan —dijo Giller—. No son el tipo de gente al que uno hace preguntas.

La advertencia había quedado clara.

—Lo tendré en cuenta —dijo White.

—Hágalo. —Le entregó los últimos doscientos cincuenta, antes de pensárselo mejor y añadir otros cincuenta.

—¿Y esto? —preguntó White.

—Por el café.

White dobló los billetes y recitó la dirección de Gregg Mullis de memoria mientras extraía una fotocopia de un certificado de nacimiento de un fajo de facturas y recibos que había junto al microondas. Giller anotó la dirección en un cuaderno poco más grande que la palma de su mano, se metió el certificado de nacimiento en el bolsillo y se levantó para marcharse.

—Puede quedarse un rato, si quiere —dijo White apoyando la palma de la mano derecha sobre el pecho de Giller. Estaba claro que el dinero había abierto las compuertas de sus fluidos. Despreocupadamente, Giller se preguntó por qué no estaría casada. Era lo bastante atractiva para cazar a algún idiota, siempre que éste no la mirara demasiado de cerca a los ojos y atisbara lo que quedaba de su alma.

—Gracias —dijo—, pero tengo que irme.

Ella no se tomó el rechazo como algo personal. El dinero que le calentaba el bolsillo seguramente aliviaba el desprecio.

—Otra vez será —dijo—. Tal vez cuando me traiga el resto de mi dinero.

—Tal vez.

Pero él no lo creía. Si Daniel Weaver resultaba ser el niño desaparecido, tendría que compartir con Quayle y Mors la fuente de su información. El secuestro de un menor —y ésa, estaba seguro, era la intención final— no era el tipo de acto que pasaba inadvertido. Cuando ocurriera, tal vez Connie White recibiera alguna recompensa económica si se presentaba ante las autoridades con lo que sabía, y eso no se ajustaba para nada a los intereses de Quayle y Mors. Ni tampoco a los de Giller. Esperaba que White se gastara rápido el dinero.

Pero pensar en el posible destino de White también lo llevó a considerar el suyo propio. Si Quayle y Mors estaban dispuestos a actuar para silenciar a White, ¿dónde quedaba él? Ésa era otra razón para acumular todo el dinero que pudiera, y también para tener una bolsa de viaje preparada, por si acaso.

White abrió la puerta y salió por delante de Giller para agarrar al perro. Tendría que avisar a Mors al respecto. No creía que fuera Quayle el que se presentara para hacerle una visita cuando llegara el momento.

—Nos veremos —dijo White entre los gruñidos del perro, pero Giller no respondió. Se subió al coche en silencio, mientras empezaba a llover y sus huellas se borraban.

76

Garrison Pryor tenía un mal día, pero, bien mirado, llevaba teniendo malos días desde que a algunos ciudadanos comprometidos de Maine se les había metido en la cabeza financiar el asesinato del detective privado Charlie Parker. El resultado no sólo había sido la aniquilación de esos ciudadanos, la destrucción de la mitad de su ciudad y la supervivencia de Parker, sino que también se había desencadenado una verdadera tormenta de represalias todavía mayores por parte de los aliados de Parker, o, para ser más precisos, el uso del ataque, por elementos dentro del FBI, como excusa para apretar más las tuercas a los Patrocinadores.

Pryor Investments, uno de los principales instrumentos de los Patrocinadores en la búsqueda del Dios Enterrado, se vio inmediatamente señalado como objetivo de la Unidad de Delitos Económicos del FBI, y si Pryor Investments era considerado un objetivo, eso significaba que Garrison Pryor también lo era. Como consecuencia de ello, Pryor estaba imputado en la actualidad por varios delitos, entre ellos falsificación de información financiera, compraventa de activos fuera de plazo, fraude con acciones, delito informático y conspiración. Al menos algunos de los cargos eran, en el mejor de los casos, espurios, pero llamarlos «basura» no serviría como defensa ante un tribunal federal. El escándalo había obligado a Pryor a dejar por un tiempo el puesto de presidente de su propia empresa, aunque se aseguró de que el consejo emitiera una declaración manifestando su confianza en él antes de hacerlo. De hecho, él mismo tuvo que redactar la declaración y luego imponérsela al consejo señalando a sus miembros que sus problemas también eran los de ellos, y no sólo pedía su apoyo, sino que lo exigía.

Pese a todo, para alivio de Pryor y sorpresa de sus abogados, el FBI había dejado que se fuera cociendo a fuego lento durante un par de meses, solicitando el placer de su compañía para una serie de interrogatorios, pero, por lo demás, permitiéndole seguir en libertad con una fianza mínima, y hasta el momento los federales no daban muestras de poner fin a la instrucción. Le habían confiscado el pasaporte y tenía un mandato del tribunal que le impedía abandonar la Commonwealth de Massachusetts sin aviso previo, pero ésas eran las únicas restricciones a su libertad. Es verdad que se habían llevado montones de documentos de las oficinas de la empresa, y también los ordenadores, pero se necesitaría que una cantidad ingente de agentes federales dedicasen miles de jornadas laborales para aclararse con los datos antes de encontrar pruebas del menor delito, y en ese caso se trataría tan sólo de infracciones habituales en el sector de servicios financieros, y por tanto no merecerían nada más duro que un golpecito en la muñeca y una multa que podría pagarse con calderilla. Eso hacía que Pryor se preguntara si todo el asunto no habría sido más que una excursión de los federales para ver si pescaban algo, basada en la errónea creencia de que Pryor cedería e intentaría llegar a un acuerdo dando nombres para evitar ir a juicio.

Pero en las últimas semanas, los abogados de Pryor habían empezado a filtrarle inquietantes rumores, rumores de que estaba ofreciendo información sobre sus colegas al FBI, y señalando a los agentes los individuos concretos de quienes debían preocuparse. Pryor lo negó todo, pero a continuación se produjeron detenciones, lo que parecía desmentir sus quejas. El consejo, siguiendo las instrucciones de sus propios abogados, interrumpió inmediatamente todo contacto con él, y se impidió su acceso a los sistemas y registros de la empresa. Todavía más preocupante fue que los Patrocinadores lo aislaron por completo, y su ostracismo se reflejó en la actitud de la comunidad financiera en general. De repente, Garrison Pryor era un hombre sin amigos. Ya ni siquiera podía reservar mesa en sus restaurantes favoritos, y se había anulado su condición de miembro de tres clubes.

Por descontado, sabía lo que estaban haciendo los federales. Empleaban estrategias similares a las que se aplicaban de manera habitual en los negocios. Se sembraban cuidadosamente historias sobre la ineficacia de cierto producto, la mala salud del presidente de toda la vida de una empresa, dudas sobre la seguridad de un nuevo medicamento revolucionario, todo para alterar el precio de las acciones u obstaculizar la competencia. El contenido real de esas afirmaciones resultaba irrelevante. Una vez que corrían por el mundo, adoptaban la apariencia de una verdad. Daba igual cuánto se negara, nada podría evitar por entero el daño causado.

Ahora Pryor se veía obligado a rebatir alegaciones de complicidad donde no había ninguna, y al hacerlo reforzaba el efecto de la mentira; presionado para intentar desmentir algo que no podía desmentirse porque, para empezar, no había pruebas empíricas de su realidad. Incluso su última novia había dejado de responder a sus llamadas. Los únicos que parecían alegrarse de oírle eran sus abogados, porque les pagaba por horas de conversación. A veces, el precio merecía la pena, aunque sólo fuera por mantener un discurso civilizado.

Pryor tenía dinero. Los honorarios de los abogados estaban consumiendo sus fondos, aunque no corría peligro de caer en la miseria, ni de lejos. Pero ¿de qué servía el dinero cuando un hombre no podía comer donde quería, viajar cuando deseaba, hacer vida social con aquellos que en el pasado consideraba amigos? ¿De qué servía el dinero sin influencia? Su vida estaba en el limbo. No hacía nada con el tiempo que tenía, pero debía tomar pastillas para conciliar el sueño. Pese a que era consciente de las estrategias que estaban usándose para presionarle, no podía negar que eran eficaces. ¿Por qué debía proteger a aquellos que habían perdido la confianza en él tan rápidamente? ¿Por qué no hacer simplemente una aproximación a los federales y ofrecerse a contarles lo que sabía de los Patrocinadores a cambio de una nueva vida lejos de ahí?

«Porque estaría intercambiando una forma de restricción por otra. Nunca podría sentarme dando la espalda a una puerta. Nunca cerraría los ojos por la noche sin hombres armados que me protegiesen. Siempre tendría miedo, y al final darían conmigo.»

Pryor entró en su edificio de apartamentos. No vio al portero, pero el cuarto para la correspondencia que había tras la mesa de recepción estaba abierto y sonaba música baja desde su interior. Pryor se alegró de no tener que intercambiar unas palabras con aquel hombre, pese a su actual estado de aislamiento. Los federales habían registrado a fondo su apartamento como parte de la investigación, y su nombre había salido en la prensa, así que los porteros estaban al tanto de sus problemas, como todos los vecinos del edificio. Ahora le miraban de una manera distinta. Y sus saludos eran reticentes, si es que lo saludaban siquiera.

Subió en el ascensor hasta la sexta planta. Nadie subió con él, lo que supuso una bendición más. Cambió de brazo la bolsa con la comida para sacar la llave. El contenido no era gran cosa, al menos para una dieta nutritiva, pero se consolaba como podía. Todavía era miembro del gimnasio, pero allí lo conocían demasiado para poder concentrarse en los ejercicios, así que había engordado casi cinco kilos desde el inicio de la investigación. Sus trajes ya no le resultaban tan cómodos como antes, pero ése era un inconveniente menor, dado que ya no tenía motivos para ponérselos.

¿Como había elegido el FBI a quienes estaba investigando y deteniendo? Ésa era la pregunta que inquietaba a Pryor mientras los federales continuaban extendiendo sus redes. Pese a lo que creían los Patrocinadores, los nombres no habían salido de él. Era posible que alguien más estuviera filtrando información, pero los objetivos eran tan aleatorios —políticos, hombres del clero, policías, funcionarios, ejecutivos de empresas— que la fuente sólo podía ser un individuo que conocía la red completa de los Patrocinadores. Y los objetivos eran personas que estaban muy implicadas. Algunos llevaban comprometidos, o se habían aliado de buena gana a la causa, desde hacía décadas. Ninguno era un converso reciente.

Una antigua lista de conspiradores. *La* vieja lista. Se creía que se había perdido o destruido, pero ¿y si no era así? ¿Y si alguien la había encontrado y compartido su contenido con el FBI?

Pero, en ese caso, probablemente los federales habrían actuado contra todos los que aparecían en ella. ¿Por qué esta elección y selección de individuos que no tenían relación entre sí, a no ser que formara parte de una operación en marcha para apretarle las tuercas al propio Pryor? ¿Acaso alguien le estaba dando al FBI nombres seleccionados de la lista mientras conservaba en su poder el documento? ¿Quién podría ser?

La respuesta le vino mientras abría la puerta. ¿Por qué no se le había ocurrido antes? Porque había estado demasiado absorto en sus propios problemas, demasiado empantanado en la autocompasión. Ahora, finalmente, empezaba a pensar con claridad.

Parker. Tenía que ser él. Tenía los contactos, y la voluntad.

Pryor cerró la puerta, dejó la comida en la mesa de la cocina antes de entrar en el salón. Todavía era temprano, primera hora de la tarde. Llamaría a sus abogados y les pediría que organizaran una reunión, esa misma noche si era posible, con un representante de Grainger & Mellon, que representaban a los Patrocinadores en todas las cuestiones legales. Les explicaría sus sospechas. Ni siquiera tenía que establecer una pauta. La pauta era que no había pauta definida.

Se detuvo. Percibió un olor peculiar: perfume y lo que fuese que el perfume no acababa de disimular. Se dio la vuelta mientras una sombra se pegaba a la pared a su izquierda y un dolor penetró en su cuello y se difundió rápidamente por el resto del cuerpo. Al cabo de unos segundos estaba en el suelo, y siguió el olvido.

En el siglo XIX se encontró una veta de esquisto de grano fino —una roca metamórfica que puede dividirse fácilmente en láminas— en las cercanías de Cape Elizabeth, en Maine. Por lo general, una estructura esquistosa no se considera apropiada como material de construcción, pero en el caso del esquisto de Cape Elizabeth, la roca se rompía fácilmente en bloques fragmentados idóneos para la construcción. Eso hizo que se utilizara en el entorno de Portland, aunque posteriormente la piedra de Cape Elizabeth fue fácil de identificar debido a las manchas visibles fruto de la oxidación de la pirita que tenían los bloques.

En Cape Elizabeth se abrieron dos canteras para acceder al esquisto, una mayor que la otra. La más pequeña y superficial —conocida como Cantera Grundy por su antigua propietaria, la Grundy Granite Company— era ahora el punto de acceso a un sendero natural muy popular entre los residentes y los turistas durante los meses de verano, pero poco transitado fuera de temporada. Con el cambio del tiempo y el regreso de las aves migratorias, ornitólogos y excursionistas no tardarían en recorrer los senderos de nuevo, y los voluntarios locales ya se estaban preparando para recortar un poco la vegetación y recoger la basura.

Pero, por el momento, la Cantera Grundy seguía siendo un lugar ideal para que los adolescentes se reunieran a beber, fumar marihuana y achucharse (si es que los adolescentes todavía se achuchaban, visto que «achuchar» era un verbo demasiado pintoresco para una clase de actividades que habrían provocado que Austin Grundy, un devoto baptista, se revolviera en su tumba de haber sabido el tipo de usos que le daban los jóvenes de hoy en día a los alrededores de su cantera).

Cuatro representantes masculinos de esa edad estaban sirviéndose en ese momento de la Cantera Grundy para beber y fumar, pero no para achucharse, dado que todos los del cuarteto eran claramente heterosexuales, aunque dos de ellos todavía no hubieran conseguido explorar esa inclinación a efectos prácticos. Había tres cobertizos de madera alrededor de la circunferencia de la cantera, cada uno con un banco, y eso los convertía en un lugar idóneo para el consumo de cerveza a pesar de la lluvia. Por otro lado, aquel tiempo tan desapacible implicaba que las posibilidades de que algún adulto los molestara, sobre todo los policías, fueran casi nulas.

El agua que se acumulaba en el fondo de la cantera era poco profunda, pero muy fangosa. En los últimos tiempos, nadie había intentado nadar allí, y durante el verano la superficie estaba cubierta por una nube permanente de insectos. Pero una combinación de lluvia y nieve derretida había elevado el nivel del agua, y era justo esa agua estancada la que Josh Lindley —que, con diecisiete años, era el más joven, inteligente y cohibido del grupo— estaba mirando desde arriba.

Josh se había puesto filosófico, aunque es posible que sólo se debiera a los efectos del alcohol. Tenía en la mano una High Life —el champán de las cervezas—, pero Josh pensaba que si el champán sabía como una High Life, no había motivo para que tuviera tanta fama. Por otro lado, High Life sabía mejor que algunas de las bebidas que se había visto obligado a ingerir en sus pequeñas reuniones. Todavía recordaba la resaca de dos días después de que Troy Egan les consiguiera seis botellas de litro de Olde English 800 y se las bebieran mientras N.W.A. sonaba por el altavoz del móvil de Troy y ellos brindaban por el difunto Eazy-E, que en sus tiempos había bebido OE800. Sólo más adelante, cuando de nuevo fue capaz de retener comida sólida en el estómago, Josh descubrió que la OE800 era considerada por algunos expertos como la peor cerveza del mundo, aunque a él no le había sabido tan mal en su momento. Sólo era cerveza, ¿tan mala podía ser una cerveza?

Pues resultó que sí.

El ruido de algo de gran tamaño cayendo al agua interrumpió sus cavilaciones: Troy Egan y su primo, Devin, habían arrojado otro bloque de piedra gris por el filo de la cantera. Alguien había tirado un montón detrás de uno de los cobertizos. Algunos gilipollas lo hacían a veces porque la zona alrededor de la cantera era muy accesible desde la carretera. La gente podía ir en coche hasta allí y tirar sus sillones reclinables, neveras u hornos al agua, aunque la mayoría simplemente dejaba sus trastos en la hierba para que los recogiera el ayuntamiento.

—¡Ballena a la vista! —gritó Troy, y Devin se rio, aunque Josh estaba seguro de que Devin Egan no tenía ni idea de lo que significaba la expresión, y sólo se reía porque Troy también se reía. En el cobertizo, el cuarto miembro de su pequeña pandilla, Scott Vetesse, buscaba la *playlist* apropiada en Spotify.

—Vamos, chicos —dijo Scott—, basta ya.

—Una más —dijo Troy—. Ésta será como una carga de profundidad al explotar. Es un monstruo.

Y lo era. No había forma de que Troy y Devin levantaran aquel bloque entre los dos.

—Josh —le llamó Troy—. Ven aquí. Y tú también Betty.

Josh se acercó hasta ellos, y también Scott, aunque le cabreaba que lo llamaran Betty, que rima con el diminutivo de su apellido, Vetty. Josh tuvo que reconocer que el bloque seguramente provocaría un fuerte impacto. Se acabó lo que le quedaba de cerveza y dejó la botella en el suelo. Aunque no podía saberlo, ésa era la última High Life que bebería. A partir de ese día, el simple hecho de mirar la etiqueta le traería desagradables recuerdos.

Juntos, los cuatro chicos consiguieron arrastrar el bloque hasta el filo de la cantera, donde se balanceó a la espera del empujón final.

—¡Soltad bombas! —chilló Troy, y Devin se rio otra vez, y el bloque cayó, golpeando la pared de piedra mientras caía y desprendiendo un gran trozo antes de rebotar para acabar impactando en el punto donde la cantera era más profunda. A continuación se produjo una enorme erupción de agua, como si hubiera estallado una carga de profundidad, como Troy había prometido. Devin gritó alborozado, y los demás también, pero sus gritos se fueron apagando hasta que sólo se oía la voz de Devin, antes de que éste, también, se callara.

Del agua había emergido la parte de atrás de un coche, que se había desplazado del fondo desigual de la cantera por el impacto del bloque sobre el capó. El maletero se abrió de golpe, dejando a la vista el cuerpo de una mujer atada dentro.

Josh Lindley no se movió, no dijo nada, no vomitó. Ni siquiera quería seguir mirando, pero no podía apartar la vista, era incapaz por mucho que lo intentara. Y entonces se dio cuenta de que se había dado la vuelta, pero seguía viendo el cadáver en el maletero, y supo que lo seguiría viendo siempre, y ésa sería una de las cargas que arrastraría hasta llegar a la edad adulta, a la vejez y a la tumba.

Sacó su móvil y marcó el 911.

En el cobertizo, Troy Egan se estaba deshaciendo de la cerveza.

78

Garrison Pryor abrió los ojos. Estaba desnudo, metido en su bañera, con las manos sujetas a la espalda y la boca y las piernas envueltas en cinta adhesiva. Había una mujer sentada en el retrete a su lado. Piel pálida, ojos grises, cabello casi blanco bajo una gorra de plástico azul clara: tenía menos de ser vivo que de la imagen difusa de uno, como una reproducción que se desvaneciese del mundo.

Pryor sentía que la cabeza le pesaba demasiado. Se forzó a levantarla, y se dio un buen golpe contra el grifo que tenía detrás. El esfuerzo agotó la poca energía que le quedaba, así que permaneció en la misma postura, con el grifo casi incrustado incómodamente en su cráneo. Le dolían las extremidades, y lo único que podía hacer era no vomitar en la mordaza por miedo a ahogarse en su propio vómito.

Observó a la mujer y ella a él. Cuanto más la miraba, peor aspecto le parecía que tenía, como si la profunda fealdad de su interior no pudiera ocultarse a un escrutinio de cerca. Tenía las manos cruzadas por delante, y en esa postura recordaba casi a una puritana. Pryor no veía ninguna arma, y sintió el primer estremecimiento de esperanza. Tal vez se trataba sólo de un aviso, los Patrocinadores le recordaban sus obligaciones con ellos. Ellos tenían que ser los responsables de la presencia de esa mujer en su apartamento, porque nadie más se arriesgaría a una intrusión así. Si pudiera persuadirla para que le quitara la cinta adhesiva de la boca, podría contarle lo que había deducido sobre la lista, sobre Parker. Le pediría que hiciera una llamada, y todo esto acabaría. Intentó hablar, moviendo los ojos para señalar la mordaza. Sólo quería una oportunidad para explicarse.

La mujer levantó las manos del regazo descubriendo una delgada bolsa de cuero. La abrió sobre la superficie de mármol que tenía a su derecha, y expuso una serie de cuchillas, ganchos y tenazas que centellaron bajo la luz artificial. Junto a ellos había un cuadrado de plástico, que desplegó para formar un poncho antes de pasárselo por la cabeza. Se levantó, dejando que el poncho le cayera hasta las rodillas para proteger su ropa. Por último, se puso un par de guantes de plástico.

Sólo entonces habló.

—Para que lo sepa, ellos especificaron que debía ser doloroso. —Seleccionó un escalpelo de hoja larga de la bolsa—. Me temo que vamos a manchar mucho.

79

Parker respondió la llamada de Moxie Castin mientras esperaba para subir al avión hacia Cincinnati. Lamentaba no haber tomado un vuelo anterior desde Logan, porque éste era tumultuoso como un zoo, pero había sido incapaz de reprogramar una reunión esa mañana para hablar de los testigos de un caso de agresión que iba a ir a juicio dentro de un par de días.

—Malas noticias —dijo Moxie—. Han encontrado el cuerpo de Maela Lombardi.

Parker se salió de la cola y se acercó a una puerta vacía para poder hablar sin que le oyeran.

—¿Dónde?

—En el fondo de la Cantera Grundy. Todavía no hay una identificación positiva, pero parece que alguien empujó el coche de Lombardi al agua con ella metida en el maletero.

Parker observó cómo se reducía la cola a medida que el avión se llenaba. Moxie le había pagado un billete de primera clase, así que no le preocupaba encontrar sitio para su equipaje de mano. La cuestión era si debía coger el vuelo o no, pero no tardó en dar con la respuesta. No había nada que pudiera ofrecer a la policía que los ayudara en la investigación de Lombardi. Lo que podía hacer era viajar a Indiana como tenía planeado para averiguar qué sabía, o sospechaba, Leila Patton sobre la muerte de Errol Dobey y la desaparición de su novia, Esther Bachmeier. Karis vinculaba a Dobey, Bachmeier y Lombardi; y Leila Patton, que había trabajado para Dobey, estaba asustada. Parker quería preguntarle por qué.

—¿Ha dado señales de vida el que llamaba? —dijo.

—Ni una palabra.

—Cuando se ponga en contacto, utiliza a Lombardi. Tienes que asustarlo para que salga a la luz. De ese modo podremos protegerlos, a él, al hijo de Karis y a cualquier otro que sepa la verdad de lo que sucedió. Mantén a Louis cerca hasta que yo vuelva. Búscale una silla en un rincón tranquilo.

La cola para su vuelo había desaparecido, y Parker oyó que decían su nombre por los altavoces.

—Tengo que irme.

80

Holly Weaver y su padre estaban viendo sin prestar mucha atención las noticias de la noche, que emitían en directo desde la carretera delante de la Cantera Grundy, con vehículos policiales y de los forenses congregados al fondo, como habían hecho cuando se descubrió el cuerpo de Karis.

—Por Dios —dijo Holly, pero aquellas palabras no mostraban una sensación genuina de sorpresa, y sólo reflejaban una repugnancia genérica ante la inclinación de los seres humanos a infligirse sufrimiento unos a otros. Tampoco para Owen Weaver, que estaba sentado en un sillón al lado, bebiendo una cerveza, la noticia supuso algo más que una distracción. El cadáver de la cantera era problema de otro. Ellos ya tenían el suyo propio.

Su hija seguía posponiendo el posible encuentro en persona con el abogado Castin. No la culpaba por eso. Sentarse con Castin pondría en marcha un engranaje que bien podría concluir con que ella perdiera a Daniel, temporal o quizá permanentemente, y con uno o los dos adultos en la cárcel. Pero Holly también estaba enfadada con su padre. Él le había explicado lo que le había dicho literalmente al abogado, y la respuesta de ella había sido que le había contado demasiado. Había revelado el nombre de Karis y el sexo del niño, y no era eso lo que habían acordado. Owen tuvo que admitir que quizás estuvo un poco confuso cuando habló con Castin, y que tal vez debería haberse mordido la lengua un poco más, pero, como hacía la gente más sensata, se había pasado la vida entera procurando evitar a los abogados. Tratar con uno de ellos directamente, incluso por teléfono, le había puesto muy nervioso.

Holly apartó la mirada del televisor.

—He cambiado de opinión —dijo.

—No puedes, ahora no.

—Puedo y ya lo he hecho. Si salimos a la luz, se llevarán a Daniel. Si seguimos callados, todavía cabe la posibilidad de que nadie descubra jamás la verdad. Todo se irá olvidando pronto, porque la policía tiene cosas más importantes de las que preocuparse, como encontrar a los hombres que mataron a ese agente, y ahora ese cadáver arrojado a la cantera. ¿Cuánto tiempo más van a dedicar a buscar a un niño?

—Pero Castin lo sabe.

—¿Qué es lo que sabe? Un nombre, y que Karis dio a luz a un varón. Nada más.

—Si no vuelvo a llamarlo, acudirá a la policía.

—Pues que lo haga.

—¿Y qué pasa con el investigador privado?

—¿Qué puede hacer?, ¿obligar a los padres de todos los niños de cinco años del estado a hacerse la prueba del ADN? Si aparece, le daré el nombre de todos los hombres con los que me he acostado en mi vida. Mierda, incluso me inventaré unos cuantos para llegar a las dos cifras, y ya puede jugar a adivinar a cuál decidí no inscribir en el certificado de nacimiento.

Su padre hizo una mueca. Como todo hombre con una hija, una pequeña parte de él deseaba creer en el concepto de un nacimiento virginal.

—Holly...

—Daniel es mío. Y ésa es mi decisión. Ya la he tomado, así que no se hable más.

Se fue a la cocina pisando fuerte, y él la oyó trastear ruidosamente, sacando las ollas para la cena. No iba a seguir discutiendo con ella, no por el momento. Había soportado conversaciones como ésa con su difunta madre, a quien Holly se parecía en muchos aspectos, y un hombre aprendía cuándo debe retirarse. Incluso era posible que Holly tuviera razón: las ventajas de confesar sólo eran marginales, y tal vez lo haría saltar todo por los aires, y el asunto quedaría consignado a un expediente en un sótano en algún lugar de Augusta.

Llamaron al timbre. Daniel había quedado para jugar con uno de sus amigos, y tenían que traerlo de vuelta a casa más o menos hacia esta hora, pero cuando Owen abrió la puerta, era Sheila Barham la que estaba en la escalera. Los Barham vivían en la propiedad que lindaba al este con la de los Weaver y ambas familias se llevaban bien, aunque los Barham eran de una generación más próxima a la de Owen que a la de Holly, y sus hijos hacía mucho que se habían ido de casa para tener sus propios hijos. A veces Daniel se quedaba con los Barham si Holly tenía que trabajar hasta tarde y Owen estaba fuera, aunque Daniel se quejaba del tipo de televisión que veían los Barham —básicamente concursos y programación religiosa— y del hecho de que en todas las comidas incluyeran brócoli.

Owen invitó a Sheila a pasar y Holly la saludó desde la cocina.

—¿Todo bien? —preguntó Owen.

—Más o menos —dijo Sheila—. Mira, tal vez no sea nada, pero antes he visto a alguien fisgoneando alrededor de vuestra casa.

—¿Qué clase de «alguien»? —preguntó Owen.

—Bueno, era una mujer. La vi desde la cocina. Parecía sucia, y me dio la impresión de que no iba calzada. Supongo que debía de ser una sin techo. Parecía estar comprobando las ventanas, probablemente para ver si podía entrar y robar algo. Llamé a Henry y le dije que la echara, porque quién sabe lo que habría tardado la policía en llegar.

Henry Barham era un hombre corpulento, veterano de Vietnam. A Owen no se le habría ocurrido meterse con él ni por un cubo de dólares de plata.

Holly se unió a ellos.

—¿Que ocurre?

—Sheila dice que una mujer podría haber intentado entrar antes en casa.

—Cuando llegó Henry, la mujer ya se había ido—prosiguió Sheila—. A Henry no le pareció que hubiera podido entrar, pero, como tenemos la llave, lo comprobó, por si acaso. Hizo lo mismo en tu casa, Owen. Espero que no te moleste.

Esa tarde, Owen había ido al banco, que era la única razón por la que no estaba.

—No —dijo Owen—, en absoluto.

—Os agradecemos a los dos vuestra preocupación —dijo Holly.

—Pensamos que lo mejor era dejaros a vosotros decidir si queríais informar a la policía. En cualquier caso, nosotros siempre andamos por aquí. Ya conocéis a Henry: no le gusta mucho salir de casa, salvo para ir a la iglesia.

—No creo que valga la pena molestar a la policía con esto —dijo Holly, evitando cuidadosamente la mirada de su padre—. Nos aseguraremos de que las alarmas estén conectadas y las puertas y ventanas cerradas. Pero no se lo comentes a Daniel. No quisiera preocuparlo.

Sheila coincidió en que lo mejor, seguramente, sería que la cosa quedara entre ellos. Después de que le dieran las gracias de nuevo se fue.

—Raro, ¿no? —dijo Holly.

—¿No quieres avisar a la policía? —preguntó Owen—, ¿estás segura?

—¿Quieres que me lo tatúe en la frente? No vamos a hablar con la policía, ni de esto ni de nada.

—Creo que me acordaré. —Owen descolgó el abrigo del perchero y cogió una linterna del cajón que había debajo—. Voy a echar un vistazo por fuera, sólo para tomar un poco el aire.

Caminó alrededor de las dos casas. Los únicos indicios de un intento de intrusión estaban junto a la ventana de Daniel, donde la linterna descubrió rastros de barro sobre la madera y el cristal, del tipo que unos dedos sucios habrían dejado al intentar abrirla. Owen utilizó la manga del abrigo para limpiarlos.

Como dijo Holly, no había por qué asustar al niño.

81

El móvil de Billy Ocean empezó a sonar mientras estaba limpiando la basura que había alrededor de los doce apartamentos Sunlight Haven en South Portland. El complejo era la mayor fuente de ingresos en el conjunto de propiedades residenciales de Stonehurst, con un frondoso jardín cubierto en la parte de atrás, y habitaciones luminosas y de techos altos. Sólo se alquilaban a caucásicos, sin importar qué referencias bancarias pudieran presentar los que no fueran blancos. En ese momento había un apartamento del ático vacío y Billy tenía una visita prevista al cabo de una hora, pero alguien había tirado un par de bolsas de basura al lado de los contenedores que habían reventado al caer y la basura estaba esparcida por todo el patio. Ahora Billy perseguía envoltorios de comida arrastrados por el viento y recogía trozos de fruta podrida, y pensaba que la vida realmente parecía resuelta a enmerdarle los zapatos.

Miró la pantalla del móvil, pero la llamada procedía de un número oculto. Detestaba que la gente hiciera eso, y habitualmente dejaba que esas llamadas acabaran en el buzón de voz. En esta ocasión respondió sólo por si era la pareja que iba a ir a ver el apartamento y había tenido que pedir prestado un teléfono.

La voz al otro extremo de la línea sonó como si le anunciara que la cena estaba servida en una de esas aburridas series clásicas británicas que tanto le gustaban a su madre.

—¿Hablo con el señor Stonehurst? —preguntó la voz.

—El mismo.

—¿El señor William Stonehurst?

Billy no se acordaba de la última vez que alguien, aparte de su madre, le había llamado William, y ella solía utilizar su nombre completo sólo cuando se enfadaba con él.

—Sí. ¿Quién es usted?

—Me llamo Quayle. Creo que podría conocer al responsable de incendiar su camioneta.

82

Daniel Weaver se despertó al oír unos arañazos en la ventana. Las cortinas estaban corridas y la casa sumida en el silencio. Su madre se había acostado poco después de que él volviera de jugar con su amigo, y a esa hora el abuelo Owen ya había regresado a su casa, así que Daniel no lo había visto. Su madre le pareció más relajada de lo que había estado últimamente. Cuando llegó, le pidió a Daniel que se sentara y que le contara cómo le había ido el día, y después lo estuvo abrazando un rato, y a él le había gustado. Le había gustado mucho.

Volvieron a sonar los arañazos. Daniel se incorporó.

Se dijo que no era más que un animal: un mapache, o el gato de los Barham, *Solomon,* que a veces se acercaba a buscar comida.

El ruido cesó, y él se tranquilizó. Lo sabía. Menudo tonto...

Un *toc-toc-toc* en el cristal sustituyó a los arañazos, y la voz de la mujer llamada Karis pronunció su nombre.

daniel

Daniel empezó a temblar.

Se le hizo un nudo en el estómago y notó un regusto desagradable en el fondo de la garganta.

abre la ventana

Se le escapó un gemido e inmediatamente se tapó la boca. Pero era demasiado tarde.

te oigo

—No —susurró él.

no hagas enfadar a mamá

Y él empezó a chillar.

83

El vuelo de la compañía Delta en que viajaba Parker llegó a Cincinnati a las ocho de la tarde. Podría haber pasado la noche en un hotel junto al aeropuerto y emprender la ruta a Cadillac por la mañana, pero ese tipo de hoteles lo deprimían —cuantos se hospedaban en ellos querían estar en otro sitio, así que los establecimientos eran básicamente dilemas existenciales con un mal servicio de bar—, por eso alquiló un coche y se dirigió al oeste.

Cadillac, según internet, alardeaba de la impresionante suma de dos moteles: un local de propiedad familiar, que ofrecía alojamientos estilo cabaña y que parecía el escenario de una película de terror, con críticas en internet a la altura de ese tipo de películas; y un Holiday Inn. Parker optó por este último. Llegó poco antes de medianoche y se metió directamente en la cama sin molestarse en correr las cortinas, así que se despertó al alba. Se puso una chaqueta informal sobre una camisa blanca y unos vaqueros oscuros, que le quedaban bien gracias a un par de botas negras Olukai Mauna Kea que no había estrenado. Quería proyectar cierto aire de seriedad cuando se encontrara con Leila Patton, sin llegar a intimidarla, pero casi.

Se saltó el desayuno del hotel y optó por tomarlo en el Sunnyside Dine-In de la calle principal del pueblo. Consiguió un apartado junto al escaparate y tomó café y tostadas, leyó *The Indianapolis Star* y estuvo mirando a una morena alta y esbelta, que llevaba el nombre de LEILA bordado sobre el pecho izquierdo de su blusa, mientras se ocupaba de los taburetes de la barra.

No le resultó difícil encontrar a Leila Patton: sólo constaba una familia Patton en el registro de la propiedad de Cadillac, y su número de la Seguridad Social había sido añadido recientemente al registro de nóminas del Sunnyside. Parker no tenía intención de abordarla mientras trabajaba. Había sido sólo una cuestión de suerte encontrarla allí cuando entró a desayunar. Como investigador privado legal, también había obtenido detalles de su vehículo del Departamento de Vehículos del estado, así que sabía que conducía el New Beetle de Volkswagen de 2005 que vio en la sección para empleados del aparcamiento. Se puso a charlar con Tamira, la camarera que le había tocado, y le preguntó cuánto duraban los turnos de servicio. Entonces calculó que era probable que Leila trabajara hasta las dos del mediodía. Si salía antes, él tenía su dirección, pero sería mejor que primero la abordara en un espacio público. Si se presentaba por las buenas en su casa, ella podría simplemente cerrarle la puerta en las narices, y tendría todo el derecho a avisar a la policía si él se quedaba merodeando.

Cadillac era bullicioso del modo en que lo son algunos pueblos, sobre todo los que no son lo bastante grandes para haber atraído inmensos centros comerciales. Sólo Dios sabía en qué estarían pensando los de Holiday Inn cuando abrieron su hotel en Cadillac. Aquella mañana, Parker sólo había contado diez coches en el aparcamiento, y al menos un par de ellos debían de pertenecer al personal.

Parker pagó la cuenta, salió del restaurante y condujo a las afueras del pueblo hasta que llegó al local de Dobey. El edificio estaba ahora cerrado y una cadena impedía el acceso al aparcamiento. Había un letrero que rezaba: LOCAL CERRADO, y, debajo: ERROL DOBEY RIP. TE ECHAREMOS EN FALTA.

Parker había leído las noticias del periódico sobre el incendio, pero los restos de las caravanas en las que había vivido Errol Dobey, y en las que había acumulado lo que un reportaje describía como «una de las mejores colecciones privadas de libros del sur de Indiana», habían desaparecido. Parker pasó por encima de la cadena y dio una vuelta alrededor de la finca. Sólo la hierba ennegrecida y el cemento chamuscado señalaban el lugar del incendio que había acabado con la vida de Dobey, aunque Parker atisbó señales de daños menores en la parte de atrás del restaurante. Cuatro ramos de flores —dos marchitos, dos frescos— estaban sobre la tierra junto a la puerta de servicio. Buscó tarjetas o mensajes entre ellos, pero no encontró nada.

Luego Parker hizo una visita al Departamento de Policía de Cadillac, aunque antes llamó a Solange Corriveau.

—¿Ha hablado con Moxie Castin? —preguntó.

—Sí, lo he llamado, aunque algunos de mis colegas expresaron su sorpresa, incluso su escepticismo, ante su disposición a colaborar..., y también ante la suya, Parker.

—Déjeme adivinar: Walsh.

—No pienso dar nombres.

—Pero he acertado, ¿verdad?

—Claro que sí. Aparte de eso, ¿qué puedo hacer por usted?

—¿Ha estado en Indiana?

—No.

—¿Y ha querido ir allí alguna vez?

—No especialmente.

—En ese caso le estoy ahorrando un viaje porque estoy en Indiana.

Parker oyó el sonido de papel arrugándose.

—¿En Cadillac, Indiana? —preguntó Corriveau.

—Blanco a la primera.

—Errol Dobey.

—Y Esther Bachmeier, los dos que pudieron haberse cruzado con nuestra Mujer Sin Nombre...

—Karis, según el hombre que se puso en contacto con Castin.

—... hasta que llegó a Maela Lombardi.

—La difunta Maela Lombardi —corrigió Corriveau—. Los registros dentales nos han dado una identificación positiva. Nos ahorró el tener que pedirle a la sobrina que viera un cadáver que llevaba tiempo bajo el agua.

—¿Causa de la muerte?

—No fue por ahogamiento. He hablado con el forense esta mañana. Lombardi ya estaba muerta cuando la metieron en el agua, pero eso es todo lo que sé por ahora. Aunque tenemos una herida reciente de pinchazo en un brazo, así que podríamos depender de toxicología. Y ahora usted: ¿tiene algo que contarme o sólo quiere pedirme un favor?

—Un favor, pero usted también saldrá beneficiada. Estoy a punto de hacer una visita al Departamento de Policía de Cadillac. Si quieren confirmar que soy digno de confianza, ¿puedo remitirlos a usted?

—Buf...

—No debe hacer caso a Walsh. Está amargado por muchas historias.

—Aun así, buf...

—A lo mejor es que, después de todo, sí quiere pasarse por Indiana, pero la aviso: el billete de ida y vuelta me ha salido caro, y no hay mucho que ver cuando llegas aquí, a no ser que seas un gran fan de las carreras NASCAR. Vamos, Corriveau: aunque no le ahorre un viaje, sí que le voy a quitar de encima algo de trabajo sobre el terreno.

—Vale, muy bien. Pero me contará todo lo que averigüe, y no cabreará a nadie.

—Buf...

—Qué gracioso.

Parker le dio las gracias y colgó.

El Departamento de Policía de Cadillac estaba organizado siguiendo un patrón casi idéntico al de Cape Elizabeth: catorce miembros, de los cuales cinco eran patrulleros y uno, detective. La mesa de recepción tenía personal de ocho de la mañana a cinco de la tarde todos los días, y había teléfonos en el vestíbulo conectados para comunicaciones regionales accesibles fuera de esas horas. Empleaba a cuatro agentes de la reserva, y a otros cuatro administrativos los fines de semana, aunque había un puesto vacante en cada caso. Parker sabía todo eso porque un gran panel informaba de ello, y dispuso de media hora para familiarizarse con los detalles mientras esperaba a que el jefe regresara de lo que estuviera haciendo, que, según se vio, era disfrutar de un almuerzo en el Sunnyside Dine-In, y, a juzgar por la tirantez que su vientre ejercía sobre los botones de la camisa de su uniforme, no era el primero que se tomaba esa mañana. Se llamaba Dwight Hillick, y se mostró cautamente interesado cuando Parker le explicó qué le había llevado al pueblo.

—¿En el maletero de un coche ha dicho?

—Así es.

Hillick dio unos golpes con el bolígrafo sobre la mesa.

—No nos han solicitado información ni asistencia de Maine.

—Se las solicitarán.

—En ese caso, ¿por qué no debería esperar a que lo hagan en lugar de hablar con usted?

—Porque yo estoy aquí, y ellos, allí. Solange Corriveau, de la Policía del Estado de Maine, responde por mí.

Hillick dejó el bolígrafo sobre la mesa.

—No necesito referencias —dijo—. Sé quién es usted. Lo busqué en Google. ¿Tiene pensado matar a alguien?

—¿Qué día es hoy?

—Me parece que jueves.

—No, no tengo pensado matar a nadie.

Hillick se quedó mirando a Parker durante diez largos segundos.

—Vale, en ese caso —dijo—, empecemos.

84

En opinión de Ivan Giller —basada, como reconocía, en un conocimiento superficial del tema—, Gregg Mullis no era el tipo de hombre que le iba a Connie White. Vivía en un vertedero, trabajaba en un matadero y su actitud era la de alguien que se levantaba cada mañana pensando sólo en las muchas maneras en que la vida podía joderle antes de que volviera a acostarse. Al menos, había podido dejar embarazada a una mujer —que le daría un varón, según la madre preñada en cuestión—, pero Giller creía que Mullis sólo podría haberlo hecho manteniendo los ojos cerrados. A la novia de Mullis podría describírsela como fea, pero sólo si alguien no había visto a una mujer fea, ni, menos aún, a una bonita. Además, a juzgar por los ceniceros esparcidos por la casa, el olor de su ropa y el cigarrillo que oscilaba en su mano derecha, su hijo, si sobrevivía hasta el parto, crecería para ser el Hombre de Marlboro.

Giller había realizado las debidas comprobaciones sobre Mullis antes de abordarle, y ahora conocía el nombre de su exesposa, la dirección de ésta, el tipo de empleos que tenía y el colegio al que iba su hijo, o «hijo» a secas, como Giller había empezado a considerar a Daniel Weaver. Pero Giller necesitaba que Mullis le confirmara la verdad de la historia que le había contado Connie White: que Holly Weaver no pudo haber concebido el hijo que ella llamaba propio. Por eso, Giller estaba sentado ahora a una mesa de segunda mano en una cocina que olía a grasa y verduras hervidas, en una casa a la que no le habría venido mal una limpieza a fondo, o, mejor todavía, un incendio que la redujera a cenizas.

Mullis estaba despatarrado frente a Giller, sosteniendo la tarjeta que éste le había presentado en la puerta. La tarjeta identificaba a Giller como un tal Marcus Light, empleado de la Oficina de Servicios de Infancia y Familia, una sección del Departamento de Salud y Servicios Sociales del estado. Giller disponía de una serie de tarjetas como ésa: algunas las confeccionaba él mismo, y otras —como en ese caso— las conservaba cuando se las daban, o cuando tenía la oportunidad de robarlas. Mullis y su novia ni siquiera le habían pedido que les enseñara algún documento de identidad que corroborara los datos que aparecían en la tarjeta. Ésta había bastado para franquearle a Giller la entrada a la casa, bueno, la tarjeta y las garantías que les dio de que no había ningún problema con ellos, y de que incluso podían sacar algún beneficio si le contestaban unas pocas preguntas.

Giller nunca dejaba de sorprenderse de lo crédula que podía ser la gente.

Mullis medía uno setenta y seis, y, aunque delgado, no era escuálido, por más que pareciera construido con un ensamblaje de alambres. Seguramente se le había considerado apuesto en el pasado, antes de que las decepciones hubieran ido consumiéndolo.

—Ha comentado algo sobre unos beneficios para nosotros —dijo la novia de Mullis, que se llamaba Tanya. Por si había alguna duda, se había tatuado el nombre en el dorso de la mano izquierda, dentro del contorno de un corazón. En el dorso de la mano derecha, un corazón similar envolvía el nombre de su novio.

—*Beneficio* —la corrigió Giller—. Estoy autorizado a ofrecer una recompensa económica a cualquiera que colabore en investigaciones de fraude.

—¿Qué clase de fraude? —preguntó Mullis.

—En este caso, proporcionar información falsa con la intención de registrar un nacimiento.

Tanya miró a Mullis.

—¿Alguien que conozcamos? —preguntó ella, y sonrió, pero Mullis no picaba.

—Cállate —le dijo.

—Que te den, no eres quién para mandarme callar.

Pero se calló.

Giller se aclaró la garganta.

—Señor Mullis, el hecho de que esté aquí significa que ya conocemos la naturaleza del fraude cometido. También tengo que advertirle que, del mismo modo que estoy en disposición de ofrecer una recompensa por cualquier cooperación recibida, también estoy obligado a considerar la ocultación de información como un delito. Se trata de un asunto muy grave. La falsificación de un certificado de nacimiento es un delito, y conlleva penas legales. No sólo una multa: dependiendo de la naturaleza y gravedad del delito, podríamos estar hablando de cinco años de cárcel, más, en el caso de que se crea que el bienestar de un niño podría correr peligro.

Mullis dejó la tarjeta encima de la mesa y la empujó suavemente hacia Giller.

—No sé nada de ningún fraude.

Giller lo entendió en ese momento. Cualquier rabia o amargura que Mullis hubiera sentido hacia su exesposa se habían disipado con la concepción de su propio hijo. En el pasado, la había amado, y no tenía intención de colaborar en la posible separación de Daniel de su hogar, ni ayudar a meter a su exesposa en la cárcel.

—Su exesposa registró el nacimiento de un hijo hace cinco años.

—¿Y qué?

—Su exesposa es estéril.

—Y una mierda.

—Por favor, no vaya por ahí, señor Mullis —dijo Giller, y lo dijo en serio.

—Gregg —dijo Tanya—, hablemos en privado.

—No me hace falta hablar de nada.

La voz de ella se suavizó.

—Gregg. —Colocó una mano sobre su hombro—. Sólo un momento.

Y, del mismo modo que Giller había percibido en Mullis un vestigio del viejo amor, y una honestidad personal básica que el paso de los años no había anulado del todo, también reconoció un afecto y preocupación genuinos en el rostro de su novia. Eso hizo que Giller lo sintiera por ellos, y lamentó que su investigación le hubiera llevado a su hogar.

La pareja salió del cuarto, cerrando la puerta tras de sí, pero las paredes eran delgadas y Giller pudo distinguir parte de lo que se decían.

—Ya lo saben... No es asunto tuyo..., piensa en nuestro hijo..., la cárcel.

Hizo la llamada mientras hablaban. Ya le habían dicho todo lo que necesitaba saber. Lo que pasara a continuación no estaba en sus manos.

85

Quayle estaba sentado en un coche de alquiler frente a la finca de los Weaver. Gracias al buen trabajo de Giller, Quayle ya contaba con una gran cantidad de información sobre la vida de Holly Weaver, incluyendo la escuela a la que asistía el niño al que ella llamaba su hijo, aunque todavía no tenía ni idea de qué aspecto tenía el niño. Sí sabía la hora a la que acababan las clases en la Escuela de Primaria Saber Hill, y hacía media hora que había encontrado un lugar en un solar abandonado desde donde podía ver la carretera que llevaba a las dos casas de los Weaver.

A la una del mediodía, un Chrysler azul que no debía de valer lo que costaba la gasolina que necesitaría para llevarlo al desguace salió y giró hacia el sur, al volante iba un hombre de cabello cano con un abrigo negro que estaba intentando, sin conseguirlo, abrocharse el cinturón de seguridad mientras conducía. Sería el padre de Holly Weaver, Owen. Quayle también lo sabía todo de él: enviudó una vez, se divorció otra, dueño de un camión grande, sin mucho dinero del que hablar, y nadie por aparecer ya a estas alturas de su vida.

Quayle se mantuvo detrás del Chrysler hasta que éste llegó a la escuela. Buscó aparcamiento más adelante, desde donde vio al hombre de pelo cano cruzar la calle y unirse al cónclave de padres arremolinados junto a la puerta. Quayle oyó sonar el timbre de la escuela, y al cabo de un momento salieron los primeros niños, entre ellos uno con el cabello oscuro que se movía más despacio que los demás, como si la mochila que cargaba a la espalda pesara más de lo que debía, pero que aun así fue capaz de esbozar la más débil de las sonrisas al ver a su abuelo.

Quayle dejó escapar el aliento; el cuerpo entero se le relajó aliviado, como a un hombre aquejado desde hace mucho por una enfermedad que entrevé la posibilidad de un fin a su dolor. Cogidos de la mano, Owen Weaver y el niño se encaminaron al coche sin que Quayle les quitara ojo de encima.

Es curioso, pensó Quayle, lo mucho que se parecen algunos niños a sus madres.

No necesitaba que Giller le confirmara nada. Había encontrado al hijo de Karis Lamb.

86

La primera vez que llamó Giller, el número de móvil saltó directamente al buzón de voz, pero le dio tiempo a intentarlo una segunda vez, y en esa ocasión tuvo más suerte, antes de que el griterío que procedía de la cocina alcanzara un *crescendo* seguido de un silencio. Oyó pasos que se aproximaban desde el recibidor y guardó el teléfono. Mullis abrió la puerta de la cocina. Tanya estaba detrás de él, llorando.

—Vamos, váyase —dijo Mullis—. No tenemos nada más que decirle.

—Lamento mucho que haya optado por esa vía.

—Acabo de avisarle —insistió Mullis—, salga de mi casa.

Sonó el timbre, no una vez sino sin parar; quien llamaba mantenía el dedo pegado al botón. Detrás del cristal esmerilado se veía la figura de una mujer.

—¿Quién coño es? —preguntó Mullis.

Tanya se acercó a la puerta.

—No abras —le pidió Mullis.

—No servirá de nada —dijo Giller lo bastante alto para que se le oyera por encima del clamor.

Mullis se volvió hacia Giller.

—¿Qué ha dicho?

—He dicho que no servirá de nada. No pueden impedir que entre.

—¿Es que esa puta viene con usted?

Tanya se llevó instintivamente las manos a su vientre hinchado, como si eso bastara para proteger a su bebé.

—Más vale que la deje pasar —dijo Giller.

Sentía calor en los ojos. Notó que una lágrima le caía por la mejilla. Lloraba por Mullis, por Tanya, por su hijo nonato.

Por sí mismo.

—Déjela entrar y acabemos de una vez.

87

Louis estaba sentado en la recepción de Moxie Castin, absorto en la lectura, con sus largas piernas extendidas hacia delante. En ese momento alternaba la lectura de Montaigne, *Fiesta* y el *New York Times:* un ensayo, un capítulo de la novela, seguido de un par de artículos. Cuando no leía, pensaba en lo que acababa de leer.

Moxie lo observaba desde la puerta de su despacho.

—¿Sabes qué me ha preguntado antes una de mis clientas?

—No —dijo Louis. Estaba con Montaigne y no levantó la vista de las páginas para responder.

—Quería saber qué delito habías cometido.

—Espero que te lo pensaras bien antes de contestar.

—Lo dejé a su imaginación.

—Seguramente es lo mejor.

Louis pasó la página, pero siguió sin levantar la vista.

—Esa corbata —dijo.

Moxie se toqueteó la pieza de ropa en cuestión.

—Qué le pasa.

—Sólo «esa corbata».

—Es una corbata cara.

—¿Estás seguro?

—¿Quieres que te enseñe la factura?

—No va a juego con el traje.

—Me gustan los contrastes.

—Me alegro, porque cuesta imaginar un traje con el que quedara bien.

—Tiene personalidad.

—Salvo, claro, un traje de payaso.

—Es italiana.

—En ese caso, tal vez un traje de payaso italiano.

Moxie se acercó al espejo que había junto a la mesa de la secretaria y examinó su reflejo. Se fijó en que su secretaria mantenía la cabeza gacha y no decía nada. Tomó nota mental para recordarle la necesidad de apoyar al hombre que le pagaba el sueldo.

—Ahora me has hecho dudar —dijo.

—Me alegro —dijo Louis.

Moxie se abotonó la chaqueta, frunció el ceño y se la desabotonó.

—Supongo que tal vez es un poco chillona para este traje —concedió.

—Es chillona hasta para Times Square.

—Vale, vale, me has convencido. Me la cambiaré. La cambiaré y no volveré a ponérmela. La donaré a Goodwill.

—Dónala a una escuela de payasos.

Moxie fue a refugiarse en su despacho, revolvió en su armario y volvió al cabo de un momento con una corbata menos llamativa, que se anudó delante del espejo antes de volverse a encarar a Louis.

—¿Mejor?

Louis deslizó una mirada por encima de su libro.

—Mejor —dijo—. Y a ver, en cuanto al traje...

A sus espaldas, Moxie oyó cómo su secretaria parecía que se estuviera atragantando.

—Si te estás riendo cuando me dé la vuelta —dijo—, considérate despedida.

88

Dwight Hillick tal vez tuviera el aspecto de que no le habría sentado mal saltarse un par de comidas, pero no era ningún tonto. Explicó a Parker, paso a paso, hasta el último detalle del incendio en el restaurante, el descubrimiento del cadáver de Errol Dobey y la desaparición de Esther Bachmeier, todo sin trabarse ni vacilar ni recurrir a un solo expediente o nota.

—¿Así que el incendio está siendo investigado como accidental? —preguntó Parker.

—El cadáver de Dobey estaba muy quemado, pero no había señales de heridas, salvo aquellas propias de un incendio, ni tampoco se encontraron trazas de acelerantes, aparte del papel.

—Y a Dobey le gustaba fumar maría.

—De eso no hay duda. Y no sería el primer hombre que ha muerto al caérsele un porro encendido. Aún estamos esperando los resultados de los análisis toxicológicos, que todavía tardarán un mes. Por otro lado, está la cuestión de la desaparición de Esther, que enciende un par de alarmas.

—¿Se la considera sospechosa?

—Oficialmente, nos gustaría hablar con ella. Extraoficialmente, no creo que tenga nada que ver.

—¿Y qué me dice de las mujeres y de las chicas que se alojaron con Dobey en el pasado?

—¿Qué quiere que le diga?

—¿Alguna razón para sospechar que había alguien resentido?, ¿un novio, un marido?

—No lo hemos descartado. Trajimos al inspector del cuerpo de bomberos del Estado de Indiana y se contrató a un investigador privado de incendios provocados para averiguar el origen y la causa. Eso todavía está en estudio, pero, como he dicho, no hay restos de acelerantes, o no se han encontrado todavía. Sin embargo, con tanto papel, con una cerilla habría bastado.

—Volviendo a las mujeres que pasaron por allí: ¿usted estaba al tanto de que Dobey y Bachmeier tenían un refugio no oficial?

—Sí.

—¿Algún indicio de comportamiento indecente por parte de Dobey?

—Ninguno.

—¿Nunca se le ocurrió esa posibilidad?

—Usted no conocía a Dobey. Yo, sí. No me cabrea que me haga esa pregunta. Yo la haría si estuviera en su lugar, pero él no era así.

Parker le preguntó un par de cosas más a Hillick. Sólo para aclararse y confirmar sus ideas. Cuando Parker acabó, Hillick hizo una llamada al detective del departamento, un antiguo agente de la policía de Indianápolis llamado Shears, y le pidió que se acercase a la comisaría, aunque era su día libre. Shears se presentó poco después, y los tres hombres juntos se fueron en coche, primero al restaurante de Dobey, donde repasaron todo por segunda vez mientras Shears añadía lo que podía al relato de Hillick, y luego se dirigieron a la casa de Bachmeier. Shears guio a Parker por cada habitación, que había sido examinada por detectives y expertos forenses de la Policía del Estado de Indiana, dado que ésta tenía jurisdicción sobre los homicidios cometidos fuera de las grandes áreas urbanas. No había rastros de altercados, pero tampoco indicios de que Bachmeier estuviera pensando en irse durante algún tiempo. Incluso se había encontrado una tarrina a medio comer de helado Ben & Jerry's derretido en el fregadero, con una cuchara todavía dentro.

Parker salió y se puso al sol mientras Hillick y Shears cerraban. Había esperado que Indiana fuera llana, Dios sabría por qué, pero en la zona que rodeaba Cadillac había colinas y bosques. Era un lugar bonito para ser una ciudad, pero aun así no le hubiera gustado vivir ahí.

—¿Y Leila Patton? —preguntó cuando los agentes volvieron a su lado.

Hillick redistribuyó su corpulencia.

—Sí, eso fue muy raro. Leila dice que la atacaron cuando volvió a casa del restaurante. El personal y un montón de vecinos acudieron después de lo que había pasado, ya sabe, para consolarse, dejar flores, decir unas oraciones, y Leila acababa de volver a casa. No pudo decirnos gran cosa de lo que pasó, aparte de que estaba segura de que fue una mujer la que intentó secuestrarla. La atacante llevaba puesto un pasamontañas, y en cuanto quedó claro que no iba a poder llevársela, salió por piernas. Leila creyó oír un coche que se alejaba, pero no lo vio.

—Me han dicho que Leila pudo haber cortado a su atacante.

—Así es. Con la llave.

—¿Cree que puede tener relación con el resto de lo que quiera que haya pasado?

—No descarto nada. Éste es un pueblo pequeño. Pasan muchas cosas bajo la superficie, como en la mayoría de los pueblos pequeños, pero tener un incendio mortal, una desaparición y un intento de secuestro en menos de veinticuatro horas es completamente excepcional. De manera que sí, es posible que exista alguna relación, pero no sé cuál puede ser. Bueno, sí lo sé: debe de tener algo que ver con las chicas de Dobey, pero ni él ni Esther llevaban un registro de las que acogían; o, si lo hacían, todavía no lo hemos encontrado. Podría ser que todos los documentos acabaran destruidos entre las llamas.

—Leila trabajaba la noche del incendio, ¿no?

—Sí.

—¿Y no vio nada raro?

—Ella dice que no, aparte de un tipo que leía poesía. No me parece que eso sea delito, aunque supongo que depende de la poesía.

Parker miró a Hillick. Hillick miró a Parker. Parker miró a Shears.

—A mí no me pregunte —dijo Shears—. No soy crítico literario, sólo trabajo aquí.

—A Leila le pareció que a Dobey no le gustaba la pinta del

tipo de la poesía —añadió Hillick—, y que después se comportaba con cierto nerviosismo, pero Dobey negó que conociera a aquel hombre, y Leila le creyó. Nos hizo una descripción, pero parecía más bien que hablara de Ralph Waldo Emerson. Y el que no le gustara el aspecto de alguien tampoco era tan raro en Dobey. Tenía sus cosas.

—No le gustaban los hombres que llevaban sandalias con calcetines —dijo Shears.

—No —dijo Hillick—, no le gustaban.

Todos pensaron al respecto un momento, coincidieron en que parecía una opinión estética bastante razonable y reanudaron la conversación.

—Así que atacan a Leila Patton delante de su casa, aparentemente en un intento de secuestro —dijo Parker—. Ella se las apaña para entrar y cerrar la puerta con llave antes de llamar a la policía. Fin de la historia.

—Eso es —dijo Hillick.

—Pero, para empezar, ¿por qué iban a intentar secuestrarla?

—Usted es el investigador privado con buena reputación —dijo Hillick.

—Porque —dijo Parker— quienquiera que fuese la asaltante, suponiendo que fuera una mujer, creía que Patton sabía o había visto algo, algo que podría ayudar a la investigación. Pero, según usted, Patton no pudo explicar nada útil.

—Lo que no significa que no tenga nada que contar —dijo Shears—. Leila Patton es una joven inteligente. Es más lista que yo.

Esperó a que Hillick lo negara. Éste no lo hizo.

—Pues qué bien —dijo Shears.

—¿El ataque pudo haber sido una advertencia? —preguntó Hillick.

—Si los destinos de Dobey, Bachmeier y Lombardi tienen un denominador común —dijo Parker—, lo que tenemos son actos definitivos, no advertencias.

Hillick se metió las manos en los bolsillos de los pantalones y buscó a su alrededor algo a lo que darle una patada. Como no encontró nada cerca, optó por soltar un taco en voz alta. A sus espaldas estaba el garaje de Esther Bachmeier, y en el garaje su Nissan. Estuviera donde estuviese, Esther no había ido hasta allá en su coche. En cualquier caso, ninguno de los tres hombres que se encontraban en ese momento en el patio creía que fuera a volver.

—Le tengo cariño a Leila —dijo Hillick, una vez que se hubo desahogado un poco—. Es una buena chica. Y Shears tiene razón: es lista.

—Así que ¿podría estar reteniendo información? —preguntó Parker.

—Supongo que sí, pero no veo por qué no querría ayudarnos a averiguar qué está pasando.

—Tal vez esté asustada.

—Sí, pero también es una chica fuerte. Su madre lleva enferma mucho tiempo. Sería un acto de misericordia que el Señor se la llevara, pero yo nunca la he oído quejarse, ni una sola vez. Lo que intento decir es que si Leila Patton hubiera tenido información que pudiera probar que se le iba a hacer daño a Dobey o a Esther, yo creo que nos la habría dado.

—¿Y qué está ocultando? —preguntó Parker.

—Bueno, tal vez es eso lo que usted ha venido a averiguar.

89

Giller estaba sentado a la mesa de la cocina, mirando hacia la puerta principal. Gregg Mullis yacía en el suelo con la mitad del cuerpo en el recibidor y la otra mitad en el salón, así que Giller sólo le veía los pies, uno de los cuales todavía se retorcía. Tanya se había derrumbado contra la pared, con las piernas estiradas por delante. La bala la había alcanzado en el pecho, matándola al instante.

Pallida Mors estaba de pie, sobre el cuerpo de la mujer, como pasmada por la alteración que había provocado en el cadáver la mortalidad, un lívido fantasma con una casa nueva encantada. Su pelo quedaba completamente oculto por la gorra de plástico azul, lo que le daba una apariencia más extraña si cabe. Una pistola, deformada por un silenciador, colgaba a su lado, exhalando una última voluta de humo. Giller nunca había oído antes un disparo con silenciador. Le sorprendió lo fuerte que sonó, no tanto como una tosecita, sino más bien como un ladrido irritado.

Mientras Giller miraba, Mors se arrodilló y colocó la palma de la mano sobre el vientre de Tanya. La mantenía todavía allí cuando se volvió hacia Giller.

—Puedo sentir cómo patalea —dijo.

Giller no respondió. Se había metido en el infierno y ahora uno de sus demonios le estaba hablando en una lengua que deseaba no entender. Se tapó los oídos con las manos y cerró los ojos, pero aun así oyó lo que Mors dijo a continuación.

—Ahora ha parado.

Mors se le acercó trayendo consigo el hedor que despedía,

intenso incluso entre el humo de la pistola, la sangre y el olor de los moribundos. Ella era su quintaesencia, sus entrañas puestas de manifiesto. Estaba inscrito en su nombre. Era la Muerte misma. Y Giller comprendió que cada momento de su propia existencia, desde la fusión de la semilla y el óvulo en un remoto acto sexual, pasando por el dolor y la alegría, el amor y la pérdida, hasta la claridad final de esta última y mísera provincia, un reino de madera astillada y comida maloliente, había conducido justo a ese instante, y así él quedaba definido por lo que había propiciado que se cometiera ahí, y lo poco bueno que había hecho en la vida sería barrido como la ceniza de la conflagración final de su existencia.

—Mírame —dijo Mors.

Giller abrió los ojos y la pistola dijo su nombre.

90

Parker, Hillick y Shears decidieron que sería mejor que Parker hablara a solas con Leila Patton. Hillick creía que cualquier intento de intimidar a la joven estaba condenado al fracaso, un fracaso proporcional al nivel de intimidación ejercido; en otras palabras, Patton se mostraría el triple de terca si la abordaban los tres juntos.

Parker estaba junto a su coche de alquiler cuando Patton salió por fin de su turno de camarera, vestida todavía con la ropa de trabajo. Había aparcado a la suficiente distancia para no correr el riesgo de alarmarla, pero lo bastante cerca para que ella no pudiera subirse a su coche y marcharse antes de que él le hablara.

—¿Señorita Patton?

Ella se detuvo junto a su vehículo, y él reparó que rápidamente había deslizado una llave entre los dedos anular y corazón de la mano derecha antes de cerrarla en un puño. Estaba claro que no iba a dejar que volvieran a cogerla por sorpresa. Entornó los ojos para mirar a Parker, que tenía el sol a sus espaldas.

—Antes estuvo en el restaurante —dijo—. ¿Quién es y qué quiere?

Parker se detuvo para quedar fuera del alcance de sus puños.

—Me llamo Charlie Parker. Hablamos por teléfono, pero no llegamos muy lejos. Creí que debía intentar una conversación cara a cara.

Ella no se relajó, pero movió la llave en la mano para abrir la puerta del coche.

—Ya se lo he dicho: no tengo nada que decir.

—Están matando a gente, Leila, y no sólo aquí. Creo que quienquiera que matara a Dobey y Esther asesinó a una mujer en Maine y arrojó su cuerpo a una cantera. Creo que van a seguir matando hasta que consigan lo que quieren.

Patton se detuvo, con la llave en la cerradura, y se volvió para encararlo.

—Esther está desaparecida, no muerta. Dobey murió en un incendio.

—No me parece que usted se lo crea ni por asomo, del mismo modo que no se cree que Dobey muriera por un descuido con un porro.

—No sé lo que creo.

Ya la tenía. Parker lo notó en su voz.

—Pero a usted le importaban ambos.

—Sí.

—En ese caso me gustaría hablar con usted sobre ellos unos minutos. Puede que usted sepa más de lo que imagina.

—Tengo que volver junto a mi madre. Está enferma.

Parker se limitó a escuchar. Nada de lo que dijera ayudaría. Esperó y observó la lucha que se libraba en Leila Patton. Ella miró en silencio el aparcamiento, el restaurante y el pueblo de Cadillac, como si se preguntara cómo o si podría dejar atrás todo aquello.

—Si es verdad —dijo por fin— lo de esa gente, quienesquiera que sean, ¿usted los va a parar?

—Sí.

—¿No se supone que es eso lo que hace la policía?

—A veces yo lo hago mejor.

Ella examinó a Parker y a él le dio la impresión de que todavía le parecía insuficiente. No se lo tomó como algo personal.

—¿Usted solo? —preguntó.

—Cuento con ayuda si la necesito.

—¿Y la ha necesitado en el pasado?

—Esporádicamente.

—Supongo que podría haber buscado información sobre usted en Google —dijo—, pero he acabado detestando ese tipo de cosas. Es espeluznante.

—Estamos de acuerdo.

—Si hubiera buscado, ¿me habría gustado lo que hubiera encontrado?

Ahora lo miraba de frente, y él estuvo seguro de que ella tenía algo que contar. Lo veía en sus ojos.

—Espero que sí. Puede que no todo, pero sí la mayor parte. Ni siquiera a mí me importa mucho todo lo que he hecho.

Cuando ella volvió a hablar, lo hizo en voz tan baja que la brisa casi se llevó sus palabras antes de que Parker pudiera captarlas.

—Me temo que volverá.

—¿Quién?

—La mujer que intentó hacerme daño.

—¿Dijo ella que volvería?

—No dijo nada en absoluto.

—Y aun así...

Patton arrugó la nariz, como un pequeño mamífero que husmeara intentando captar la presencia de un carnívoro mayor.

—Olía mal, no como si no se duchase lo bastante, sino un hedor que procedía de dentro. Seguramente no sabe a qué me refiero. No me explico muy bien.

Parker se acercó.

—Se despierta por la noche —dijo él— y todavía la huele, como si estuviera en la habitación con usted. Cuando se siente sin fuerzas, o asustada, percibe su sabor en la comida. Y nota trazas de ese olor en la leche rancia, en los desagües sucios, en los cadáveres de animales atropellados.

—Sí —dijo ella—. Eso es. ¿Se va con el tiempo?

—No, no si la ha tocado. Permanece.

—¿Y qué hace usted?

—Uno espera que se elimine la fuente de ese olor de este mundo y vive con el recuerdo. —Le sonrió—. A ver qué le parece esto: si usted me concede un poco de su tiempo, *yo* hablaré. Le hablaré de mí, y de cómo sé estas cosas. Cuando acabe, si no se fía de mí, me iré y no volveré a molestarla. Cogeré un vuelo de regreso al Este y buscaré otro modo de detener lo que está pasando. No la mezclaré en nada de esto, pero...

No acabó.

—Pero ya estoy implicada, ¿no? —dijo Patton—. Eso era lo que iba a decir.

—Sí.

—Y esa mujer volverá, ¿verdad?

—Es posible. Usted es un cabo suelto, en cuyo caso volverá porque tiene que hacerlo o porque le gusta lo que hace. Para quienes son como ella, los corruptos hasta la médula, suele tratarse más de lo segundo que de lo primero.

—Podría habérmelo dicho antes. Podría haber utilizado la amenaza para hacerme cambiar de opinión.

—No estoy aquí para amenazarla, y no tenía que hacerla cambiar de opinión. Usted ya sabía qué era lo correcto. Sólo necesitaba que alguien se lo confirmara. Y no hace esto por usted. No creo que sea usted ese tipo de persona. Lo hará porque salvará a otros, pero no tiene nada de malo salvarse uno mismo de paso.

—Menudo discursito.

—Tengo mucha práctica.

—Supongo que sí. —Abrió la puerta del coche—. Sígame.

91

Owen Weaver estaba sentado con su nieto en el sofá del salón, viendo unos dibujos animados diseñados para vender juguetes a los niños y así sacar el máximo beneficio del mínimo entretenimiento.

Daniel había pasado una mala noche, se había despertado chillando por una pesadilla, cosa rara en él. Eso implicó que Holly también pasara mala noche, pues Daniel se empeñó en dormir en la cama de su madre, aunque lo cierto es que tampoco durmió demasiado. Cualquier otro día, Holly habría dejado que se quedara en casa, pero Owen tenía una cita con un especialista en medicina interna que llevaba esperando desde hacía semanas, y los Barham estaban en un funeral en Bangor, así que no quedaba nadie que pudiese cuidar del niño. En consecuencia, Daniel —cansado y con los párpados pesados— se había visto obligado a pasar un mal día en Saber Hill.

Daniel tenía ahora los ojos clavados en la pantalla, pero Owen se dio cuenta de que prestaba poca atención a lo que miraba. Había intentado engatusarlo para que se acostara y recuperara el sueño perdido, pero él insistió en quedarse donde estaba, y cada vez que los ojos empezaban a cerrársele cambiaba de postura, como si quisiera mantenerse despierto.

—Eh —dijo Owen.

Daniel levantó la mirada.

—No tienes que asustarte de quedarte dormido. Estoy aquí, y no voy a ir a ningún sitio. Me quedaré en este sofá hasta por la mañana si quieres, salvo cuando tenga que ir a hacer un pis, porque no queremos estar sentados en un sofá meado, ¿verdad que no?

Daniel no sonrió. Por lo general, la simple mención de los hábitos de otro en el baño bastaba para que el niño se partiera de risa. La frente de Daniel se arrugó y le hizo una pregunta a su abuelo.

—¿Por qué no me parezco a mamá?

Owen recompuso los rasgos para exhibir su mejor cara de póquer.

—¿Qué quieres decir?

—Pues lo que he dicho: ¿por qué no me parezco a mamá? Su pelo es muy claro y el mío muy moreno.

Pero se trataba de algo más, Owen lo sabía. El niño todavía carecía del vocabulario para expresar la complejidad de sus sentimientos.

—Porque los dos sois diferentes, eso es todo —dijo Owen—. Es posible que te parezcas más a tu padre.

—Pero tú dijiste que no lo habías conocido.

—Estoy haciendo conjeturas. Así son las cosas algunas veces. Yo, por ejemplo, siempre me he parecido más a mi padre que a mi madre. Si hubiera salido a ella habría sido más guapo.

Esta vez tampoco hubo ninguna sonrisa.

—¿Por qué mamá no habla nunca de mi padre?

«¿A qué venía todo esto?»

—Le pone triste.

—¿Por qué?

—No sé, simplemente le pone triste.

—¿Porque él murió?

—Sí, porque murió.

La mirada de Daniel se deslizó hacia la ventana y los bosques de más allá.

—¿Puede alguien tener dos mamás?

«Dios mío.»

—Esto..., supongo que sí. Tu amiga Dina de la escuela tiene dos. Su padre volvió a casarse y Dina se queda con él y su nueva esposa dos veces al mes. Dina se lleva bien con su madrastra, ¿no?

Daniel asintió.

—Bueno, así que tiene una segunda mamá, en cierto sentido. ¿Te refieres a eso?

Esta vez, Daniel negó con la cabeza.

—¿Y si tu mamá se muere? —preguntó—. ¿Y si tu mamá muere y vas a vivir con otra mamá?

Owen sintió un dolor que le oprimía el pecho. Si su brazo izquierdo se hubiera entumecido y se hubiera desplomado por un ataque al corazón, no le habría sorprendido.

—¿Qué quieres decir?

—¿La mamá muerta es todavía tu mamá?

Owen estaba ahora en un territorio desconocido, perdido en mitad de la nada. No había una respuesta correcta a esa pregunta. Sólo podía ser honesto.

—Sí —dijo—. Todavía sería tu madre.

La barbilla del niño empezó a temblar, y Owen se lo acercó y lo abrazó con fuerza mientras empezaba a sollozar.

—Pero ¿cuál es la real? —preguntó Daniel llorando—. ¿Cuál es la *real*?

92

Habrían transcurrido días, tal vez incluso semanas, antes de que se hubieran descubierto los restos de Garrison Pryor si el detector de humos de su cocina no se hubiera estropeado y hubiera comenzado a sonar la alarma sin parar, molestando a los vecinos que vivían a ambos lados de su casa, que llamaron al encargado del edificio para que acudiera a echar un vistazo. Ahora un equipo de detectives y de agentes federales contemplaban lo que quedaba del cuerpo de Pryor, además de los diversos trozos que le habían extirpado y que habían dejado en el lavamanos del baño.

—Hay alguien al que no le caía nada bien —comentó uno de los agentes.

—No había mucho de este hombre que cayera bien a nadie —fue la respuesta.

—Pues ahora hay menos.

Oyeron movimiento a sus espaldas y, al volverse, vieron al agente especial Edgar Ross de la oficina de Nueva York en la puerta. Aunque la oficina de Boston estaba implicada en la investigación de Pryor, el principal impulso procedía de D.C. y de Nueva York, y de Ross en particular. No pareció hacerle mucha gracia el sentido del humor de los agentes, pero se limitó a dejar que su cara fuera un reflejo de su desagrado. Por último, tras un incómodo minuto de observación, se fue.

—¿Cómo coño ha llegado aquí tan pronto? —dijo el primer agente.

Su colega se encogió de hombros.

—Dicen que tiene una casa en Cambridge.

—¿Con un salario federal?

—¿No lo sabes? Ross es de una familia con dinero. No le falta nada. Mierda, si hasta es miembro de uno de esos clubes de pijos...

93

Connie White depositó en su cuenta bancaria la mitad del dinero que le había dado Giller, se gastó una parte en lana en la mercería local y el resto en los almacenes Marshalls. En circunstancias normales, habría ahorrado un poco, sólo por si acaso, pero se había fijado en la mirada de Giller cuando le habló del chico de Holly Weaver: el apellido Weaver era importante para él, lo que garantizaba que volvería con más dinero. A White no le preocupaba que Giller intentara joderla. Puede que no fuera reacio a la negociación —ningún hombre de negocios lo era—, pero había preguntado por ahí y sabía que Giller mantenía su palabra una vez había llegado a un acuerdo. De no hacerlo así, habría sido malo para su reputación como intermediario decente.

White paró delante de su caravana, esperando ver salir a *Steeler* de su caseta, pero no había rastro del perro. *Steeler* reconocía el sonido de su coche, y aunque a veces podía ser vago hasta el aburrimiento, siempre salía a recibirla. White vio su cadena, que estaba enredada fuera de la caseta. Era raro, pero no se alarmó.

—*¿Steeler?*

Oyó un ladrido como respuesta, pero no procedía de la caseta sino de dentro de la caravana. Tal vez Eddy, su hermano, se había pasado por allí y permitido que *Steeler* entrara con él —llevaba semanas pidiéndole a Eddy que le echara un vistazo al cierre del horno—, aunque se suponía que no debía dejar que el perro se metiera en la caravana, porque al animal lo volvían loco los ovillos y nada le gustaba más que destrozarlos con garras y dientes. Pero Eddy estaba encariñado de *Steeler,* y el perro lo sabía.

—Mierda, Eddy —dijo al abrir la puerta y entrar—, te tengo dicho que...

Había una mujer desconocida sentada a la mesa y *Steeler* estaba a su lado, con las patas delanteras sobre su regazo, meneando la cola. *Steeler* amaba a su ama y le caía muy bien su hermano, pero hasta ahí parecía llegar su afecto por los seres humanos.

Hasta ahora.

La mujer llevaba una gorra de plástico azul, y se había recogido el pelo en una cola muy apretada. Tenía la piel de una víctima de ahogamiento y los ojos de una muñeca. Al momento, White dejó de mirar a la intrusa o a *Steeler* y se fijó en el arma que había aparecido por detrás del lomo del perro, una amenaza más real si cabe cuando vio el silenciador en la boca de la pistola. White había visto suficientes películas para saber que nadie ponía un silenciador en un arma que no iba a usar.

—Tiene un perro bonito —dijo la mujer.

White intentó echar a correr, y Mors le disparó por la espalda.

94

Leila Patton vivía en una calle de casas idénticas de una sola planta, en una urbanización que seguramente se remontaba a los años setenta. La mayoría de las casas se conservaban en buen estado, aunque la de los Patton mostraba indicios de deterioro, que podía ser una señal de falta de tiempo, de dinero, o de ambos. Parker paró en el camino de entrada y se bajó del coche. Esperó, como le había pedido ella, a que Patton entrara primero y se asegurara de que su madre estaba bien. Transcurrieron diez minutos, durante los que nada se movió en la calle salvo un solitario gato negro con un pájaro muerto entre los dientes, y entonces Parker oyó el sonido de un par de ventanas que se abrían en la fachada de la casa y Patton le hizo un gesto para que entrara.

Aunque no hizo ningún comentario, Parker supo, en cuanto llegó a la puerta, por qué había abierto las ventanas. La casa olía a enfermedad antigua, al lento desgaste del cuerpo y los pasos dados para aliviarlo. Parker oyó que había un televisor encendido en algún punto al fondo de la casa. Una mujer tosió, luego permaneció en silencio.

Patton lo esperaba en el salón. Estaba ordenado, al estilo de los cuartos que raramente se usan. Tal vez lo que ya sabía Parker de las circunstancias familiares influyó en su percepción del entorno, pero le dio la impresión de que parecía acondicionado para recibir a los desconsolados asistentes a un funeral. El único detalle que no encajaba era el piano que había en un rincón. Parker no sabía gran cosa de pianos, pero el instrumento estaba limpio y sin polvo, y la alfombra que lo rodeaba tenía las huellas de los repetidos cambios de posición de la banqueta del piano, lo que indicaba que no se trataba sólo de un mueble decorativo.

—¿Le apetece beber algo? —preguntó Patton—. Iba a prepararme un té verde.

—Me parece bien.

Volvió a dejarlo solo. Se acercó a la chimenea y examinó las fotografías enmarcadas sobre la repisa. Una Leila más joven aparecía en muchas de ellas, a menudo junto a un hombre corpulento que había empezado a quedarse calvo pronto, que intentó disimularlo y finalmente se rindió a lo inevitable antes de desaparecer por completo de la galería, como si el destino, insatisfecho con haberse llevado su pelo, hubiera decidido apropiarse también del resto de él; y también había una mujer pequeña, de cabello oscuro, que al principio era delgada y siguió adelgazando hasta que dejó de haber fotos suyas, congelándola en una fase anterior a aquélla en que su enfermedad se había convertido en su rasgo más visible. A juzgar por el aspecto de su hija en la foto más reciente, Parker supuso que las últimas imágenes de la madre de Patton debieron de haberse tomado hacía unos cuatro o cinco años, tal vez incluso por la época en que Karis pasó por Cadillac de camino a la muerte en los bosques de Maine.

—No le gusta mirarlas.

Patton había entrado en el salón cargando una bandeja con una tetera de estilo chino, dos tacitas a juego y un plato de galletas que eran a todas luces caseras. Dejó la bandeja sobre una mesita baja antes de acercarse a él junto a la chimenea.

—A mi madre, me refiero. No le gusta que le recuerden cómo era, pero a mí sí.

Parker no dijo que lo sentía. Tras tantos años cuidando a su madre, Leila Patton seguramente ya habría escuchado todos los tópicos habidos y por haber.

—¿Cuánto tiempo podrá seguir cuidándola en casa? —preguntó.

—Unos meses más. —Habló con tono prosaico, pero evitando mirarle directamente—. Después, necesitará atenciones a jornada completa hasta el final.

—¿Hay alguna institución cerca?

—La verdad es que no, o ningún sitio donde quiero que esté. Tendremos que vender la casa para cubrir los gastos, pero, en cualquier caso, tampoco tenía pensado quedarme aquí.

—¿Adónde irá?

—¿Con el tiempo? A algún lugar con vistas. Pero, primero, a Bloomington, a la Escuela de Música Jacobs, si todavía me aceptan. Me ofrecieron una beca hace tiempo, pero no pude aceptarla por lo enferma que estaba mi madre. Me han guardado la plaza. O me la guardaban. Casi me da miedo preguntar ahora.

—¿Es Jacobs una buena escuela?

Ella se rio.

—¿Que si es buena? Jacobs es la mejor del país, incluso mejor que Berklee o Juilliard, aunque la Curtis de Filadelfia la sigue de cerca.

—Déjeme adivinar —dijo Parker—. Piano.

—Ya veo por qué es detective. Me pregunto qué le habrá dado la pista.

—Lo aplanadas que tiene las puntas de los dedos —dijo Parker.

Patton se miró las manos instintivamente.

—Pero sobre todo el gran piano del rincón.

—Ingenioso —dijo Patton—. Como los detectives de las novelas.

Sirvió el té y cada uno comió una galleta. Patton se sentó en el sofá y Parker se acomodó en un sillón mientras intentaba explicarle por qué debía fiarse de él. Ella escuchaba, y cuando le hacía preguntas, él procuraba responderlas honestamente. Cuando no quería contestar, se lo decía. No tenía ningún deseo de mentirle.

Él consintió a todo eso porque estaba convencido de que la joven que tenía delante quería contarle algo, y tal vez así quitarse un peso de encima. E incluso si lo que averiguaba no le ayudaba en la investigación y sólo conseguía aliviarla de esa carga, ya bastaría, porque a veces el trabajo sólo requería escuchar. Sin embargo, Parker comprendió más adelante que en esa habitación teñida por la agonía él se había desnudado ante una desconocida, y que al hacerlo había disminuido la intensidad de su propio dolor.

Parker acabó de hablar. Leila —porque ahora ya era Leila para él, y lo seguiría siendo siempre— le tocó la mano y, estableciendo esa conexión, habló.

—Lamb —dijo—. Ése era el apellido de Karis, pero me dijo que lo mantuviera en secreto.

Leila se levantó y abandonó de nuevo el salón. Cuando volvió, llevaba una caja de zapatos que colocó sobre la mesita baja.

—Karis —dijo— me pidió que mantuviera un montón de cosas en secreto.

95

Quayle estaba esperando a Mors cuando ésta regresó, los asesinatos de las últimas horas habían conferido una calidez temporal a la palidez de la mujer, como si al privar a otros de la vida absorbiera un poco del vigor de sus víctimas para compensar la escasez del suyo.

A esas alturas, Quayle conocía las necesidades de Mors. Así que ya había extendido una sábana de plástico justo detrás de la puerta, y Mors se puso encima para quitarse la ropa hasta que se quedó desnuda delante de él. Sólo entonces, ella dio un paso fuera del plástico y con cuidado recogió las puntas de la sábana, las anudó para formar un fardo limpio. Más tarde, empaparía el contenido en lejía antes de tirarlo. Habría sido preferible quemarlo, pero les preocupaba que el humo atrajera la atención a la cabaña.

Mors se duchó antes de ponerse ropa limpia. Quayle, absorto en sus pensamientos, todavía no se había movido de la silla cuando ella acabó. Mors no le molestó, sino que se acurrucó en un sillón y se quedó dormida al instante.

Quayle estaba muy cerca de lo que llevaba tanto tiempo buscando, pero la tentación de acabar con todo rápidamente tenía que templarse con la cautela. No quería ser la presa en una cacería cuando todo esto hubiera llegado a su fin, o no antes de haberse ido de ahí para volver a Inglaterra.

¿Cuánto tardarían en encontrar los cuerpos de Mullis, White y los demás? No mucho, imaginó. No temía que hubieran visto a Mors en las cercanías de la casa ni de la caravana —era demasiado buena para cometer ese error—, pero uno no podía descartar ninguna posibilidad, y siempre cabía la pequeña probabilidad de que alguien recordara haber visto un vehículo desconocido en la carretera. Giller les había conseguido dos coches con la garantía de que no estaban identificados, y con uno bastaba para lo que quedaba por hacer.

Como Holly Weaver trabajaba muchas horas y el niño iba a la escuela, su casa estaba vacía la mayor parte del día. Owen Weaver suponía un problema, porque su casa estaba muy cerca de la de su hija, pero en algún momento tendría que salir. Si no lo hacía, se encargarían de él; aunque lo mejor sería que pudieran encontrar lo que querían, cogerlo y desaparecer sin dejar más cadáveres tras de sí. Cuanto mayor fuera la matanza, más posibilidades había de que los atraparan, y ya habían acabado con muchas vidas. En los demás casos, no les había quedado otra opción, pero Quayle no veía ninguna razón para hacer daño a los Weaver, o al menos ninguna aparte de un difuso deseo de castigo, y éste se vería satisfecho en cuanto él tuviera lo que quería.

Y luego había que pensar en Parker, porque él también estaba buscando al hijo de Karis Lamb. Sin Giller, no tenían forma de averiguar lo cerca que pudiera andar Parker, pero Quayle había tomado medidas para distraerlo. Éstas podrían requerir un cadáver más, aunque, por fortuna, el entusiasmo de Mors por matar parecía inagotable.

Ciertamente, pensó Quayle, Mors era una mujer muy especial.

Cuarta parte

Todos sabemos que los libros arden, pero también sabemos, aún mejor, que los libros no se pueden eliminar con el fuego. Las personas mueren, pero los libros no, nunca... En esta guerra, lo sabemos, los libros son armas.

Franklin Delano Roosevelt (1882-1945)

96

La caja de zapatos seguía sobre la mesita, pero Leila no hizo ningún gesto para mostrar su contenido. En opinión de Parker, tenía un admirable sentido del drama.

—Karis me caía bien —dijo Leila—. En otra vida, podríamos haber sido amigas. Pero no tuvimos tiempo para eso. Llegó, y al poco se fue.

—¿No se preocupó cuando Karis se marchó y no recibió más noticias de ella? —preguntó Parker.

—No. Ella me avisó de que sería así, *tenía* que ser así. Por el hombre del que huía y por lo que ella le había hecho.

—¿Quién era ese hombre?

—Karis lo llamaba Vernay. Desconozco su nombre de pila y Karis me dijo que no buscara más información sobre él, ni siquiera en internet. Dobey sabía más cosas, pero no muchas, y lo que sabía no me lo contó.

—¿Y usted buscó información sobre Vernay?

—Claro, pero no hasta más adelante: meses, tal vez un año, después de que Karis se marchara. Por curiosidad, ya sabe.

—¿Y?

—Había más Vernay de los que esperaba, pero yo sabía que el que buscaba era un coleccionista de libros, así que empecé a navegar por foros y blogs. Creé una nueva cuenta de correo electrónico para entrar y sólo utilizaba un buscador Tor para que costara localizarme. Una noche abrí mi correo y tenía un mensaje nuevo en la bandeja de entrada, de una dirección a la que no se podía responder. Decía: «¿Por qué busca a Vernay?». Venía con una fotografía adjunta: la imagen de una niña, una niña de no más de tres o cuatro años. Desnuda. Muerta. Borré la cuenta y dejé de buscar. Pero creo que Vernay desapareció. Se habló al respecto en algún foro antes de que cesaran todas las referencias a él, y todas las entradas antiguas fueron eliminadas, como si le hubieran dicho a todo el mundo que se callara.

—¿Usted no se lo contó a nadie?

—No. Yo había cometido un error. No quería agravarlo atrayendo a esa gente a nuestra puerta.

Parker pensó que Leila Patton era alguien muy especial.

—¿Qué le contó Karis del tiempo que pasó con Vernay? —preguntó.

—No mucho. Al principio era muy amable, me dijo. Eso era lo que Karis no podía entender. Se sentía estúpida, pero no sería la primera mujer a la que ha engañado un hombre. Cuando se dio cuenta de cómo era en realidad (la pornografía, lo que disfrutaba viendo cómo hacían daño a niños), ya era demasiado tarde. Se había quedado embarazada y él no la perdía de vista. Estaba segura de que la mataría en cuanto naciera el bebé. Nunca la amenazó con hacerlo, pero ella lo sabía. Lo que él quería era el niño.

»Y le gustaban unos libros muy raros: textos de ocultismo, pero no novelas ni cuentos, sólo volúmenes antiguos. Grimorios, los llamaba él. A Karis le contó que era el mayor especialista del país, tal vez del mundo. Recibía correo de todas partes, dirigido sólo a "M. Vernay", y venían hombres a visitarlo porque era un experto en la materia, pero no de los que ayudarían a una mujer embarazada. Esos hombres compartían los mismos intereses de Vernay, y no sólo por el misticismo: veían películas juntos en una pantalla de la biblioteca de Vernay, e intercambiaban archivos electrónicos que contenían imágenes de torturas. Les gustaba el dolor. A esas alturas, a Vernay ya no le importaba lo que Karis supiera o dejara de saber sobre sus gustos. Había dejado de fingir.

»Entonces, en el último trimestre de su embarazo, ella detectó un cambio en él. Estaba emocionado. Empezó a vender partes de su colección, intentando reunir dinero. Karis creyó que las negociaciones eran secretas, porque no paraba de llamar por teléfono y de discutir. Finalmente, un día, Vernay la encerró en el sótano y la dejó allí. Karis tenía comida y agua, algunos libros y revistas, y un pequeño lavabo para sus necesidades. Estuvo allí metida dos días y dos noches, y cuando Vernay volvió, tenía otro libro. Por eso la había encerrado en el sótano: para poder salir a comprar un libro, una selección de cuentos de hadas.

—¿Cuentos de hadas? —preguntó Parker.

—*Los cuentos de hadas de los hermanos Grimm,* en la edición impresa por Constable en Londres, en 1908, con ilustraciones de Arthur Rackham. La edición original de Rackham es muy valiosa. Algunos ejemplares se venden por mil dólares, o más, en internet. También hay una edición firmada, y ésa vale más de diez mil.

—¿Estaba firmado?

—No.

—Espere, ¿encerró a Karis en un sótano durante dos días, sólo para hacerse con un libro que valía mil dólares?

—A un hombre lo asesinaron en Inglaterra porque tenía una primera edición de *El viento en los sauces* —dijo Leila—. Valía casi setenta mil dólares.

—Hay una gran diferencia entre mil y setenta mil dólares.

—Sobre todo —dijo Leila— por un libro que no existe.

Parker sintió que se había metido en un callejón sin salida.

—No entiendo.

—No hay ninguna edición de 1908 de *Los cuentos de hadas de los hermanos Grimm* ilustrada por Arthur Rackham. La edición ilustrada no se publicó hasta el año siguiente.

—¿Así que el libro era una falsificación?

—No, o eso le contó Vernay a Karis. Quería que alguien le escuchara, y ella era la única a mano. Quería que alguien supiera lo que había encontrado.

—Entonces, ¿qué es exactamente lo que compró Vernay?

Leila empujó la caja de zapatos hacia Parker.

—¿Por qué no le echa un vistazo usted mismo?

97

Holly Weaver recibió la llamada de su padre mientras esperaba en la cola del cajero automático del autoservicio. Su cuenta bancaria estaba a punto de descender a las tres cifras, pero al menos el viernes cobraría, y con suerte se sacaría unas buenas propinas durante el fin de semana, sobre todo si conseguía que un par de mesas pidieran vino.

—Hola, papá.

—Estoy pensando en llevarme a Danny al cine, a ver si lo animo.

—Claro. ¿Se ha echado una siesta?

—Se adormiló un rato en el sofá, pero sigue sin ser él mismo.

—Es sólo cansancio.

—Sí, claro.

Ella percibió el tono de duda.

—¿Ha pasado algo más?

Owen pensó en contarle la conversación que había mantenido con Daniel sobre madres muertas, pero decidió no hacerlo por el momento. Turbaría a su hija.

—A veces es un poco raro.

—Creo que eso lo ha aprendido de su abuelo —dijo Holly.

—¿Ah, sí? Entonces su impertinencia es igual que la tuya.

—Que os lo paséis bien en el cine. Ojo con las palomitas, y que los refrescos sean de los pequeños.

Daniel estaba sentado junto a la ventana de su dormitorio. La luz diurna se desvanecía en el crepúsculo y una bruma se cernía sobre el bosque, pero le pareció que todavía podía distinguir la figura de una mujer entre los árboles. Si abría la ventana, incluso podría oírla pronunciar su nombre.

Pero no tenía la menor intención de abrir la ventana.

—¿Dice la verdad? —preguntó Daniel.

Le hablaba a la niña del rincón, la que mantenía la cabeza gacha y parecía atraer las sombras para ocultar su rostro. A Daniel debería haberle asustado la niña, igual que le asustaba la mujer: porque la niña también estaba muerta; pero ella no le daba miedo, sólo se sentía adormilado y relajado, como con la medicina para la tos que su madre le daba a veces cuando le dolía el pecho. Veía el reflejo de la niña en el cristal, pero cuando miraba por encima del hombro, ella no estaba.

¿qué te dijo?

—Que yo tenía que hacer lo que mami me mandaba, que tenía que obedecerla.

ella no es tu madre

—Pues dice que sí.

a veces, cuando las personas se mueren, dejan una parte de sí mismas detrás

—¿Qué clase de parte?

una de tristeza, pero no son ellos en realidad, es su dolor

—Ella viene a mi ventana.

se siente sola

—Quiere que me vaya con ella.

no debes hacerle caso

—Podría obligarme.

no, no puede

tú tienes que querer irte con ella

¿lo quieres?

—No, yo sólo quiero que se vaya.

se irá

—¿Cuándo?

pronto

—¿Cómo lo sabes?

porque están a punto de llamarla, y cuando la llamen, descansará

—¿Quién la llamará?

En un primer momento, la niña no respondió, luego dijo: *tal vez mi padre*

Daniel desvió la mirada del reflejo de la niña a la mujer que esperaba.

—¿Puedes pedirle que se dé prisa?

98

Parker cogió la caja de zapatos. A todas luces hacía mucho que no la habían tocado, porque se veían perfectamente las huellas dactilares de Leila Patton en el polvo que tenía por encima. Levantó la tapa. Encontró el libro entre bolas de papel de periódico, tenía las tapas desgastadas en las esquinas y se distinguían algunas manchas.

—¿Qué le dijo Vernay a Karis? —preguntó Parker.

—Que el libro en sí no era lo importante, sólo las hojas de dentro. Dijo que habían alterado el volumen y cambiado la fecha, porque eso es lo que habían hecho. Le contó que eran parte de un atlas, un atlas antiguo e imperecedero. Dijo que las páginas podían reescribirse.

—¿Reescribir libros?

—Reescribir *mundos*. Tenga cuidado al tocarlo.

—¿Tan delicado es?

—No, pero tal vez luego se encuentre mal. Espere, que le traigo unos guantes.

Volvió con un par de guantes de cuero. Eran demasiado pequeños para las manos de Parker, pero consiguió meter los dedos hasta la mitad. Sacó el libro de la caja y lo examinó por fuera antes de pasar al contenido. Había un ex libris pegado en la parte interior de la portada con la letra «D», que se repetía dos veces, y la palabra «Londres» debajo. La adición de la localización era extraña, y más propia de una librería de venta o préstamo que de una colección privada.

Parker se desplazó hasta el primer punto donde las páginas eran diferentes. Una única hoja más grande, mucho más antigua que el resto del libro, que en algún momento había sido plegada dos veces y cosida a la encuadernación entre dos secciones. Los lados que quedaban a la vista estaban en blanco, y no eran de papel, sino de lo que parecía alguna forma de vitela, sin cortar en los filos superiores. Luego pasó a la segunda parte donde habían insertado hojas, y descubrió lo mismo.

Con sumo cuidado, Parker levantó una de las hojas para intentar ver qué había escrito en el interior de los pliegues. En ellos tampoco había marca alguna. ¿Por qué, se preguntó, se iba a tomar alguien la molestia de insertar páginas en blanco en un volumen? A no ser, claro, que no estuvieran en blanco. Intentó recordar las formas en que podía aplicarse tinta invisible: zumo de limón, vino, vinagre, solución de azúcar, fluidos corporales, y que para leer los mensajes después habría que someterlos a la acción del calor o sustancias químicas.

—No hay nada —dijo.

—No siempre.

—¿Qué quiere decir?

—A veces, si dejo el libro abierto el tiempo suficiente, veo patrones.

—¿Qué clase de patrones?

—Le parecerá de locos.

—A mí no.

Leila respiró hondo.

—Muy bien, no son patrones, sino sus fantasmas. A veces son como mapas, y otras se parecen más a dibujos de arquitectos, pero muy detallados.

Eso encajaba en la tesis de Parker: una tinta de alguna clase que se activaba con el calor o la luz.

—Dibujos... ¿de qué?

—De lo que rodea el libro. De la habitación en la que está. Este salón, por ejemplo.

—Espere, ¿los dibujos *cambian*?

—Ya le he dicho que le parecería de locos.

—Que algo parezca de locos no es lo mismo que lo sea.

—Pero se acerca mucho.

—Supongo que sí.

Parker volvió a la página de créditos del libro. Ahí, como había dicho Leila, estaba la fecha: 1908. ¿Un error del impresor? ¿No era ése el tipo de detalles que hacían que un libro resultara más valioso?

—Fíjese en el texto —dijo Leila.

Parker lo hizo y reparó en que algunas palabras, e incluso las letras que las formaban, estaban tan desordenadas que las historias eran ininteligibles, como si un error catastrófico se hubiera cometido durante el proceso de composición.

—Si vuelve a mirar mañana, podría ser distinto —dijo Leila.

—¿Distinto, en qué sentido?

—Las letras podrían haberse reordenado. Si las mira el tiempo suficiente, empezará a ver mensajes. Al principio me pareció chulo, raro pero chulo, hasta que...

—Hasta que... ¿qué?

—Hasta que apareció escrito «Deja de mirar, puta» en la página catorce. Después de eso no volví a abrir el libro.

Se mordió la uña de un pulgar.

—Y además tiene ilustraciones.

99

Hacía mucho tiempo que Billy Ocean no iba al Hogie's, al menos desde que tenía edad para beber legalmente. Hogie's era uno de esos bares con las luces siempre tenues, la música siempre alta y donde la gente no solía meterse en asuntos ajenos a no ser que se viera obligada, cosa que sucedía en contadas ocasiones. Se encontraba entre Harmony y Corinna, en el condado de Somerset, en el sur, y apenas atraía a la gente que estuviera de paso, porque su aspecto, tanto por fuera como por dentro, no era nada atractivo, sobre todo los lavabos, que eran lamentablemente insalubres. Pero una Bud-Light en Hogie's sólo costaba un dólar y medio y podías pasarte allí todo el día, y la comida no era tan mala si no dejabas que se demorara en tu boca.

Billy encontró a Quayle sentado a una mesa alejada de la barra, con una copa de licor claro delante. Billy lo identificó por su estilo de vestir. Era posible que en el pasado alguien hubiera llevado puesto un chaleco de terciopelo y una corbata de seda de punto en el Hogie's, pero, de ser así, tendría que haber sucedido en un momento tan remoto que el trauma ya se había desvanecido de la memoria colectiva del bar. Quayle no tenía el menor aspecto de ser cliente del Hogie's, pero tampoco parecía inquietarle especialmente el entorno. Algunos tenían el don de colonizar los espacios, adaptándolos para hacer de ellos sus propios santuarios. Quayle era uno de ellos.

Billy se sentó a la mesa y una camarera se acercó para tomarle nota. Se dio cuenta de que la camarera apenas se fijaba en la presencia de Quayle, y de que incluso cuando lo hizo, su mirada resbaló por él como agua por una bota engrasada. Fueran cuales fuesen las vibraciones que transmitía no eran buenas.

—¿Así que es británico? —dijo Billy.

—Me tengo por inglés primero, sólo después me consideró británico. Es una manera de mantener a distancia a los escoceses y los galeses, por no mencionar a los irlandeses.

Billy estaba confuso, pero el asunto no le importaba lo bastante como para pedir más aclaraciones.

—¿Qué le trae por aquí?

—Estoy pasando un tiempo de asueto.

—¿De vacaciones?

—Si quiere decirlo así...

Una vez más, a Billy le importaba una mierda.

—Bien —dijo Billy después de que le trajeran la cerveza—, ¿quién voló mi camioneta?

—Un hombre llamado Charlie Parker. Es un investigador privado.

Billy digirió la información con un trago de cerveza.

—Sé quién es. ¿Y se imagina por qué lo sé?

—Porque es un nombre bastante conocido, al menos relativamente. La policía también lo sabe, y creo que hasta su padre está al tanto. Pero la policía no hará nada al respecto porque no tiene pruebas, y también parece existir una orden de no tocar a Parker. En cuanto a su padre, bueno, no sé qué decirle. Tal vez le preocupe que usted se sienta tentado de hacer alguna tontería y, en consecuencia, se ponga en peligro.

—¿Por qué se metió Parker conmigo?

«"Meterse con", qué elección de palabras más interesante», pensó Quayle. Le decía cuanto necesitaba saber sobre el hombre que tenía sentado delante.

—Va acompañado de un hombre de color llamado Louis. Según tengo entendido, al tal Louis ciertos elementos de la decoración de su camioneta le parecieron cuestionables, y Parker colaboró con él para manifestar lo que fue, bien mirado, un reproche contundente.

Billy se levantó.

—Tengo que hacer una llamada —dijo.

Salió y llamó a Dean Harper, el antiguo asistente de su padre. No habían hablado desde el despido de Harper, pero a Billy, Harper le daba menos miedo cuando no tenía que enfrentarse a él en persona.

—¿Qué quieres? —preguntó Harper cuando Billy se identificó.

—Devolverte tu trabajo.

—Es lo mínimo que podrías hacer, pedazo de mierda, en vista de cómo me hiciste perderlo.

—Mi viejo te echa en falta. —Eso era verdad. El padre de Billy lamentaba haberse deshecho de Harper, pero no le gustaba dar marcha atrás en sus propias decisiones. Creía que eso le hacía parecer débil. Sin embargo, en el caso de Harper podría convencérsele de que hiciera una excepción—. No se necesitará gran cosa para persuadirlo.

—¿Y esto lo haces por lo bondadoso que eres de corazón?

—Es una forma de disculparme. A cambio, sólo quiero que me contestes con una palabra.

—¿Qué palabra?

—Sí o no.

—¿Y la pregunta?

—Mi camioneta: ¿el nombre que oíste fue el de Charlie Parker?

No hubo respuesta, o no la que Billy quería.

—Dios, Billy —dijo Harper—, tienes que olvidarte de eso.

—¿Quieres recuperar el empleo o no?

—Claro que quiero.

—Entonces responde la pregunta.

—Sí. La respuesta es sí. Pero, Billy...

Billy no quería escuchar el resto. Cortó la comunicación y volvió adentro, junto a Quayle.

—¿Buscando confirmación? —dijo Quayle cuando Billy se sentó.

—Tal vez.

—Siempre es aconsejable pedir una segunda opinión. ¿Y qué ha averiguado?

—Que usted podría estar diciendo la verdad.

—Que yo estoy, de hecho, diciendo la verdad.

—Vale, sí, tiene razón. ¿Qué quiere a cambio, dinero?

—No. Sólo quiero ayudarle a tomar represalias.

—¿Y por qué iba a hacerlo?

—Porque Parker se ha interferido en mi camino, y me gustaría verlo distraído.

—¿Se ha interferido en su «asueto»?

—Eso es. También estoy dispuesto a compensarle por su tiempo. Puede dedicar el dinero a una nueva camioneta, tal vez una con un sentido de la decoración más sutil.

Billy esbozó una sonrisa maliciosa.

—Me da la impresión de que nada bueno le ha traído por aquí. ¿Es usted de los malos?

Quayle le devolvió la sonrisa y las luces del bar centellearon como estrellas moribundas en el vacío de sus ojos.

—Créame si le digo que usted no tiene ni idea.

La sonrisa de Billy se borró de su cara.

—¿Qué tipo de represalia tiene pensada? —preguntó.

—Parker le quitó algo que usted apreciaba. Sugiero que le haga lo mismo. Me ha dicho un pajarito que tiene un Mustang *vintage*. Está muy encariñado de él. ¿Por qué no quemarlo?

Billy conocía el coche. Lo había visto por la ciudad. Quemarlo le parecía muy buena idea. No valía tanto como su camioneta, pero Billy estaba dispuesto a hacer concesiones por su valor sentimental.

—Tengo una amiga fuera —dijo Quayle—. Es toda una experta en destrucciones. ¿Por qué no se la presento? Después de todo, ningún momento es mejor que ahora mismo...

100

Leila Patton encendió su ordenador portátil.

—Mire —dijo—. Éstas son algunas de las ilustraciones originales de Rackham de la edición de 1909.

No eran lo que Parker había imaginado. Supuso que estaba más familiarizado con las imágenes que aparecían en las selecciones infantiles de cuentos de hadas, con sus brillantes colores primarios, sus caballeros sobre sus cabalgaduras y sus lobos encapuchados. La obra de Rackham no guardaba la menor relación con esa tradición, aparte de la temática. Aquí los colores eran apagados, los personajes sensuales y todo estaba impregnado de un aire etéreo, siniestro, sobre todo las representaciones de los bosques y los árboles, con sus troncos como pieles, sus ramas como extremidades prensiles de criaturas demacradas.

—Impresionante, ¿verdad? —dijo Leila.

—Son hermosas. Turbadoras, pero hermosas.

—Pues esto sólo es el comienzo.

Ella se detuvo en una ilustración del cuento «Blancanieves y Rosa Roja» en la que las dos jóvenes del título estaban junto a un gran árbol caído con las raíces retorcidas al descubierto, ante un enano atrapado bajo el peso del tronco. La representación de la escena le recordó a Parker la sepultura de Karis Lamb.

—Muy bien —dijo Leila—, debería poder encontrar la ilustración equivalente en el libro.

Parker lo hojeó hasta que dio con la lámina correcta.

—La tengo.

—Ahora compárela con la que aparece en la pantalla.

Lo hizo. Parecían similares, salvo por una pequeña mancha

en el fondo de la lámina del libro, donde Rackham había fundido el bosque en la oscuridad.

—Parecen iguales.

—Espere, siga mirando.

Leila fue a un armario que había junto al piano y sacó una lupa de uno de los cajones. De repente, Parker se sintió muy viejo. Según parecía, ahora necesitaba una lupa para identificar lo que una veinteañera podía ver a simple vista. Leila captó la manifiesta desesperación en el semblante de Parker y le dijo que no se sintiera tan mal.

—Al principio a mí también me costó atisbar algunos de los detalles. Y cambian. Como le he dicho, hace tiempo que no abro el libro.

Parker cogió la lupa y la sostuvo sobre la mancha. Devolviéndole la mirada desde las profundidades del bosque estaba el niño mutilado que había vislumbrado en Portland. Su rostro quedaba medio oculto y sólo un atisbo de su cuerpo era visible en la oscuridad, pero era la misma figura.

—He comprobado muchas versiones de la lámina en internet —dijo Leila—. Esa... *cosa* no aparece en ninguna otra, sólo en ésta.

Parker volvió a mirar la ilustración. Parecía que ahora se veía más el niño —veía su cara con más claridad, y parte de su pierna derecha—, y su posición había cambiado acercándose más al árbol caído que tenía delante.

Leila lo observaba.

—Puede decirlo —dijo.

—Da la impresión de que se esté moviendo.

—Ésa es una forma muy prudente de expresarlo.

—Es posible que las alternativas me parezcan desagradables.

Leila le cogió la lupa y la usó para mirar la lámina, aunque tuvo cuidado de no tocar el libro. Parker estudió la figura una vez más antes de pasar la página y ocultar la ilustración.

—¿Y no ha hablado nunca de esto con nadie? —dijo—. ¿Nunca ha sentido la necesidad de buscar ayuda?

—¿Ayuda para qué? ¿Por la ilustración de un libro? No creo que se pueda llamar al 911 para una urgencia literaria. —Sonreía, pero Parker sabía que estaba a punto de llorar. Los secretos que había guardado empezaban a aflorar despacio, y el efecto era como reventar un forúnculo de pus—. Y llevo mucho tiempo asustada. Temía que me estuviera volviendo loca, y eso ya era malo, pero luego me di cuenta de que no, y eso era todavía peor. Ojalá nunca hubiera aceptado conservar el libro.

—¿Por qué lo hizo?

—Porque Karis dijo que si Vernay conseguía encontrarla, no quería que se quedara con todo. Creo que esperaba que, si llegaba lo peor, el libro podría servirle para negociar. Ya sabe: se lo devolvería a Vernay si él dejaba que Karis y el bebé se fueran.

»Y porque yo pensaba que no era más que un libro, un libro común y corriente. Me daba igual lo que creyera un cabrón que violaba niños. No era más que una selección de cuentos de hadas con un par de hojas de más cosidas, y éstas estaban en blanco. Si al robárselo le jodía la vida, pues muy bien.

»Pero para estar más segura, Karis también le pidió a Dobey que le buscara un ejemplar que sirviera de señuelo. No lo dijo así, y tampoco le explicó para qué lo quería. Sólo tenía que dar con una edición similar, y rápido, de manera que él se la buscó. Recuerdo que la enviaron por mensajero una noche. Dobey llegó a un acuerdo de compra, pero aun así salió muy caro. Sin embargo, Karis lo pagó. Insistió en ello.

—¿Y se llevó el señuelo cuando se marchó de Cadillac?

—Sí, aunque Dobey pensaba que se había llevado las dos versiones. Él nunca hubiera permitido que yo me quedara con el original, y no creo que ni siquiera él hubiera querido tenerlo. Porque sabía más de Vernay de lo que yo sabía.

Parker iba pasando las páginas del libro que tenía delante mientras Leila hablaba.

—¿Cada lámina contiene un elemento añadido?

—La mayoría.

—Enséñemelas.

Leila lo hizo. Mientras repasaban las hojas, Leila tuvo que hacer una pausa para ayudar a su madre a ir al lavabo y después para preparar más té, pero al final Parker no se hacía falsas ilusiones sobre la rareza del libro. Ocultos entre las ilustraciones de

Rackham había seres híbridos que recordaban a las pesadillas que tentaban a san Antonio en las obras de Grünewald y Rosa, a los torturadores de *Los condenados al Infierno* de Signorelli, o a los cazadores de *El jardín de las delicias* de El Bosco.

Y a medida que los intrusos de las láminas cobraban forma bajo la lupa, Parker empezó a pensar que tal vez no fuera una coincidencia, y que esos artistas del pasado habían topado con imágenes elementales enterradas en las profundidades de la conciencia humana, una memoria compartida de lo que podría perseguirnos en la oscuridad final, un atisbo de lo que observaba a la humanidad desde detrás del cristal, esperando a aniquilarla.

Pero las bestias que se movían por las páginas del libro que Parker tenía en las manos eran amenazas más inminentes que las visiones captadas por los artistas. No eran simulacros, pero tampoco eran reales; más bien representaban la usurpación potencial de una realidad, su lenta infección por parte de otra. Parker se alegraba de que Leila Patton le hubiera dado guantes para tocar el libro; también creía que ella había sido muy sensata al ocultarlo y al no mirarlo con demasiada frecuencia. Exponerse a él era arriesgarse a la contaminación y, en última instancia, tal vez, a la propia corrupción.

Pero el libro contenía una sorpresa más para Parker, una sorpresa desagradable. La ilustración que acompañaba al cuento «La serpiente blanca» mostraba a un sirviente conversando con un pez, con el fondo de un bosque de abedules. Desde los árboles, un rostro borroso, amarillento y negruzco, los miraba.

—Oh, ése es nuevo —dijo Leila—. ¿Qué le pasa en la cara?

Parker colocó la lupa, pero ya tenía una premonición de la respuesta: era una cabeza formada por entero de insectos.

—Avispas —dijo Parker.

Y el Dios de las Avispas pareció parpadear.

En el jardín de la casa de sus abuelos, Sam hablaba con Jennifer.

—¿Qué está buscando papá?

a ese niño

—No, hay algo más.

¿qué ves?

—Cuentos. Algo antiguo con la forma de un hombre, pero vacío por dentro. Un niño, pero no es un niño.

Jennifer levantó una mano y la agitó en el aire, como para ahuyentar la inoportuna atención de un insecto.

—Y avispas.

El libro estaba cerrado de nuevo, las imágenes de su interior habían quedado ocultas, y las del exterior, protegidas de su mirada.

—¿Qué es el Dios de las Avispas? —preguntó Leila.

—Algunos lo llaman Aquel que Espera detrás del Espejo —respondió Parker—. Para otros, es el Dios Enterrado. ¿Es usted religiosa?

—No es que vaya mucho a la iglesia, pero supongo que creo en algo más grande que yo misma.

—En ese caso, el Dios Enterrado es su contrario.

—¿El diablo?

—El No-Dios. O *un* No-Dios. Resulta perturbador, pero podría haber más de uno.

—¿Cómo sabe todo eso?

—Oigo murmuraciones.

Parker volvió a poner el libro en la caja de zapatos.

—¿Quiere que me lo lleve? —preguntó.

—Creo que sí. Ya he mantenido la promesa que le hice a Karis durante suficiente tiempo. —Se mordió el labio inferior—. Me duele que su vida acabara de ese modo, con ella sola en el bosque.

—No estaba sola —dijo Parker—. Alguien estuvo con ella al final, alguien que se preocupó hasta el punto de enterrarla y ocuparse de su hijo.

—¿Y cree que dio a luz a un varón?

—Eso es lo que pensamos.

—Lo mejor sería que no lo encontraran.

—No estoy seguro de que ésa sea ya una opción, no con lo que ha pasado. El niño corre el peligro de convertirse en un daño colateral de la búsqueda de este libro. Sólo esperamos dar con él antes de que lo haga otro, alguien como Vernay.

—No es Vernay el que está buscando al niño, ni al libro.

—¿Por qué está tan segura? —preguntó Parker.

—Vernay está muerto.

—¿Porque lo leyó en uno de los foros?

—Por eso y por algo que dijo Karis. Me contó que esperaba que ellos matasen a Vernay por haber perdido el libro. Me dijo que si no venía nadie preguntando por ella, entonces podía estar segura de que Vernay estaba muerto. Y no vino nadie.

—Hasta hace poco.

—Supongo.

—Usted guardó bien los secretos de Karis.

—No tenía muchas opciones, pero ahora Dobey está muerto por eso. ¿Qué va a hacer con el libro?

—Todavía no lo sé. Pero una cosa tengo clara: no lo guardaré en casa.

—Eso parece prudente. ¿Hay algo más que quiera saber?

—Hábleme —dijo Parker— de la noche que murió Dobey.

101

Pallida recorría las habitaciones sumidas en el silencio de la casa de Holly Weaver, absorbiendo los detalles de una vida doméstica que ella jamás podría tener. Se planteó reducir la casa a cenizas. Pensó en esperar a Holly, su padre y el niño, y matarlos a todos: primero al anciano y luego al niño, para que Holly viera cómo se desangraban delante de ella.

Se quitó las imágenes de la cabeza. Quayle le había ordenado que se limitara a encontrar el libro e irse. Una vez que estuviera en su poder, podrían marcharse de ese país para siempre.

Mors entró en la habitación de Daniel Weaver y fue directa a la estantería. Allí, en la segunda hilera, había un ejemplar desgastado de *Los cuentos de hadas de los hermanos Grimm,* ilustrados por Arthur Rackham, Constable, 1909. No tenía el ex libris en la parte interior de la portada, pero sí las hojas en blanco, y Mors no vio rastro de ningún ejemplar más. Pero el año estaba mal, y alguien había añadido un cuento manuscrito y cuidadosamente ilustrado.

Oyó el sonido de vehículos que se aproximaban, y aparecieron los faros en las ventanas: los Weaver volvían. Sin prisas, Mors cogió el libro, cruzó la cocina hasta la puerta trasera abierta y salió de la casa, apretando el botón del pomo para que la puerta quedara cerrada tras ella. Había tenido cuidado de no hacer ningún estropicio, así que era improbable que los Weaver vieran indicio alguno de intrusión.

Su coche estaba aparcado cerca. Mors veía su silueta a través del bosque, y la forma más rápida de llegar hasta él era cruzándolo, pero vaciló. No podría haber explicado por qué, pero el bosque la perturbaba, y, con los años, había aprendido a no pasar por alto sus intuiciones. En la oscuridad, los árboles pelados adoptaban formas esqueléticas: hombres retorcidos, una mujer encorvada. Así que Mors se quedó en las lindes, lejos de las profundidades del bosque, y dando un rodeo regresó sin problemas al coche antes de hacer la primera de las dos llamadas.

—He encontrado un ejemplar —le dijo a Quayle—, pero es posible que no sea el correcto. El año de publicación es 1909 y no tiene ex libris, pero sí hojas añadidas.

—¿No había otro?

—No he visto ningún más. ¿Podrían haber vendido el original?

—Si lo hubieran hecho, me habría enterado. Podría haberse dañado con los años, y las páginas podrían haber sido traspasadas a otra edición. Sólo las inserciones son importantes. Lo sabré en cuanto haya podido examinarlas.

—¿Y si no es el que quieres?

—En ese caso —dijo Quayle—, tendremos que preguntarle a los Weaver dónde está.

La segunda llamada que hizo Mors fue a Billy, porque era hora de ponerlo en marcha. Quayle y ella habían convencido a Billy de que sería mejor que no utilizase su propia camioneta, sólo por si alguien veía el vehículo y luego lo recordaba. Mientras tanto, Mors también podría ayudar a Billy a salvar las medidas de seguridad alrededor de la casa de Parker.

—¿Cómo sabe que tiene sistema de seguridad? —preguntó Billy.

—Por ser Parker quien es —dijo Mors.

Lo cual tenía sentido, pensó Billy cuando reflexionó al respecto.

Mors recogió a Billy en el aparcamiento del Tilted Kit junto al Maine Mall. Billy llevaba una mochila, y Mors olió la gasolina cuando la dejó en el suelo del coche.

—Espero que hayas traído un encendedor —dijo ella.

—Y también una caja de cerillas —respondió él.

Mors se dirigió hacia el este, mientras Billy se esforzaba para respirar por la boca, porque la mujer olía que apestaba. La gasolina disimulaba un poco el hedor, pero no lo bastante. Tomaron la ruta 1 a Scarborough y pasaron por delante de la casa de Parker. Al no ver luces ni indicios de actividad, dieron la vuelta y pasaron una segunda vez, se detuvieron en la siguiente carretera secundaria tras el camino de entrada y apagaron las luces. Billy cogió la mochila, se apeó y esperó a que Mors se le uniera.

—¿Has traído una máscara? —preguntó Mors—. Habrá cámaras.

—Mierda.

Mors sacó un pasamontañas barato del bolsillo y se lo dio a Billy antes de colocarse ella otro.

—No te apartes de mí, sigue mis pisadas —dijo ella.

—¿Tienes miedo de las mías?

—Tú haz lo que te digo.

Así que Billy siguió a Mors a través de una zanja y entre algunos árboles. Ella sacó un iPhone y encendió la cámara, que escaneó el suelo a medida que avanzaban. Alrededor de un minuto más tarde, se detuvo en seco y levantó la mano.

—¿Qué es eso? —preguntó Billy.

Un haz de luz brillante y blanca, parcialmente oscurecida por la pantalla del móvil.

—Rayos infrarrojos —dijo Mors—. Si los cruzas, disparan una alarma. Seguramente también se hace una fotografía, aquí o más adelante.

Los rayos estaban dispuestos a diferentes alturas —el primero a unos treinta centímetros del suelo, el segundo un metro más arriba—, de manera que un animal pequeño no cruzaría ambos simultáneamente. Con Mors guiándole, Billy pasó entre ambos antes de coger el teléfono y hacer lo mismo para que pasara ella. Esquivaron una segunda serie de rayos IR antes de llegar al perímetro de la casa, donde Billy tuvo que detenerse de nuevo antes de entrar al ver la mano derecha de Mors levantada. Ella señaló la cámara de seguridad de la pared, sobre la puerta principal.

—Parecería obvio —dijo Billy.

—Eso es porque las demás no lo son.

El Mustang no estaba en el garaje, sino a la derecha de la casa, bajo una cubierta para todo tipo de clima. Tal vez Parker ya estaba pensando en darle más uso con la llegada de la primavera. Mors quitó la cubierta.

—Hazlo —dijo.

Pero ahora que Billy estaba ahí, con el coche de Parker delante y la venganza en sus manos, sus ganas de quemarlo empezaron a flaquear. Las cosas habían llegado demasiado lejos. Si Billy lo hacía, Parker iría a por él porque sabría que sólo podía haber un responsable. Y cuanto más lo pensaba Billy, más le parecía que él mismo había contribuido a su propia desgracia. Fue idea de Heb Caldicott añadir las banderas a la camioneta para cabrear a los negros y a los progres, todos los buenos corazones que arrastran el país por el suelo, convirtiéndolo en el hazmerreír del mundo. Heb dijo que no pasaría nada. Heb dijo que los progres pasarían de largo como si no fuera con ellos, porque era lo que hacía esa gente. Si les dices que se vayan a la mierda, allá que se van. Estarían demasiado asustados para hacer otra cosa, le aseguró Heb, porque siempre tenían miedo. Pero Heb no había contado con Parker y su gente, que no parecían precisamente asustados.

—Es un coche muy bonito —dijo Billy, y lo era. Prenderle fuego no iba a hacer que el mundo fuera mejor, ni a devolverle su camioneta, ni a impedir que siguiera siendo el felpudo de todos. Sólo iba a convertirle en otro idiota que hacía del mundo un lugar más desagradable.

—¿Quieres intentar encontrar el camino de vuelta a través del bosque tú solo? —dijo Mors—. ¿Crees que podrás volver al coche sin disparar una alarma y que me quedaré esperándote cuando lo hagas? Quémalo, Billy.

Billy no quería enfrentarse solo al bosque. No quería disparar una alarma oculta y que los policías fueran a por él, dejando que su padre pagara la fianza para sacarlo, y decirle que una vez más había quedado como un idiota, y había hecho que el resto de la familia también pareciera idiota. Pero ¿y si volvía Parker? ¿Y si volvían él y el negro?

—A la mierda.

Se dijo que era la gasolina la que le humedecía los ojos mientras derramaba el contenido de la lata sobre el coche, empapaba un trapo y le acercaba una cerilla, luego tiraba el trapo sobre el capó, las llamas prendían, la lona se convertía en cenizas, el fuego se extendía rápido por la estructura, el cristal se resquebrajaba, la pintura burbujeaba, las llantas se fundían, el depósito se incendiaba y un humo negro y chispas se alzaban en la noche.

Y el coche se quemaba, y su futuro con él.

102

—¿Británico? —preguntó Parker.

Leila Patton estaba repasando los clientes que habían pasado por el Dobey's la noche que murió su dueño. La mayoría era del pueblo, pero también había un par de desconocidos. No era nada extraño. Es posible que Cadillac estuviera apartado, pero mucha gente prefería la cuneta a la autopista. Como decía Neil Young: uno encuentra gente más interesante ahí.

—Sí, británico —dijo Leila—. En realidad, inglés. Puso mucho énfasis en eso. Era casi gracioso. Por aquí pasan a veces turistas. A menudo llegan porque se han perdido, pero pasan.

—Descríbamelo.

—Se lo conté todo al jefe Hillick, pero no le dio mucha importancia.

—Intente contármelo a mí.

—Buf, bueno, medía alrededor de uno ochenta. Iba vestido con elegancia: terciopelo y *tweed*, y llevaba una bufanda al cuello, no de lana, sino más bien diría que de seda. Me recordaba a un actor, el tipo ese que interpretaba a unos gemelos en aquella vieja película de ginecólogos tan rara.

Parker sabía a quién se refería.

—Tenía, eh, los ojos marrones —prosiguió Leila—, y llevaba unas gafas rojas de montura redonda. Lo recuerdo porque estaba leyendo un libro de poesía mientras comía. En Cadillac no hay mucha gente que lea poesía, tanto si está comiendo como si no.

—¿Ojos marrones?, ¿está segura?

—Sí, por lo general no me fijo en detalles como ése, pero las gafas eran muy raras. Atraían la mirada.

Era el inglés, Smith Dos: tenía que serlo, aun concediendo la diferencia en el color de los ojos. El hombre del Bear tenía los ojos azules, pero el cambio podría haberse conseguido sin muchas dificultades con unas lentes de contacto de color, del mismo modo que era probable que las gafas rojas fueran elegidas deliberadamente. Si se eliminan las lentillas, las gafas, se peina de un modo distinto, incluso a la mirada penetrante de Leila Patton le habría costado identificarlo como el individuo que había pasado por Dobey's una noche tranquila de principios de primavera y se había puesto a leer poesía mientras...

Ésa era la cuestión. ¿Por qué dejarse ver? ¿Por qué correr ese riesgo?

—¿Había una mujer con él? —preguntó Parker.

—No, iba solo.

—¿Y en otra mesa? Una mujer muy pálida. Pelo de color platino. Ojos como lejía en agua.

—Qué asco. No, no recuerdo a nadie así.

¿Estaba la mujer registrando la caravana de Dobey, buscando el libro, mientras el inglés controlaba el restaurante por si Dobey decidía dar por terminada la jornada nocturna y dejar que el personal cerrara? ¿O ese visitante con su ropa elegante y su poesía sólo quería ver bien al hombre que había ayudado a frustrar sus planes; el que había ofrecido ayuda y refugio a Karis Lamb sin esperar nada a cambio; el que, al final, pagaría con su vida por ese gesto amable? Parker se inclinaba por la segunda opción. Era el mismo impulso que había llevado al inglés al Great Lost Bear. Era un hombre curioso, pero también arrogante. Fuera cual fuese su profesión, hacía mucho que la ejercía. Se había vuelto incauto, autocomplaciente.

—Es él —dijo Parker.

—¿Qué quiere decir?

—Él mató a Dobey, y probablemente a Esther. La mujer que intentó secuestrarla a usted le acompaña.

—¿Cómo lo sabe?

—Porque los he visto. Ahora están en Maine, buscando este libro, matando a quien haga falta para encontrarlo.

—¿Así que intentaron secuestrarme porque había visto a ese hombre en el restaurante?

—¿Le sirvió usted?

—No, fue Corbie.

—¿Quién más trabajaba esa noche?

—Carlos, el chef.

—¿Y nadie ha intentado hacerles daño?

—No, yo me habría enterado.

—¿Quién era el preferido de Dobey?, ¿quién era el que le caía mejor del personal?

—No sabría decirle. Era Dobey. El mismo con todos.

—¿Está segura?

—Amable con todos nosotros. Así era él.

—Leila...

Ella acabó cediendo.

—Vale, era yo. *Yo* era la que me llevaba mejor con él. Yo sabía tocar música. Leía libros. Veía películas antiguas. Cuidaba de mi madre. Le caía bien a Dobey. Confiaba en mí. A veces, después de cerrar, me tomaba una cerveza con él, Dobey se fumaba un canuto, y nos sentábamos y hablábamos. Pero ¿qué tiene eso que ver?

—¿Cree que un desconocido se habría dado cuenta?

—No lo sé.

Pero Parker sabía que la respuesta era afirmativa, sin duda lo habría percibido un desconocido como el inglés.

—Seguramente amenazaron con hacer daño a Esther si Dobey no les ayudaba —dijo Parker—. Creo que también amenazaron con hacerle daño a usted.

—¿Y?

—Y son gente que cumple su palabra. Podría decirse que tienen principios, aunque sean de la clase que dan mala fama a los principios.

Leila se miró fijamente las manos. Lo que dijo a continuación aumentó, más si cabe, el respeto que le tenía Parker, y le reafirmó en que se ocuparía de que el inglés y la mujer que le acompañaba nunca volvieran a poner los ojos sobre Leila Patton.

—Eso significa que es verdad que Esther está muerta.

Porque el peligro que corría ella no le preocupaba, o no tanto como el destino de Esther Bachmeier.

—Sí, creo que sí. Dobey no los convenció. Querían asegurarse.

Leila comenzó a llorar, aunque sus lágrimas eran del tipo que no cambiaban la expresión de quien las derramaba, como si las emociones que exteriorizaban fueran tan profundas que las lágrimas mismas fueran una nimiedad.

—Todo el mundo quería a Esther —dijo—, o al menos todo el mundo que merecía la pena. Los que no se preocupaban por ella no eran más que una pandilla de gilipollas. —Miró por la ventana hacia los pies de las colinas, ahora invisibles en la oscuridad—. Me pregunto dónde la dejarían. Merece un entierro como es debido. Merece ser recordada.

—Intentaré encontrarla —dijo Parker.

—¿Cómo?

—Los obligaré a que me lo digan.

Leila lo pensó un momento.

—Nunca he deseado que nadie sufriera —dijo—. He tenido suficiente viendo lo que mi madre ha pasado para querer que alguien más sufra nada parecido.

—¿Pero?

—Pero, en el caso de los que asesinaron a Esther y Dobey, estoy dispuesta a hacer una excepción.

—Veré qué puedo hacer —dijo Parker—. Y sé que esto no ayudará, pero lo diré de todos modos: fuera lo que fuese lo que Dobey les dijera no le habría salvado, ni a Esther tampoco. Esa gente no sólo estaba buscando a Karis o el libro. Se dedicaban a eliminar a cuantos hubieran estado en contacto con ellos, y, de paso, seguramente infligiendo dolor por haberles causado tantos problemas.

Miró su reloj. Todavía podía alcanzar el vuelo de Delta a Boston, pero iba muy justo. En el peor de los casos, podría salir a primera hora de la mañana. Eso significaría que tendría que superar su aversión a los hoteles de aeropuerto, pero si mantenía la atención fija en la recepción, el ascensor y su habitación, en ese orden, podría arreglárselas.

—Supongo que tiene que irse —dijo Leila.

—Debería.

—Me alegro de haber hablado con usted.

—Lo mismo digo.

Cogió la caja que contenía el libro.

—Nadie sabrá jamás que tuvo esto —dijo.

—Si lo que dice es cierto, eso no evitará que vuelvan.

—No: *yo* evitaré que vuelvan.

Leila Patton le besó suavemente en la mejilla a modo de despedida.

—Estoy convencida de que lo hará.

103

Billy olía la gasolina en sus manos mientras conducían hacia South Portland. La cabeza le daba vueltas por el olor. En ese momento, lo único que quería era darse una ducha y cambiarse de ropa, y no sólo para deshacerse de las manchas de combustible, sino también como preludio a quitarse las imágenes del fuego de la cabeza. Cuando cerraba los ojos, no era el Mustang de Parker lo que veía en llamas, sino su propio cuerpo.

Mors y él habían vislumbrado parte del incendio por el retrovisor antes de que los árboles acabaran ocultándolo. Billy se fijó en que se había levantado viento, que soplaba hacia el oeste. Deseó que la noche fuera tranquila: una cosa era prender fuego al coche de un hombre y otra incendiar su casa entera. No odiaba tanto a Parker. De hecho, Billy se dio cuenta de que no odiaba a Parker en absoluto. Simplemente quería entender por qué Parker había creído oportuno ayudar en la quema de su camioneta. Billy podría haberse limitado a preguntárselo. Incluso es posible que hubieran llegado a algún tipo de entendimiento.

Lamentaba de verdad haber quemado el Mustang.

—A lo mejor deberíamos llamar a los bomberos —sugirió.

—¿Tienes un móvil sin registrar? —dijo Mors.

—No.

—En ese caso, tal vez prefieras entregarte tú mismo a la policía y confesar lo que has hecho, porque, si haces la llamada, la localizarán.

Billy no quería confesar. Aprendería a vivir con su infamia.

—Y tampoco creo que puedas volver a casa o conducir tu propia camioneta —dijo Mors.

—¿Por qué no?

—Porque tú sabes tan bien como yo que serás el sospechoso principal de lo que acaba de pasar, y tendrás que esforzarte para encontrar una coartada.

—Eso no me preocupa —dijo Billy—. No habrá pruebas, y la policía necesita pruebas.

—Yo no estoy hablando de la policía: me refiero a Parker. ¿Crees que él necesita pruebas?

«No», pensó Billy, «está claro como el agua que no.»

—Me alejaré de aquí —dijo Billy—. Dejaré el estado por unos días.

—Eso podría interpretarse como el comportamiento de un hombre culpable —dijo Mors—. Se denunciará el incendio. A Parker le preguntarán los nombres de la gente a la que puede haber cabreado últimamente. Puede señalarte a ti y afirmar que tu familia parecía empeñada en relacionarlo, erróneamente, con un acto de daños a la propiedad. Entonces la policía empezará a buscarte, y también cualquier vehículo que se te haya visto conducir últimamente.

El malestar de Billy iba en aumento, y con él, su confusión. Quería que Mors dejase de hablar y le diera tiempo para pensar. En el argumento de la mujer había fallas, pero necesitaba estar solo y sin que lo molestaran para encontrarlas. Billy no sabía razonar cuando le presionaban.

—¿Tienes algún sitio cerca de la ciudad al que puedas ir, un sitio tranquilo, aunque sólo sea por un par de noches? —preguntó Mors—. Es posible que Parker opte por ser sensato y concluya que todo esto se ha ido de las manos. Podría llegarse a un acuerdo entre él y tu padre, en tu nombre. Al señor Quayle y a mí no nos interesa que esta situación vaya a más. Sólo queríamos mantener distraído a Parker. Mientras no menciones nuestra implicación, no volverás a saber de nosotros. —Lanzó una mirada a Billy que hablaba por sí sola—. Y eso, no hace falta que te lo diga, sería lo mejor para todos.

Billy captó el mensaje, pero seguía dispuesto a ignorar su contenido. Si Parker buscaba su cabeza como represalia, bien podría ser que Billy se librara de los problemas gracias a lo que sabía de Quayle y Mors. Pero, por el momento, Mors tenía razón: la mejor decisión que podía tomar Billy era no llamar la atención durante un par de días y ver qué pasaba. Tarde o temprano, debería reconocer ante su padre lo que había hecho. Incluso sería lo más sensato; su padre tenía varios abogados de primera, y una vez que se implicaran, Parker tendría que echarse atrás y llegar a un compromiso.

—¿Y qué pasa con mi dinero? —preguntó.

—Está en la guantera.

Billy la abrió y encontró un sobre grueso llenó de billetes de cincuenta dólares.

—Mil dólares —dijo Mors—. No está nada mal por una noche de trabajo.

Billy empezó a sentirse un poco mejor con el mundo.

—Soy el administrador de un edificio en Auburn —dijo—. Está vacío. Puedo quedarme allí un tiempo si nos paramos primero a comprar algo de comida y cerveza.

—Bueno —dijo Mors—, eso al menos suena como un plan.

Parker llegó al último vuelo que salía para Boston con sólo unos minutos de margen, pero le dio tiempo de hacer una llamada a Bob Johnston en Portland antes de que cerraran las puertas. Johnston tenía un negocio de libros raros en una casa de piedra arenisca en Munjoy Hill, pero también desarrollaba una actividad complementaria restaurando y volviendo a encuadernar volúmenes antiguos. Johnston era un tanto antisocial, como gran parte de la gente dedicada a las áreas más especializadas de ese mercado, pero, dada la naturaleza del objeto que Parker quería que Johnston examinara, probablemente fuera lo mejor. Parker le dijo a Johnston que lo esperara pasadas las once de la noche, y éste le contestó que se tomara el tiempo que necesitara porque, en cualquier caso, nunca se acostaba antes de la una.

Parker colocó la caja de zapatos bajo el asiento de delante, pero no la abrió. No tenía ningún deseo de mirar su contenido por el momento.

Billy y Mors se detuvieron en una tienda para comprar patatas fritas, embutidos, pan, leche y cerveza. Si a Mors le pareció que era demasiada comida para una sola persona, no lo comentó. Fueron en el coche hasta la finca de Auburn, donde Billy le dijo a Mors que aparcara en la parte de atrás para que así no le vieran entrar en el edificio. Le alegró comprobar que las ventanas de la planta superior seguían a oscuras, ni siquiera se veía el delatador resplandor del televisor. Tal vez Heb Caldicott estaba dormido, o muerto. Cualquiera de ambas posibilidades le iba bien a Billy, aunque la segunda era infinitamente preferible.

Billy se apeó del coche, Mors le siguió con la segunda bolsa de comida. Billy se peleó un momento con la cerradura y la puerta se abrió.

—Desde aquí puedo seguir solo —dijo.

Se dio la vuelta y Mors le disparó en la cara.

104

A Holly Weaver la despertó el sonido de su móvil. Había ido al dormitorio sólo con la intención de poner los pies en alto y ver un rato la televisión, tal vez incluso leer un libro, pero el cansancio junto con la comodidad del colchón habían hecho que se quedara traspuesta de inmediato.

No fue un descanso plácido. Tenía una sensación extraña, como de violación. Estaba segura de que había echado las dos llaves de la puerta trasera antes de salir ese día de casa, por la sencilla razón de que siempre lo hacía, pero cuando lo comprobó más tarde, sólo estaba echada una. Su padre le aseguró que ni se había acercado cuando estaba con Daniel. También había captado un olor peculiar en la casa, como si alguien hubiera arrastrado restos de un animal muerto por las habitaciones.

Holly se preguntaba si volvería a recuperar la tranquilidad algún día, porque no recordaba una época en que no se hubiera sentido desasosegada, no desde que Karis Lamb exhaló el último aliento. Ahora sonaba su móvil, cuando lo que más necesitaba era un sueño tranquilo. Miró el número y vio el nombre de Dido Mullis en la pantalla. Dido era su excuñada, y seguía en la lista de contactos de Holly, en parte porque era el único miembro de la familia de su exmarido por el que sentía cierto afecto, pero sobre todo porque Holly era una completa inútil borrando números.

—Dido —dijo—. Cuánto tiempo.

—Me pareció que debías saberlo —dijo Dido respirando ruidosamente y en pleno ataque de hipo mientras hablaba—. Hoy han encontrado a Gregg en su casa, a él y a su novia. Los han matado a tiros.

Parker llegó al aeropuerto de Logan y encendió el móvil en cuanto salió a la terminal. Escuchó un mensaje de Moxie Castin pidiéndole que le devolviera la llamada en cuanto pudiera.

—Moxie —dijo—, ¿qué ha pasado?

—Tengo buenas y malas noticias. Seguramente querrás oír primero las malas.

—Cuenta.

—Alguien prendió fuego a tu Mustang.

Parker se paró en seco haciendo que el hombre que iba detrás empezara a soltar tacos hasta que vio la cara de Parker y decidió que el silencio sería más recomendable.

—¿Y las buenas?

—Creo que tenemos una idea bastante precisa de quién es el responsable.

Owen y Holly estaban sentados en la cocina de Holly. La botella de Maker's estaba entre ellos, sobre la mesa, y cada uno tenía un vaso de bourbon en la mano. Como era previsible, los sucesos de los últimos días habían hecho mella en la botella, en la que sólo quedaba un centímetro de licor.

—¿Por qué crees que tiene algo que ver con Daniel? —preguntó Owen, aunque le costaba asumir el papel de escéptico. Planteaba la pregunta por decir algo, poco más.

—Gregg era un gilipollas, pero ni siquiera yo querría matarlo, y eso que tengo más motivos que la mayoría. Cuando Dido y yo todavía manteníamos un contacto frecuente, me contó que Gregg se cabreó de verdad al enterarse de lo de Daniel. Sus palabras exactas, si recuerdo bien, fueron que en mi vientre no crecerían ni las malas hierbas.

Owen dejó que el bourbon le humedeciera los labios y la lengua, para que durara más.

—A mí nunca me gustó ese tipo.

—Eso sólo me lo has repetido mil veces. Incluso me lo dijiste el día de mi boda, tanto antes como después de que me casara.

—Intentaba salvarte de ti misma.

Ella cogió las manos de su padre.

—Lo sé, pero estaba enamorada de él.

—Casi tanto como él estaba enamorado de sí mismo.

Holly tenía que admitir que eso era cierto. Gregg Mullis había vivido como si el mundo estuviera confeccionado con espejos.

—Y era un bocazas —dijo ella—. Creo que pudo haber largado sobre mí y mi vientre y alguien debía de acordarse.

—En ese caso, ¿por qué no vino aquí en lugar de ir a por Gregg?

—No lo sé: ¿para confirmarlo? Y es posible que ya hayan estado aquí, inspeccionando la casa.

—¿Lo dices por la puerta de la cocina?

—Sí, y por algo más: la casa no huele como debería, no la siento como debería.

—En ese caso, ¿hablamos ahora con Castin?

—Será lo primero que hagamos por la mañana —dijo Holly—. Si hay algo peor que me arrebaten a Daniel es que le hagan daño.

Owen se levantó.

—Creo que Daniel y tú deberíais pasar la noche en un motel —dijo Owen—. Paga en efectivo, y no lleves tu coche. Llamaré a un taxi y os seguiré un rato, hasta asegurarme de que nadie está vigilando.

Holly no discutió, sólo preguntó:

—¿Y tú?

Owen se encogió de hombros.

—Tengo una llave de ruedas. Siempre me he quedado con ganas de usarla en algo más que una rueda.

Parker llamó a Louis cuando estaba a unos veinte minutos de Portland y acordaron encontrarse en el local de Bob Johnston. Tuvo la tentación de ir directamente a casa, pero necesitaba que Johnston echara un vistazo al libro, y ya no parecía que pudiera hacer gran cosa con respecto al Mustang. Sin embargo, todavía deseaba encontrar a Billy Ocean con toda su alma, pese a las advertencias de Moxie Castin de que no hiciera nada impulsivo, que le habían sonado huecas hasta al propio Moxie.

Louis ya había aparcado cuando Parker llegó a Congress Street. Parker se detuvo tras él y esperó a que Louis se le uniera. En cuanto se acomodó en el asiento del pasajero, Parker le contó todo lo que había sabido por Leila Patton, incluidos sus temores acerca del libro.

—¿Está en la caja? —preguntó Louis.

—¿Quieres verlo?

—No.

Cruzaron la calle y llamaron al timbre de la casa de Bob Johnston. Éste les abrió mediante el portero automático y subieron dos plantas de escaleras forradas de libros, dejando atrás habitaciones llenas de estanterías y cajas, y el taller en el que Johnston encuadernaba e imprimía, aparte de una pequeña cocina, un dormitorio y una sala de estar, todo lo cual le hacía las veces de hogar. Su negocio no tenía una tienda física, aunque los clientes podían visitarlo con cita previa. Pocos optaban por hacerlo, al menos no por segunda vez, pues si Johnston mantenía que el único autor bueno era el autor muerto, también creía que el único cliente bueno de verdad era el remoto. Era un ser desgarbado que vestía chaqueta de punto y zapatillas, su cabello rojizo empezaba a tornarse gris, y su cara parecía hundirse desde la frente en una sucesión de arrugas con forma de uve que mostraban irritación. Parker le había comprado algunos libros en el pasado, la mayoría para regalar. Se lo habían recomendado en Carlson & Turner, la librería de lance que había más arriba en Congress, aunque habían mandado a Parker allí como unos generales que envían a un soldado a una misión de la que es improbable que vuelva ileso.

Johnston saludó a Louis asintiendo con la cabeza, cogió la caja de zapatos de manos de Parker y la llevó a una mesa en la que había facturas viejas, una lámpara, una lupa y un gato tuerto disecado.

—Te aconsejaría que usaras guantes —dijo Parker.

—¿Por qué? —preguntó Johnston.

—La persona que me lo dio dijo que tocarlo la hacía sentirse mal.

—Es sólo un libro de cuentos de hadas.

—No, no lo es.

Johnston emitió un suspiro que dejaba bien clara su tolerancia, o su carencia de ella, con los bobos del mundo, y revolvió en su cajón hasta que encontró un par de guantes blancos de tela.

—Si abre las manos y hace aspavientos —dijo Louis—, tendremos unas palabras.

Johnston le miró frunciendo el ceño, o al menos su fruncido permanente se le marcó aún más.

—¿Y a qué se dedica *usted* exactamente? —preguntó.

—Mato gente —respondió Louis.

En el pasado, Parker ya se había fijado en que Louis se divertía esporádicamente experimentando con la honestidad como mejor política.

—Ajá —dijo Bob Johnston mientras se ponía los guantes—. ¿Acepta encargos o algo así?

—Los llamamos contratos —le corrigió Louis.

—Como sea.

—No muchos.

—Una lástima. Tengo una lista.

—¿Es larga?

—Cada día más. ¿Tiene tarjeta?

—Sí.

—¿Me da una?

—No.

Johnston volvió a suspirar. Parker pensó que ese hombre debía de pasar mucho tiempo suspirando.

—Supongo que tendré que matarlos yo mismo —dijo Johnston—, pero sepa que pago bien.

Con los guantes puestos a su entera satisfacción, Johnston abrió la caja y sacó el libro. Examinó el lomo, la portada y la contraportada, comprobó la página de créditos y pasó a las ilustraciones, deteniéndose en las hojas en blanco añadidas.

—Raro —dijo.

Se fijó en la composición tipográfica, con sus palabras desordenadas.

—Más raro todavía —dijo.

Finalmente, encendió su ordenador portátil y comprobó si el libro aparecía en las listas de varios sitios web.

—Rarísimo —concluyó—. Parece que fue falsificado. El año es incorrecto.

—Es 1908 —dijo Parker—. Un año antes de que fuera publicado.

—¿Sabe algo de él?

—No mucho más que la fecha, y que las hojas insertadas podrían tener algo que ver con un atlas.

—¿Qué clase de atlas?

—Tal vez usted pueda averiguarlo.

Johnston ajustó el ángulo del libro para ver si el cambio de perspectiva revelaba algún detalle previamente oculto.

—Los errores en las páginas de créditos se producen a veces, aunque ninguna autoridad ha percibido previamente la existencia de uno para esta edición. Podría tratarse de una prueba de imprenta, pero de ser ése el caso, no ha quedado constancia. Es curioso, eso se lo concedo. —Por primera vez examinaba el libro con verdadero interés—. ¿Qué espera descubrir sobre él?

—De dónde procede —dijo Parker—. Qué puede significar el ex libris de la primera página. Por qué se insertaron esas hojas adicionales. De qué están hechas. Si están realmente en blanco. Cualquier cosa que pueda decirme. Sin embargo, hay un «pero».

—Siga.

—No puede decirle a nadie que lo tiene.

—¿Puedo preguntar por qué?

—Porque genera cadáveres.

—Ah. —Johnston le dio un golpecito al libro, como si le provocara para que enseñara los dientes—. Bien, ésa es una buena razón para ser discreto. Tendría que separar las partes para echar un vistazo a fondo a esas páginas en blanco.

—¿Podrá rehacerlo tal como estaba después?

Johnston pareció ofendido e hizo un gesto a su alrededor.

—Señor Parker, ¿a qué cree exactamente que me dedico aquí?

A Mors no le llevó mucho tiempo meter el cuerpo de Billy Ocean dentro del edificio y cerrar la puerta tras él. Sólo se esforzó un poco en ocultar sus restos, arrojando el cadáver entre las sombras al fondo del vestíbulo, junto con las bolsas de comida. El cuerpo no sería visible hasta la mañana siguiente, y sólo si alguien lo buscaba. No quería que los restos de Billy fueran descubiertos antes de que ella y Quayle estuvieran listos. Mors pensó en inspeccionar el edificio, pero parecía vacío, hedía, y las escaleras a la primera planta tenían un agujero donde alguien había metido un pie a través de la madera podrida. No sería muy inteligente quedar incapacitada en el mismo espacio donde acababa de dejar un cadáver. Salió por donde había entrado, y no detectó el menor signo de que alguien en las fincas vecinas estuviera interesado en su vehículo mientras volvía a la calle y se alejaba.

Mors no le hizo el menor caso al edificio.

Si lo hubiera hecho, tal vez habría visto un destello de luz en la ventana de la planta de arriba y a una figura recortada a contraluz.

Holly despertó a Daniel. Él montó un numerito frotándose los ojos, pero ella dudó de que el niño estuviera dormido siquiera.

—Quiero que te prepares una bolsa —dijo—. Vamos a pasar un par de noches en un motel.

Daniel no preguntó por qué ni se quejó, sino que se bajó de la cama como un autómata. Holly se percató de sus ojeras, y supo que no eran sólo de la mala noche que había pasado hacía poco. Le preocupó no haber reparado en ellas antes, tan absorta como estaba en sus propias preocupaciones.

Atrajo a Daniel hacia sí y lo abrazó con fuerza.

—Cariño —dijo—, ¿qué pasa?

Pero fuera cual fuese la respuesta que ella había esperado, no fue la que recibió.

—Mamá, el libro de cuentos de hadas ha desaparecido.

106

Parker estaba ante los restos calcinados del Mustang. El aire nocturno hedía a metal caliente y plástico derretido, a gasolina y goma carbonizada. Un ayudante del jefe del Departamento de Bomberos de Scarborough le había explicado la suerte que había tenido de que llegaran al coche antes de que el viento arrastrara las llamas hasta la casa. Aun así, la pared oriental había quedado ennegrecida y un par de ventanas se habían roto por el calor, lo que produjo algunos daños debido a las mangueras. Un cristalero ya estaba trabajando en las ventanas. Parker hacía en ese momento una declaración al patrullero del Departamento de Policía de Scarborough, pero sólo pudo informarle de que no tenía ni idea de dónde se había iniciado el fuego dado que estaba en un vuelo de Cincinnati a Boston cuando había sucedido. Las cámaras de seguridad tampoco mostraban nada, porque quienquiera que fuese el responsable se había acercado desde el bosque sin cruzar los rayos, y había permanecido fuera del alcance de las cámaras que había delante y detrás de la casa.

—La hipótesis es que se trata de un incendio premeditado —dijo el patrullero, que se llamaba Cotter. No parecía tener edad ni para beber—. ¿Sabe de alguien que le guarde rencor?

Pero Parker apenas le prestaba atención. Aquel coche le gustaba de verdad. Si se trataba de una crisis de la mediana edad sobre ruedas, nadie podría decir que no se había ganado el derecho a tenerlo.

Fue Louis el que respondió la pregunta de Cotter.

—Sabes quién es, ¿no?

Louis y Parker habían hablado sobre si sería prudente, dadas las circunstancias, que Louis le acompañara de vuelta a casa, y al final decidieron que, bueno, a la mierda.

—Sí, lo sé —dijo Cotter.

—¿Y cómo se gana la vida?

—Sí.

—¿Y cuántas páginas de ese cuaderno piensa llenar con nombres de gente resentida?

Cotter captó el mensaje y guardó el cuaderno.

—Si se les ocurre algo razonable, llámenme.

Le dio su tarjeta a Parker, que le agradeció el tiempo que le había dedicado. Cotter se fue entonces a dar palique al ayudante del jefe de bomberos.

—Supongo que tal vez no debería haber incendiado la camioneta de Billy Ocean —dijo Louis.

—Sí, podrías haberte limitado a robarle las banderitas —dijo Parker.

—Pero no habría tenido el mismo efecto.

—No.

—¿Vamos a ir a buscarle?

—Ahora no. Es tarde, y estoy cansado.

Sonó el móvil de Parker. Era Moxie Castin otra vez. Pensó en no contestar, pero optó por pasarle el aparato a Louis.

—Es Moxie. ¿Te importa ver qué quiere?

Louis contestó la llamada.

—¿Qué quieres? —dijo Louis, y escuchó—. Ajá, ajá. —Tapó el micrófono con la mano—. Dice que no hagas nada relacionado con esto hasta que hables con él en su despacho por la mañana. Dice que no querrás acabar otra vez en la cárcel por un coche.

—Dame el teléfono.

Louis se lo pasó.

—Moxie, quiero los nombres de los conocidos de Billy, y una lista de las fincas que administra para su padre, y la quiero antes de mañana a mediodía.

Louis oyó la voz de Moxie por el teléfono, y pensó que no sabía distinguir entre hablar y gritar.

—Sí —dijo Parker como respuesta—. Me doy cuenta de que

reunir ese tipo de información es precisamente lo que hago yo para ganarme la vida, pero estoy cabreado y dolido, y ese coche me gustaba de verdad. Encárgate tú de todo, Moxie.

Colgó. El coche de bomberos que quedaba se alejó de la casa seguido de Cotter en el coche patrulla de la policía de Scarborough.

—¿Quieres compañía? —preguntó Louis.

—¿Tienes algo mejor que hacer?

—No hasta que vayamos a buscar a Billy Ocean.

—En ese caso, sí —dijo Parker—, agradecería un poco de compañía.

Bob Johnston avanzaba despacio en su estudio del libro, comprobaba cuidadosamente cada página, al principio divertido, luego cada vez más turbado por la disposición aparentemente aleatoria de letras y palabras. Reparó en que las complicaciones aparecían más concentradas en las páginas más cercanas a los insertos de vitela, aunque persistían a lo largo de todo el libro.

Pero lo más fascinante eran las ilustraciones. Parker había llamado su atención sobre las diferencias entre las láminas del libro y sus equivalentes en internet, pero Johnston consideraba internet una obra del diablo, por más que facilitara su profesión al reducir la necesidad de contacto con seres humanos reales, que solían sacar los volúmenes de las estanterías por la cabezada o el delicado lomo, y no entendían por qué los títulos que él vendía costaban más que los que había en la librería de libros usados local o, no lo quiera Dios, en Amazon. Así que, en lugar de hacer comparaciones entre página y pantalla, Johnston buscó en su propia colección una edición posterior de los Grimm que contenía ilustraciones de Rackham, y los dos libros reposaban el uno junto al otro sobre su mesa, cuidadosamente iluminados y colocados de manera que podía desplazar la lupa con facilidad sobre ambos.

Johnston tenía que admitir que nunca había visto un libro como ése. Estaba claro que las láminas litográficas de las ilustraciones se habían alterado en cierto momento, permitiendo así la impresión de versiones paralelas con sus respectivas figuras adicionales, y se esforzó por encontrar cualquier rastro de cómo se habían creado. Intentar recomponer cada variación a partir de una tipografía chapucera suponía un trabajo inmenso, sobre todo teniendo en cuenta el detalle exquisito de los paneles. De hecho, pensó Johnston, cuanto más de cerca los examinaba, más claras eran las adiciones, de manera que sus exploraciones adquirieron cierto ritmo; un examen básico, seguido de un receso para descansar la vista, seguido de un estudio más de cerca, que invariablemente daba un resultado distinto, más extraño.

Unos cuernos atisbados aquí, una segunda serie de ojos allí; un torso, una cola.

Los añadidos no eran obra de Rackham; de eso, al menos, Johnston estaba seguro. Eran de una ejecución casi medieval, pero sin rastro del carácter plano que se asociaba con aquel periodo. Algunos le resultaban casi familiares: en el fondo de la representación de Rumpelstiltskin había una criatura que Johnston podría haber confundido con un toro si no hubiera sido por el brillo de la coloración del animal. Ahora la riqueza de sus tonalidades azules era más visible bajo la luz, y lo extraño de su forma, más aparente. La bestia definitivamente tenía cabeza de toro con unos cuernos amarillos afilados, pero su piel era escamosa y caminaba erguido sobre sus patas traseras.

La ilustración agobiaba a Johnston. Como muchos marchantes de libros de anticuario había acumulado cierto conocimiento de diversas materias, en general más profundo de lo que dejaba entrever, pero más superficial de lo que le hubiera gustado. Con la misma facilidad con que alguien con sólo un interés ocasional por el gran arte sería capaz de identificar la *Mona Lisa,* o el *David* de Miguel Ángel, Johnston sabía reconocer obras maestras de diversos periodos, estilos y medios. Había visto el toro azul —no, el *demonio* azul, porque era eso con toda seguridad— en alguna parte antes, pero en un contexto menos ajeno que un cuento popular. Miró fijamente la figura a través de la lupa, las sombras que la rodeaban continuaban desvaneciéndose de manera que ésta, a diferencia de los aspectos más tradicionales del genio de Rackham, se convertía en el punto focal de la lámina.

Volvió a consultar el infernal internet, a hacer búsquedas, y allí estaba: la parroquia de Santa María de Fairford, en Inglaterra.

Había existido una iglesia en Fairford desde el siglo XI, pero la versión actual, construida en gótico perpendicular, se remontaba a finales del siglo XV. Lo que distinguía a la parroquia de Santa María, aparte de su antigüedad, era un conjunto completo de vidrieras tardomedievales creado, casi con toda seguridad, entre 1500 y 1517 por cristaleros holandeses, bajo la supervisión del cristalero de Enrique VIII, Bernard Flower. La más famosa era la Gran Vidriera del Oeste, o, más específicamente, la parte inferior de ésta, porque la mitad superior había resultado dañada por una tormenta en 1703 y ahora era, en gran medida, una reconstrucción del siglo XIX. La vidriera representaba el Juicio Final, con los elegidos llevados al cielo a la izquierda, y los condenados enviados al infierno a la derecha. Siete paneles en total, de los cuales el más interesante para Johnston era el tercero por la derecha. Ahí, en la esquina inferior derecha, estaba el mismo demonio azul, con una horca de dos puntas en las manos y uno de los condenados sobre sus hombros. Tras él se cernía una creación similar, esta vez de color rojo, azotando a otra pobre alma con una maza con pinchos.

Johnston pasó al cuento de «El príncipe rana», y el dibujo de Rackham de la princesa subiendo al regio personaje del título por un trecho de escaleras de madera ornamentadas. Colgado de la pared, a la derecha de la princesa, había un tapiz con matices escarlata. En la ilustración original, apenas se distinguía una figura sobre el material, pero en la versión alternativa contenida en el caótico libro, el escarlata era más intenso, y la forma con cuernos más clara. Incluso podía identificarse la maza con pinchos en sus manos.

¿Por qué, se preguntó Johnston, se había esmerado alguien tanto en añadir elementos del arte de las vidrieras tardomedievales a una serie de láminas inconexas del siglo XX? ¿Y por qué insertar también folios adicionales en blanco a la encuadernación? La respuesta, tal vez, podría encontrarse en las propias inserciones de vitela.

Johnston volvió a colocar el libro en la caja y lo bajó a su taller, donde podría empezar el proceso de desmontarlo. Tan absorto estaba en su nuevo proyecto que no se percató de lo profunda que se había vuelto la oscuridad; lo amortiguados que sonaban sus propios pasos, como si estuviera perdido en la niebla; lo silenciosa que se había tornado la noche en el exterior.

Se había perdido en el libro.

Y, tal vez, por el libro.

Parker le sirvió una copa de vino a Louis, pero él siguió con el café. Repasó los sucesos de Cadillac, volviendo una y otra vez al inglés, sentado tranquilamente en el Dobey's con su libro de poesía, esperando su oportunidad para interrogar, y asesinar, al dueño del restaurante.

—¿Estás seguro de que era el mismo hombre? —preguntó Louis.

—A no ser que tenga un hermano con ojos de diferente color, en cuyo caso están en esto juntos.

—No parece probable.

—No, no lo parece.

—¿Qué piensas hacer?

—Espantarlo. Lo he visto de cerca. Sé qué aspecto tiene. Lo primero que haré por la mañana será ir a ver a Corriveau y darle una descripción completa, decirle que ese hombre podría ser una persona de interés en el asesinato de Maela Lombardi, así como sospechoso de un posible incendio premeditado que causó una víctima, una desaparición y una tentativa de secuestro ocurridos en Cadillac, Indiana, y todo relacionado con el descubrimiento de un cadáver que se cree que es el de Karis Lamb. Sacaremos su imagen por la televisión, en los periódicos, en internet. Le pondremos difícil esconderse, y veremos cómo reacciona.

—¿Y la mujer que va con él?

—Seguramente es la misma que intentó llevarse a Leila Patton. También le daré su descripción a Corriveau.

—Pero ¿no le vas a contar a Corriveau lo del libro?

—No, todavía no.

—¿Por qué no?

—Por curiosidad. Veamos primero lo que nos cuenta Johnston.

—¿Curiosidad? Y una mierda —dijo Louis—. Quieres mantenerlo en secreto por si puedes usarlo como cebo.

—Tal vez.

—No hay ningún tal vez en el caso. Eres un cabronazo indigno de confianza.

—Eso es muy duro.

—Vale, retiro lo de «cabronazo».

—Se agradece. ¿Has hablado con Angel?

—Sí. Está como lejano, necesitado de compañía. Igual que siempre, sólo que ahora con más cicatrices.

—Preguntaba en serio.

—Sonaba mejor que antes. Estaba pensando en volver mañana, pero creo que me quedaré por aquí para ver qué pasa con tu libro y el visitante de ultramar. No puedo hacer nada por Angel que una de las enfermeras no haga mejor.

Parker dejó a un lado su taza de café. Era hora de acostarse. Pero tenía una pregunta más para Louis.

—¿Piensas alguna vez en eso de lo que huyes?

—¿Quieres decir con Angel?

—Sí.

Louis acabó su vino.

—No es de la muerte —dijo Louis—. Nunca he pensado mucho en la muerte.

—Entonces, ¿de qué?

—Las consecuencias. El duelo, si quieres que le ponga nombre; incluso su mera posibilidad. No quiero llorar la muerte de Angel.

—Y por eso él va a seguir vivo.

—Exactamente, porque nunca le perdonaría que no lo hiciera.

Parker se levantó.

—No voy a decirte que deberías volver a Nueva York —dijo—. Tú tomas tus decisiones. Y, si he de serte sincero, me alegro de que estés aquí. Tengo la sensación de que el inglés y la mujer que le acompaña son perversos hasta casi lo inimaginable.

—¿No crees que huya en cuanto empecemos a pegar su imagen por la ciudad? Ya sabes, que aguardará el momento para volver cuando no lo esperemos.

—No. Está demasiado cerca de conseguir el libro.

—Que no sabe que tienes.

—Así es.

—Lo que significa que, en un momento dado, vas a tener que encontrar el modo de hacerle saber que lo tienes.

—Así es.

—Lo que será arriesgado.

—Así es.

—Lo que significa que yo podría tener que hacer daño a alguien.

—Casi con toda seguridad.

—¿Sabes? —dijo Louis—. Las cosas ya pintan mejor.

107

Parker llamó a Solange Corriveau poco antes de las ocho de la mañana. Aunque ella trabajaba en la Unidad Norte de Delitos Graves en Bangor, aceptó reunirse con Parker en la sede de la policía estatal en Augusta, donde se le pediría que diera una descripción formal del inglés y su acólita. Informó a Parker de que Walsh, sin duda, se uniría a ellos, dado que la Unidad Sur de Delitos Graves estaba investigando el asesinato de Maela Lombardi. Gracias al viaje de Parker a Indiana, la Policía del Estado de Maine tenía ahora un nombre completo para la Mujer Sin Nombre, sabía que el caso estaba relacionado con Lombardi y tenía un sospechoso potencial en la figura de un inglés todavía sin identificar, y toda la información le había salido gratis a la policía. Parker esperaba recibir incluso una carta de agradecimiento del gobernador, que luego podría pegar a la suela de su zapato.

—Tengo que estar de vuelta en Portland antes de mediodía —dijo Parker.

—¿Tanta prisa no tendrá que ver con lo que le pasó anoche a su coche? —preguntó Corriveau.

—Las noticias viajan rápido.

—No tanto como el chico de Stonehurst, si tiene algo de sentido común.

Parker permaneció en silencio. No iba a dejar que le hicieran admitir nada que pudiera limitar su margen de maniobra cuando llegara el momento de ocuparse de Billy.

—Vamos —dijo Corriveau—. Tengo entendido que podría habérsele metido en la cabeza que usted estaba implicado de algún modo en lo que le pasó a su camioneta.

Pese a la distancia que mediaba entre ambos, Parker tuvo la incómoda sensación de que lo estaba interrogando.

—Es posible que me comentaran algo al respecto —dijo Parker—. No me imagino de dónde salió esa idea.

—Bueno, simplemente procure respirar hondo antes de llamar demasiado fuerte a algunas puertas. Su ayuda con la mujer del bosque no pasa inadvertida, pero sólo le comprará algunos favores. Hacer la vista gorda en un lío con los Stonehurst no se cuenta entre ellos. Le veo en Augusta dentro de un par de horas.

Corriveau colgó, dejando que Parker escuchara a Louis, que había pasado la noche en el cuarto de invitados, quejándose de la calidad del café en la casa y cuestionando la capacidad de Parker para comprar un pan comestible. Cuando acabó de renegar y se hubo resignado a lo que pudiera encontrar, dijo:

—¿Cuál es el plan?

—Yo voy a Augusta. Tú pásate por el despacho de Moxie.

—¿Quieres que empiece a buscar a Billy?

—No, sólo quiero que hagas lo que has estado haciendo el último par de días.

—Que es nada.

—Que es esperar.

—¿Por qué?

—Porque esta tarde Solange Corriveau debería poder obtener la descripción del inglés. Si tiene suerte, incluso podría descubrir algo sobre Karis Lamb, porque no ha encontrado nada en las bases de datos federales. También hará un último llamamiento a quienesquiera que enterraran a Karis, para avisarles de que podrían correr peligro. Y para terminar, nos agradecerá públicamente a Moxie y a mí nuestra colaboración, y dirá que están siguiendo la conexión con Indiana.

—Estás echando sangre al agua.

—Es la mejor forma de atraer a los tiburones.

—¿Y Billy?

—Lo dejaremos en paz.

Louis interrumpió el gesto de beber su pésimo café.

—¿En serio?

—Tú le volaste la camioneta.

—Porque era un ignorante.

—Y pagó por ello. Mira, podría encontrarlo y darle una paliza de muerte, pero después no me sentiría mejor conmigo mismo, y tampoco cambiaría a Billy, ni a su padre ni a nadie como ellos.

—¿Me estás diciendo que quieres ser el bueno de la película? Eso no funciona, no con los de su clase.

—No, lo que digo es que si esto continúa, alguien saldrá muy mal parado, o incluso muerto. Es probable que no sea ninguno de nosotros, pero las consecuencias serán muy desagradables.

—Haces que me sienta peor por lo de tu coche.

—Me alegro.

—Pero, aunque me sienta mal, no me afecta tanto como para comprarte uno nuevo.

—Ese nivel de autocrítica por tu parte es compensación más que suficiente para mí —dijo Parker—. Además, tengo seguro.

Básicamente para poder hacer los seguimientos y vigilancias, Parker poseía tres coches —de los que, tras la destrucción del Mustang, quedaban dos—, y utilizó el menos llamativo para ir a Augusta, ya que el Taurus no sólo era cutre, sino que estaba marcado por su asociación con una camioneta quemada. El último vehículo, un Audi A4 de 2002 gris oscuro, le hacía sentir como un contable que trabajara para un centro comercial, y ni siquiera uno muy bueno.

Corriveau y Walsh ya estaban esperando a Parker cuando éste llegó a Augusta. Les acompañaba Kes Carroll, del Departamento de Policía de Cape Elizabeth, y Sharon Macy, que parecía subir un peldaño en la escalera de las fuerzas del orden cada vez que Parker la veía. Aunque Macy seguía siendo oficialmente —por ahora— una agente del Departamento de Policía de Portland agregada a su División de Investigaciones Criminales, también estaba muy implicada en el Cuerpo Especial de Crímenes Violentos, y el fiscal general escuchaba sus recomendaciones. En otras palabras, todo el mundo tenía que ser amable con Macy.

Parker y ella habían salido un par de veces, pero su momento había pasado. Al menos, él podía agradecer no haberse comportado muy mal con ella, y había pagado las cuentas.

—Lamento lo de tu coche —dijo Macy mientras lo acompañaba a la sala de reuniones.

—Estoy recibiendo tantos mensajes de condolencia, que no sé si debería organizar un velatorio.

—Por ahí se dice que Billy Ocean está planteándose marcharse a algún lugar más seguro, como Siria.

—Lo que se dice por ahí, para variar, no es muy preciso.

Macy alzó una ceja.

—Eso no parecen palabras tuyas.

—Si lo hizo Billy —dijo Parker—, es un completo idiota. Si no lo hizo, sigue siéndolo. No tengo pruebas de que lo hiciera él. Sólo pienso en lo estúpido que es, y estoy seguro de que no soy el único.

—A lo mejor te estás moderando con los años. Aunque, bien pensado, tampoco es que pudieras ir a peor.

—Cállate un rato, o empezaré a lamentar haber pagado aquellas cenas.

Parker dio un paso atrás justo a tiempo de evitar que le alcanzara un puñetazo en el brazo.

—Gilipollas —dijo ella.

—A palabras necias, oídos sordos. Mientras tanto, parece que has estado muy ocupada.

Los informativos no paraban de hablar de los cuatro asesinatos cometidos en Maine en veinticuatro horas, al de una mujer en avanzado estado de gestación, que era una de las víctimas de en un triple homicidio, había que sumar el de Maela Lombardi. En el estado solían producirse unos veinte homicidios al año, la mitad de los cuales, al menos, tenían lugar en el ámbito doméstico. Eso significaba que en la última semana se había alcanzado una cuarta parte del total anual, pese a que el año había empezado hacía apenas tres meses.

—El triple asesinato no puede ser más desconcertante —dijo Macy—. Tenemos una identificación positiva de Gregg Mullis y Tanya Wade. En cuanto a la víctima que encontramos en la mesa de la cocina, al principio fue un misterio. No llevaba permiso de conducir, pero tenía una cartera llena de tarjetas de presentación, y en la mesa descubrimos una que pertenecía a Marcus Light, un empleado de la Oficina de Servicios a la Infancia y la Familia. Light vive en Millinocket, pero ahora está en una boda en San Diego, y no tiene ni idea de por qué su tarjeta apareció en el escenario de un crimen.

—¿Usurpación de personalidad? —dijo Parker.

—Podría ser. Por fortuna, uno de los vehículos encontrados en la escena del crimen estaba registrado a nombre de Ivan Giller. Soltero y aparentemente sin empleo, vivía en un bonito edificio de apartamentos en Bangor.

—¿Demasiado bonito para un tipo sin empleo?

—Demasiado bonito incluso para muchos tipos *con* un empleo. Era un intermediario y solucionador de problemas. Acuerdos comerciales, política: si una información tenía precio, él sabía encontrar el modo de comprarla o venderla.

—¿Alguna conexión entre esos tres y la víctima de Brunswick?

—¿Connie White? Bueno, vamos a esperar un par de días hasta tener los análisis forenses de las balas, pero parece que todos fueron asesinados con un 9 mm Corto, y que después recogieron los casquillos, porque no se encontró ninguno. De manera que sí, la persona que disparó podría ser la misma, lo que significa que tenemos que averiguar cómo relacionar a Mullis o Wade con Connie White. Mullis tiene una exesposa en Guilford, y su novia tiene un exmarido en Florida. Empezaremos por ellos y seguiremos a partir de ahí. A White la echaron del trabajo por aceptar sobornos y vender información sobre licitaciones públicas, así que tal vez de ahí saquemos algo. Ah, y un detalle raro más: el asesino de Connie White no mató a su perro, y ese chucho es un mal bicho, más de lo normal. Según el hermano de White, el perro los toleraba a su hermana y a él, pero a nadie más, y creemos que el autor podría haberle dejado agua y comida para varios días, sólo por si se quedaba encerrado en la caravana durante un tiempo.

—¿Y el hermano?

—Estaba trabajando mientras se cometieron los asesinatos, con testigos que afirman que nunca lo perdieron de vista.

—Así que estás buscando a un sentimental que es amable con los animales.

—Genial. Déjame que anote la frase para que no se me olvide. ¿Cómo se escribe Doolittle, con una o, o con dos?

—Con dos —dijo Parker cuando llegaban a la sala de reuniones—. O busca a una llama de dos cabezas.*

Una vez dentro, Parker se sentó, aceptó un café y condujo a los detectives congregados por una versión cuidadosamente retocada de lo que había hecho en Cadillac. Luego estuvo trabajando un buen rato con un agente especialista para crear retratos robot del inglés y la mujer del Great Lost Bear. Cuando acabó, era la una pasada, así que su autoimpuesto límite del mediodía había quedado en nada. Macy y Walsh ya se habían ido y Corriveau se acercó sólo para dar el visto bueno a las imágenes que se publicarían, agradecer a Parker su esfuerzo y aconsejarle, una vez más, que se mantuviera alejado de Billy Ocean.

Resultó que Parker tenía una última pieza del rompecabezas que aclarar, porque Corriveau sostenía en la mano la fotografía del permiso de conducir de Ivan Geller, el segundo varón encontrado muerto en casa de Gregg Mullis. Parker no se había molestado en dar a la policía una descripción de Smith Uno en el Bear porque ya había hablado de él con Gordon Walsh, y, en cualquier caso, Corriveau estaba más interesada en el inglés y su sombra femenina. Ahora Parker pudo poner nombre a Smith Uno.

—Su Ivan Giller estaba con el inglés en el Bear —dijo Parker—. Intenté seguirlo al salir del bar, pero... lo perdí.

—Si el inglés que vio es el mismo que pasó por Cadillac —dijo Corriveau—, entonces ahora ya tenemos una conexión

* Referencia a *Dr. Dolittle,* serie de cuentos infantiles de Hugh Lofting sobre un médico que podía hablar con los animales. Hay, entre otras, una versión cinematográfica de 1998, con Eddie Murphy, y otra de 2020, con Robert Downey Jr., encarnando al doctor en cuestión. La llama bicéfala es uno de los personajes de los cuentos. *(N. del T.)*

entre Karis Lamb y Mullis, Wade, Lombardi, Giller y puede que también Connie White. ¿Y todo esto por un niño desaparecido?

Parker casi estuvo tentado de contarle a Corriveau lo del libro, pero el momento pasó rápido. Cuanto más lo mantuviera en secreto, con más problemas se encontraría cuando finalmente se viera obligado a revelar su existencia. No podía explicar por qué le ocultaba a Corriveau la verdad sobre el libro, más allá de su potencial uso como cebo. Tenía sentido contárselo, y, pese a todo, su instinto le decía que evitara mencionarlo. Así que dijo:

—Se ha asesinado a gente por razones más pobres que un niño.

—Eso no lo convierte en menos inquietante.

Parker no podía estar más de acuerdo. Se despidió y sintió zumbar su móvil cuando salía del edificio. El nombre de Moxie Castin apareció en la pantalla.

—¿Dónde estás? —preguntó Moxie.

—A punto de salir de Augusta.

—Tienes que venir aquí ahora mismo. Creo que tengo al hijo de Karis Lamb en mi despacho.

Parker se detuvo en el aparcamiento.

—¿Qué?

—Tú ponte en marcha.

—Llama a Louis.

—Ya está sentado en el vestíbulo.

—Voy para allá.

Bob Johnston había trabajado hasta altas horas de la madrugada en el libro, y se acostó sólo después de conseguir separar los insertos de vitela del cuerpo principal y dejar la cubierta a un lado. Pero no había dormido bien. Las figuras añadidas a las láminas de Rackham se introdujeron en sus sueños, y en dos ocasiones lo despertaron ruidos que procedían de dentro de la casa, incluido un insistente golpeteo que parecía provenir de las profundidades de la escalera que subía a la tercera planta, como si hubiera un animal atrapado en esa zona. Finalmente, en algún momento después de las siete de la mañana, se resignó a la imposibilidad de descansar más y llevó a cabo sus abluciones antes de intentar, y no poder, desayunar algo. No era que no tuviera apetito —el desayuno nunca había sido su comida favorita—, pero los alimentos le sabían raro, como estropeados por lo que sólo podría describir como polvo que transformaba incluso su querido café Kona en un brebaje imbebible.

En circunstancias normales, una situación así habría devuelto a Johnston directamente a la cama, pero el libro lo llamaba. Aunque había sido capaz de separar las hojas de vitela del conjunto, no pudo determinar cuál era la fuente animal original del material, ni hacer una estimación con cierta base de su antigüedad. Sospechaba que era un pergamino de cabra; por el lado granuloso de las hojas, de donde habían arrancado el pelaje, era gris marronáceo, no del tono más amarillento de la vitela procedente de oveja, pero no olía como la de cabra, ni siquiera después de todo ese tiempo, y la textura no le parecía la correcta. El grano tenía la suavidad del terciopelo, y eso indicaba que la capa más externa había sido cuidadosamente pelada y la rugosidad del pergamino era mínima, una muestra más de la calidad del material. La lupa reveló trazas de folículos, pero eran más grandes que los del pelo de cabra.

A Johnston le desconcertaba el esfuerzo que requería insertar esas páginas aparentemente en blanco en otro volumen. La tinta invisible parecía ser la explicación más probable, pero la cuidadosa aplicación de calor utilizando una bombilla incandescente no produjo ningún resultado, como tampoco sirvió de nada el uso cauteloso de una plancha sin vapor. Por raro que parezca, la vitela sí reaccionaba al tacto humano, como si se diera una transferencia de calor, y eso generaba una red de diminutas venas que se veían a través de la lupa de escritorio. Cuando ponía la mano plana sobre una de las páginas, Johnston imaginaba que casi la sentía latir.

Empezaron a escocerle las puntas de los dedos, y eso le hizo preguntarse si la vitela estaría impregnada de alguna sustancia irritante. Más tarde, volvió a ponerse guantes antes de tocar de nuevo las páginas, y reparó satisfecho en la desaparición de las venas. Sin embargo, por un momento, justo antes de que se desvanecieran, creyó detectar un patrón en ellas, y habría jurado que estaba viendo un boceto de su propia habitación.

Tan fascinado estaba Johnston con los añadidos de vitela que apenas se había fijado en la portada del libro. Sólo ahora, mientras se recostaba en su silla, le sorprendió el grosor del lomo. Al principio, pensó que la capa adicional de tela cosida a la parte interior servía para intentar acomodar las hojas en blanco de vitela y proporcionar un mayor apoyo estructural. Pero al pasar un pulgar sobre la tela, le pareció detectar algo más debajo.

Johnston desplazó la lupa para mirar, dispuso sus herramientas ante sí y poco a poco empezó a descoser los hilos.

Parker estaba saliendo de la plaza que había ocupado en el aparcamiento cuando apareció Corriveau. Le hizo un gesto para que se detuviese, pero él sólo redujo la velocidad y bajó la ventanilla para oír qué tenía que decirle.

—Tengo que irme —dijo.

—Tiene que volver dentro —respondió Corriveau, y a Parker no le gustó su tono.

—¿Qué ocurre?

—Se lo diré una vez que nos hayamos sentado a la mesa de nuevo. Mientras tanto, tengo que pedir que me entregue su arma y las llaves de su vehículo. También quiero que me entregue el móvil.

Dos corpulentos agentes salieron del vestíbulo tras ella. Cada uno con una mano en el arma, aunque ésta seguía enfundada... por el momento. Parker miró a la derecha y vio que un coche patrulla de la policía del estado se detenía ante la puerta y bloqueaba la salida, vio a otros tres policías acercándose.

—¿Estoy detenido?

—No.

Parker conocía sus derechos. Si no estaba detenido, no tenía ninguna obligación de cooperar, ni siquiera de esperar. El hecho de que no estuviera detenido significaba que seguramente la Policía del Estado de Maine carecía de causa probable, pero a todas luces se le consideraba sospechoso de algo, y, en circunstancias concretas, la policía podía incautarse de su coche, que era por lo que Corriveau le pedía las llaves, y de su arma. Lo del móvil era exagerado, pero no mucho. Mientras se planteaba sus opciones —que incluían entregar todo, como le pedía la oficial, antes de llamar a un taxi que le llevara de vuelta a Portland— se dio cuenta de que Corriveau examinaba su ropa y el interior del Audi con una mirada distinta. Si se iba, sólo estaría posponiendo lo inevitable, y tal vez sembrando las semillas para algo peor.

Parker apagó el motor y le dio las llaves a Corriveau.

—Voy a sacar mi arma —dijo—. Que nadie me dispare.

Le entregó el arma, y luego su móvil. Conocía el trámite, sabía lo que le esperaba cuando se bajó del coche y se encaminó de vuelta al edificio de la Policía del Estado de Maine, con una falange de uniformes como escolta. Aunque todavía no estaba detenido, muy pronto podría estarlo.

Lo que no sabía era por qué.

Bob Johnston sólo tuvo que retirar un par de centímetros del forro del lomo para confirmar sus sospechas. Siguió trabajando en el material con una pinza para hilo y una microespátula, sin variar su ritmo en ningún momento, manteniendo la concentración, mientras separaba con delicadeza la tela del cartón, dejando lentamente al descubierto una hoja de vitela doblada una sola vez.

108

Parker estaba sentado en una sala de interrogatorios, quemándose por dentro a fuego lento, en silencio. Le habían dado agua, pero sólo le habían dicho que estaban esperando la llegada de detectives de Auburn que investigaban un posible homicidio. Pidió que le dejaran llamar a un abogado, pero le informaron —Corriveau en persona, nada menos, aunque su actitud hacia él se había enfriado considerablemente— que todavía no había sido acusado de ningún delito, así que un abogado no era necesario. Parker le dijo a Corriveau que se ahorrara las palabras rutinarias para los bobos y que le dejara llamar. Le llevaron a un teléfono, desde el que se puso en contacto con Moxie Castin.

—¿Vas a tardar mucho? —preguntó Moxie.

—La policía del estado me ha retenido, o eso es lo que parece. Están esperando a que lleguen unos detectives de homicidios de Auburn.

—¿Qué se supone que has hecho?

—Asesinaron a alguien en Auburn. Pregunta por ahí. Averigua qué está pasando.

—Muy bien, pero aquí tengo a una mujer y a un niño que empiezan a ponerse nerviosos. Se supone que el padre de la mujer tendría que estar con ellos a estas alturas, pero ella no logra contactar con él por teléfono.

Parker se lo pensó un momento.

—Saca a la mujer y al niño de ahí. Que Louis los lleve a un hotel. Diles que es por su propia seguridad. Y no es mentira, y además será menos probable que a ella le dé por salir por piernas.

—Lo haré. Mientras tanto, llamaré a Phil Kane y lo pondré

al corriente de tu caso. —A diferencia de los bufetes legales más importantes del estado, Moxie no tenía despachos fuera de Portland, pero mantenía acuerdos informales con un puñado de abogados independientes de confianza. Philip Kane era un antiguo fiscal del condado de Kennebec que había abandonado el barco pasándose a la defensa de criminales en 2006, y se hizo un nombre defendiendo a traficantes de droga. A sus espaldas, lo apodaban Co-Kane. Era bueno en lo que hacía, aunque contratarlo solía considerarse casi siempre una admisión instantánea de culpabilidad.

Parker le dio las gracias a Moxie y lo acompañaron de vuelta a la sala de interrogatorios. Kane llegó al cabo de un cuarto de hora e inmediatamente pidió que lo dejaran estar un momento a solas con su cliente. En cuanto cerraron la puerta, se sentó cerca de Parker y empezó a susurrarle tan bajo que a éste le costaba oírle. Kane, pensó Parker, tenía problemas de confianza cuando había policías de por medio.

—Ha aparecido el cadáver de Billy Ocean en un edificio de apartamentos vacío en Auburn —dijo Kane—. Probablemente lo mataron anoche o esta mañana temprano. Un único disparo en la cabeza. Moxie me contó lo de tu asunto con su vehículo y lo de tu coche. ¿Tienes una coartada para anoche?

—Estuve en casa.

—¿Solo?

—No, estaba con el tipo que destrozó la camioneta de Billy Ocean.

—Un poco de seriedad.

—Lo digo en serio.

—En ese caso —dijo Kane—, tal vez no sea la mejor de las coartadas.

Bob Johnston colocó un trozo de tela limpia de algodón sobre la superficie de su mesa de trabajo y encima de ella abrió el fragmento de vitela que había extraído del lomo del libro. Le sorprendió la facilidad con la que se desplegó. Los manuscritos se benefician de una manipulación moderada; sin ella, se vuelven menos dúctiles, pero éste seguía siendo flexible y se mantenía en un estado de conservación casi perfecto. Parecía tan reciente que Johnston se preguntó si era en realidad de la misma época o incluso de la misma vitela. Como experimento, utilizó un cuchillo para cortar el filo inferior de un fragmento de unos dos centímetros y medio de largo, pero muy fina de ancho. Colocó el trozo en un cuenco metálico, lo llevó al fregadero y le aplicó una llama. El material empezó a arrugarse y arder, y el calor acabó reduciéndolo a un gusano negro en el fondo del cuenco, pero sin destruirlo del todo.

Así que ardía como la vitela. Eso, al menos, ya era algo.

Johnston estaba a punto de tirar la columna de ceniza oscura cuando un delgado ribete de color blanco apareció en una punta. Lo miró fijamente un rato, sin saber muy bien qué estaba presenciando. Transcurrió un minuto, luego dos. Johnston llevó el cuenco de vuelta a su escritorio, se sentó en la silla y esperó.

Tardó exactamente una hora. Lo cronometró.

Una hora para que el fragmento de vitela se regenerase por sí solo.

Se abrió la puerta de la sala de interrogatorios. Apareció Gordon Walsh. Le seguía Sharon Macy. Ambos clavaron en Parker una mirada implacable.

—Eres un hijo de perra con suerte —dijo Walsh.

Según la operadora de emergencias, el aviso original lo hizo una mujer. Ésta, anónima, afirmó haber oído lo que le pareció un disparo de pistola procedente de los alrededores de un edificio de Auburn la noche anterior, y que poco después vio un vehículo alejándose a toda velocidad. Dijo que no había llamado a la policía entonces porque no quería armar jaleo por lo que también podría haber sido un simple petardeo de un coche. Pero se lo había pensado mejor, concluyendo que más valía prevenir que lamentar. Se negó a dar su nombre y utilizó un teléfono público para la llamada. Se había fijado en el número de matrícula del coche y, añadió, le parecía que había un hombre al volante. Cuando se comprobó el número, se descubrió que era uno de los tres vehículos registrados a nombre de Charlie Parker, un detective privado legal que vivía en Scarborough, Maine.

El Departamento de Policía de Auburn mandó un coche patrulla para investigar, y el agente que acudió atisbó, a través del cristal mugriento de la parte de atrás del edificio, un cuerpo que yacía en el vestíbulo. Pidió refuerzos antes de entrar, y confirmó que la víctima estaba muerta. Un permiso de conducir lo identificaba como William Stonehurst. Sólo cuando llegaron los refuerzos, los agentes comenzaron un registro completo del edificio, aunque uno de ellos casi acabó en el sótano al ceder una escalera bajo su peso. Encontraron pruebas de que alguien había ocupado recientemente el apartamento de la tercera planta, entre ellas medicamentos con y sin receta, comida y vendas usadas, pero todos los pisos parecían vacíos.

Mientras los investigadores se dispersaban por las habitaciones, se oyó un ruido en uno de los armarios del dormitorio. Parecía un sollozo. Abrieron el armario y encontraron un escondrijo de poca altura detrás de los tablones. En él estaba Heb Caldicott, casi delirando de dolor por la herida que supuraba en un costado.

—Ella mató a Billy —dijo Caldicott—. La puta mató a Billy.

Parker no estaba de humor para reírle las gracias a Walsh, Macy, Corriveau o cualquier otro que representara las fuerzas de la ley y el orden en el estado de Maine. Había viajado hasta el culo del mundo, en Indiana, volviendo con descripciones detalladas de dos individuos que se consideraban sospechosos principales de cinco asesinatos en Maine, y potencialmente de otros dos en Indiana, y como recompensa lo habían retenido en una sala mal amueblada y demasiado calurosa porque se sospechaba que había matado a un hombre desarmado. En otras circunstancias, Parker habría mandado a la mierda a cualquiera con una insignia, pero Corriveau en particular quería hacer las paces, y Parker concluyó que le vendrían bien algunos favores en el futuro.

Y así, con Philip Kane en busca de clientes que realmente pudieran ser culpables de algo, Parker consintió en dedicar un breve instante a discutir sobre quién podría alegrarse de ver su existencia incomodada durante un periodo indefinido. Walsh hizo un chiste sobre ir a buscar el último censo de población, pero no se rio nadie, y Parker se sintió levemente gratificado al ver que parecía avergonzado.

—Lo más probable es que fuera la socia del inglés la que hizo la llamada —dijo Parker.

—¿Porque usted está buscando al hijo de Karis Lamb? —dijo Corriveau.

—Sí.

—Lo que significa que ellos creen que está cerca.

—Sí otra vez.

—¿Y lo estás? —preguntó Macy.

—Te lo diré cuando vuelva a Portland.

—¿Y por qué no ahora? —dijo Walsh, recuperando algo de su estilo, y en proceso de extirpar cualquier ápice de buena voluntad que Parker hubiera logrado dragar del fondo de su corazón.

—¿Y por qué no intentas hacer bien tu trabajo de policía? —replicó Parker—. Y si vuelves a llamarme hijo de perra otra vez, te machacaré.

Recogió su chaqueta y se encaminó a la puerta.

—Aquí ya hemos acabado.

Bob Johnston llamó a Parker cuando éste tomaba la salida de Freeport.

—Me gustaría que viniera en cuanto pueda —dijo Johnston.

—Podría tardar un par de horas.

—No voy a ir a ningún sitio, y hay algo que tiene que ver.

109

Moxie Castin había instalado a Holly Weaver y a su hijo en una habitación del Inn at St. John, que estaba en el extremo occidental de Congress Street, cerca del que había sido el emplazamiento de la antigua y bella Union Station, reconvertida ahora en centro comercial. Parker se había alojado en ese hotelito la primera vez que volvió a Maine, y recordaba con añoranza el último de los hoteles ferroviarios de la ciudad. Pero las razones de Castin para elegirlo como refugio tenían menos que ver con el sentimentalismo o la estética que con la protección. El Inn no tenía ni restaurante ni bar, así que las únicas personas con una excusa para estar entre sus paredes eran el personal y los huéspedes, y éstos tenían que pasar por el vestíbulo para ir a sus habitaciones.

La suite elegida para los Weaver estaba al lado del vestíbulo, era de ladrillo visto, suelos de madera y tenía un televisor de pantalla plana. La ventana daba al aparcamiento de la parte de atrás, y sólo hacía falta dar un salto para llegar a la calle si necesitaba usarse como vía de salida. Cuando llegó Parker, Daniel Weaver estaba sentado en la cama viendo una película, con su madre a su lado. Louis se había situado cerca de la ventana, desde donde podía ver sin obstáculos la puerta y el aparcamiento, y disparar de manera certera a quienquiera que se aproximara. También se había asegurado de que los servicios de localización del iPhone de Holly Weaver estuvieran desactivados antes de llevarla al Inn, así que su paradero no podría ser rastreado fácilmente a través del dispositivo.

Parker se presentó a Holly, y preguntó si su hijo y ella estaban bien.

—Estoy preocupada por mi padre —dijo ella—. A estas alturas tendría que haber llamado.

Parker miró a Louis, que se encogió de hombros.

—Moxie pidió a los policías locales que se acercaran a la casa —dijo Louis—. Encontraron un camión grande y el coche del señor Weaver, pero ni rastro de él. Los vecinos tienen llave y la señora Weaver dio permiso para que los policías echaran un vistazo. Vacía, sin indicios de pelea.

—¿Tiene alguna idea de adónde podría haber ido? —le preguntó Parker a Holly Weaver.

—Se suponía que tenía que estar con nosotros —respondió—. En eso habíamos quedado. ¿Y cómo va a ir a ningún sitio sin vehículo?

Los ojos de Daniel Weaver se desplazaban del televisor a los adultos de la habitación. Era un niño de aspecto serio, con un pelo muy moreno que acentuaba su palidez, y se parecía tan poco a la mujer que iba con él que podrían ser de especies distintas. Parker se preguntó hasta qué punto entendía el niño cuál era su filiación real, y supuso que probablemente sospechaba más de lo que en realidad sabía. Pero nunca había que subestimar a un niño.

—Creo que deberíamos hablar en privado —le dijo Parker a la mujer.

—No hasta que me explique qué se está haciendo para encontrar a mi padre.

Parker conocía a un par de investigadores privados en Piscataquis. Uno de ellos, Julia Hancock, era más inteligente que un palurdo medio, y sabía qué hacer en un caso de persona desaparecida. Y, mejor todavía, mantenía buenas relaciones con el Departamento de Policía de Dover-Foxcroft, el sheriff del condado de Piscataquis, el servicio de Guardias Forestales y la Policía del Estado de Maine.

—Deme un momento —dijo Parker.

Salió, llamó a Moxie y le sugirió que contratara a Hancock para trabajar con la policía en la búsqueda de Owen Weaver. Moxie estuvo de acuerdo.

—No es barata —le advirtió Parker.

—En ese caso tiene a quien parecerse. Este asunto va a acabar conmigo en un albergue para indigentes.

—Cuando te mueras, tal vez recitarán el Kadish sólo diez meses en lugar de once.

—Estoy seguro de que eso consolará un poco a mi gestor bancario y a mis ex. Llamaré a Hancock enseguida.

Parker volvió adentro para informar a Weaver de lo que había acordado. Sólo entonces, ella consintió en dejar a su hijo. El pequeño miró cómo salía su madre, pero no se quejó ni mostró ningún signo de preocupación. De hecho, Parker reparó en que Daniel Weaver no había hablado desde su llegada.

—¿Tienes hambre? —le preguntó Parker, mientras su madre esperaba en la puerta.

Daniel se lo pensó antes de asentir.

—¿Te gusta la pizza?

Asintió de nuevo con la cabeza.

—¿Sabes hablar?

Daniel sonrió y volvió a asentir, y eso despertó la simpatía de Parker. Lamentó lo que estaban pasando los Weaver, y todo lo que inevitablemente les esperaba.

—A ver, ¿qué clase de pizza quieres?

Daniel abrió la boca, pero volvió a cerrarla antes de que emergiera ningún sonido. En lugar de eso, levantó las manos en un gesto de «no lo sé».

—Bueno —dijo Parker—, tal vez te traigamos unos cuantos tipos distintos de los que vende Pizza Villa, que está al cruzar la calle. Dios no quiera que tengas que romper tus votos de silencio.

Castin le había contado a Parker gran parte de la historia mientras éste conducía desde Augusta, pero quería escucharla otra vez de boca de Holly Weaver. El personal del Inn le dejó utilizar una segunda habitación, donde Holly Weaver y él estaban sentados en ese momento, con una mesa entre ambos, y con la cama vacía como inoportuna distracción en un espacio ocupado por dos desconocidos.

—Cuénteme —dijo Parker.

Y ella le contó.

110

Si fuera un cuento tradicional, un relato para contárselo a un niño, un niño como Daniel Weaver, antes de irse a dormir, habría empezado de esta manera:

Érase una vez una jovencita a la que raptó un ogro. La chica al principio no sabía que era un ogro, porque el ogro era muy listo. Se disfrazó de hombre mayor y sabio, y trataba a la chica con amabilidad, con más amabilidad de la que la había tratado nadie nunca.

Pero, a medida que pasaba el tiempo, el hechizo que ocultaba la verdadera forma del ogro empezó a debilitarse y la chica lo vio como era en realidad, con toda su crueldad y perversidad.

—Bésame —le decía el ogro—. Bésame para que sepa que me amas.

Y si la chica se resistía a besarlo, el ogro la ataba y la obligaba, y lo hacía con tanta fuerza que ella sangraba durante días.

El ogro sólo amaba los libros. Éstos llenaban todas las habitaciones de la casa, la casa de la que nunca podía salir la chica a no ser que el ogro fuera con ella, y por cuyos jardines ni siquiera se le permitía pasear sin su sombra al lado. El ogro coleccionaba libros de hechizos y ritos de magia oscura, pero había un volumen en concreto que le obsesionaba: una selección de cuentos de hadas, bellamente ilustrada, en la que se habían cosido dos hojas adicionales, fragmentos de una obra mayor: el Atlas.

Se creía que el libro de cuentos de hadas se había perdido, pero el ogro seguía buscándolo porque sabía que nada está perdido de verdad hasta que ha sido destruido, y los fragmentos, como el Atlas del que formaban parte, nunca podrían destruirse. Estaba fuera del alcance del hombre eliminarlos de este mundo, porque el Atlas no era una creación humana.

Pero el ogro no deseaba los fragmentos para su propia colección, y no tenía intención de quedárselos si los encontraba. Había otros que compartían su naturaleza..., la suya, y peores. Quienquiera que consiguiera los fragmentos se haría merecedor de gran fama, e incluso podría eludir el castigo por todo el mal hecho durante una larga vida. El ogro esperaba que fuera así, porque ciertamente había tenido una vida perversa.

Y después de muchos años de búsqueda, después de décadas de promesas y mentiras, de amenazas y sobornos, consiguió el libro, y no cabía en sí de alegría. Pero la chica lo escuchó a escondidas, y se enteró de la razón de su entusiasmo, y vio en ella la oportunidad de vengarse por todos los besos y toda la sangre. Así que le robó el libro y se fugó con él.

Pero no sólo le robó el libro al ogro: también robó un niño, porque se llevó también al hijo del ogro que llevaba dentro, un bebé que no podía permitir que se lo quedara porque acabaría con él. Pero tampoco le dejaría tener el libro. Era lo único que podía salvar al ogro, y ella quería que lo castigaran por sus crímenes. Sin los fragmentos, el Atlas nunca se completaría y el ogro estaría condenado.

La chica intentó arrancar los fragmentos, pero se mantenían férreamente sujetos al lomo del libro. Al tocarlos se ponía enferma, y cuanto más tiempo los tocaba, más enfermaba. Empezó a tener miedo por el niño nonato, por si alguna infección pasaba del libro a su vientre.

La chica intentó quemar el libro, pero las llamas no prendían en él.

Y la chica intentó sumergir el libro, pero éste no se hundía.

Y la chica intentó enterrar el libro, pero la tierra no se fijaba sobre él.

Durante el día viajaba. Por la noche examinaba el libro, y cuanto más veía de él, más se asustaba. Comprendió que si el ogro la capturaba —como parecía seguro que acabaría pasando, porque el bebé pesaba cada vez más y ella estaba exhausta—, se llevaría tanto el libro como al bebé, y su triunfo sería completo. Así que la chica encontró a alguien que aceptó quedarse con el libro mientras ella se hacía con otro volumen similar y seguía adelante con su hijo nonato. Una vez que el bebé naciera y estuviera a salvo, ella intentaría encontrar a quien supiera cómo librarse del original para siempre.

La chica iba hacia el norte, siempre hacia el norte. Le dieron el nombre de una mujer que podría ayudarla, y se quedó con ella durante un tiempo, pero no tardó en empezar a tener miedo. ¿Y si el ogro había seguido su rastro? ¿Y si se enteraba de la existencia de aquella mujer y de sus amigos? Así que la chica compró un pasaje que no pretendía utilizar, y dejó falsas pistas para seguir otro camino con más seguridad.

Un hombre aceptó llevarla al otro lado de la frontera a cambio de casi todo el dinero que le quedaba, y se sentó a su lado durante el viaje a través de la oscuridad. Pero en ese hombre había también algo de la bestia, e intentó tocar a la chica cuando atravesaban un gran bosque, tocarla con las garras de un lobo.

—Bésame —dijo—. Bésame para que sepa que me amas.

Pero la chica no le besó. Huyó del hombre que tenía garras en lugar de dedos, y se perdió en el bosque. Le dolía el vientre, así que se tumbó sobre el suelo del bosque. Llegaba el bebé, pero algo no estaba bien. El dolor era tan intenso, y la sangre...

Oh, la sangre.

Vio las luces de una casa entre los árboles, pero no podía llegar a ella. Intentó gritar pidiendo ayuda, pero el aullido del viento la acalló. Y justo cuando pensaba que con toda seguridad moriría ahí fuera, en el frío, y el bebé con ella, se acercó un hombre andando, con su hija al lado. La hija tenía unos pocos conocimientos médicos, y juntos, ella y su padre, trajeron al bebé —un varón— al mundo. Lo salvaron, pero no pudieron salvar a su madre.

Antes de morir, la chica les hizo prometer que no le hablarían a nadie de ella ni de su bebé, porque el niño correría un gran peligro si lo encontrara su padre. Debían criarlo como si fuera propio, y les confió unas pequeñas pertenencias que en el pasado fueron de su madre —una estrella de David en una cadena y un libro de cuentos— para que se las guardaran hasta que llegara el momento de que el niño supiera la verdad.

Ella besó a su hijo, cerró los ojos y lo mejor de ella murió. La enterraron en otra parte del bosque, lejos de la casa del hombre y su hija, y la hija crio al niño como propio, porque hacía mucho que deseaba tener un hijo, aunque ya había perdido las esperanzas de recibir esa bendición.

Y al niño lo llamó Daniel.

Había oscurecido cuando Holly Weaver acabó de explicar su implicación en el cuento. Parker lo completó con lo que había sabido por Leila Patton e hizo conjeturas para llenar los huecos, pero no se lo contó a Weaver, y la verdad completa del relato no se sabría hasta mucho después. Encendió la lámpara de la mesita de noche y le sorprendió una vez más lo extraño que era el mundo.

—¿Cuánto de esto le ha contado a Daniel? —preguntó Parker.

—Nada..., todavía.

—¿Cree que él ha adivinado algo de la verdad?

Holly asintió.

—Pero me da miedo hablar con él —dijo—. Me da miedo que me odie.

Fuera lo que fuese lo que pasase a partir de ahora, Parker sabía que no iban a tenerlo fácil. ¿Quién podía saber cómo reaccionaría el niño cuando le revelasen la verdad de su nacimiento y las mentiras que se le habían contado para protegerlo?

—Le esperan tiempos difíciles —dijo—. Como consuelo sólo puedo decirle que Karis Lamb dio a luz a Daniel, pero usted es su madre, la única que ha conocido y la única que conocerá; él es muy pequeño, y los niños son fuertes. Por otro lado, Moxie Castin es el mejor abogado de la ciudad, y un buen hombre. Es posible que finja otra cosa, y finge estupendamente, pero ésa es la verdad. Una promesa hecha a una mujer moribunda no la absuelve de todos los delitos cometidos como consecuencia de esa promesa, y a la ley no le hacen gracia las sepulturas secretas. Moxie está de su parte, y hará todo lo posible para convencer a la policía de que usted hizo algo incorrecto por las razones correctas. Pero ha muerto gente porque usted escondió a Daniel, y algunas de esas muertes podrían haberse evitado si usted se hubiera presentado antes, cuando se encontró el cadáver de Karis. Puedo entender por qué prefirió no hacerlo, pero eso no cambia nada.

—No puedo perder a Daniel —dijo ella.

—Veremos qué podemos hacer para que eso no suceda.

Parker se levantó y Holly Weaver le imitó.

—¿Y ahora qué? —preguntó.

—Esta noche la pasará aquí, y Louis se quedará con usted. Estará a salvo con él. Es posible que yo le sustituya más tarde, sólo para que descanse, pero le sorprenderá el poco descanso que necesita. Mientras tanto, Moxie estudiará cómo plantear la situación a la policía de la mejor forma posible. Usted quizá debería hablar con Daniel esta noche, porque el Departamento de Salud y Servicios Sociales intervendrá casi de inmediato. Es posible, incluso probable, que su hijo sea entregado al cuidado de una familia de acogida durante un tiempo.

Parker utilizó la palabra «hijo» de manera deliberada. Sabía que Moxie también lo haría a lo largo de todo lo que estaba a punto de empezar. En última instancia, la tarea de Moxie sería convencer a un juez de que no le haría ningún bien a nadie separar a Daniel Weaver de esta mujer y su padre, ni meter a nadie en prisión. Parker sabía que Moxie ya estaba buscando un psicólogo infantil y a un especialista en derecho de familia para que le ayudaran en el caso.

Y todo por una estrella de David tallada en un árbol.

—¿Y mi padre? —dijo Holly.

—Veré qué ha averiguado Julia Hancock, pero mi instinto me dice que lo más razonable sería avisar cuanto antes a la policía de que los tenemos, a usted y a su hijo, en un lugar seguro. Les diremos que usted aceptará mantener una entrevista mañana en la que les contará todo lo que sabe sobre Karis Lamb, pero que estamos preocupados por la seguridad de su padre, y nos gustaría contar con su colaboración inmediata para dar con él.

—Corre peligro —dijo Holly—. Estoy segura.

—Es posible —admitió Parker.

—Es el hombre más digno de confianza que conozco. Llama incluso si va a volver tarde de la tienda.

—Si se lo ha llevado alguien, no les interesa hacerle daño. Querrán utilizarlo en beneficio propio.

—¿Para llegar hasta Daniel?

Parker no vio ningún indicio de falsedad o artificio en ella.

—No creo que hayan querido nunca a Daniel —dijo—. Están buscando un libro que robó Karis.

Parker vio cómo los engranajes se reajustaban en la mente de Holly.

—Anoche se llevaron un libro de la habitación de mi hijo. Era de Karis.

—No es el que quieren —dijo Parker sin énfasis—. Pero, si tienen a su padre, es importante que sigan creyendo que usted sabe dónde está el original.

—¿Con quién se pondrán en contacto?

—Posiblemente con usted, pero es más probable que lo hagan con Moxie o conmigo. A estas alturas, su padre les habrá contado lo que sabe, o lo habrán averiguado por sí solos. Sabrán que usted está protegida.

Holly Weaver mantuvo la cabeza entre las manos durante un buen rato. Parker pocas veces había visto a un ser humano más desdichado.

—¿Puedo hacerle una pregunta? —dijo ella por fin.

—Claro.

—¿Por qué nos está ayudando?

—Moxie lo hace como un servicio a los difuntos.

—¿Y usted?

—Moxie me paga.

—Eso no es una respuesta. He leído sobre usted. No trabaja sólo porque alguien le pague.

—En ese caso, considérelo un servicio a los vivos —dijo Parker—. Dejaré los difuntos a otros.

En el bosque que se extendía detrás de la casa de los Weaver, una figura gris caminaba arriba y abajo, arriba y abajo, como un animal enloquecido por la cautividad.

Observado desde las sombras por el fantasma de un niño.

111

Parker salió del Inn por una puerta de seguridad trasera que daba directamente al aparcamiento. Lloviznaba, apenas una bruma aguada que difuminaba la luz de las farolas y cubría los coches de una pátina de humedad.

No se le iba de la cabeza Bobby Ocean, que pronto enterraría a su único hijo, y todo porque le había legado sus prejuicios, y cuya muerte sólo serviría para intensificar la mezquindad del progenitor. En cuanto a Louis, Parker dudaba que la muerte de Billy le provocara mucha aflicción. La conciencia de su amigo era una entidad nebulosa, y se pasaba gran parte del tiempo adormecida. Louis consideraba el asesinato de Billy como la consecuencia inevitable de la decisión de éste de hacer ostentación de su ignorancia, y de elegir a los débiles para dar rienda suelta a sus propios defectos. Billy, desde el punto de vista de Louis, debería haberse dado cuenta de que sus actos podrían acabar llamando la atención de alguien cuya tolerancia hacia esas provocaciones fuera inversamente proporcional a su capacidad para castigarlas. La violencia llamaba a la violencia, y las palabras desaforadas eran la yesca que podía hacer saltar la brutalidad.

¿Y dónde dejaba eso a Parker? Él reconocía su propia disposición a utilizar el rigor de sus juicios morales como justificación para su rabia. El dolor de su duelo se había mitigado, pero siempre estaba presente. Podía librar a otros de un sufrimiento similar actuando en el nombre de las víctimas, o conseguir cierta justicia para ellas si el daño ya se había hecho, pero sabía que una de las razones por las que actuaba era que le permitía alimentar su propia rabia sin incordiar siquiera a su conciencia con un pellizco.

Se enjugó la lluvia de la cara mientras aparecía un espectro en la oscuridad del aparcamiento. El inglés ya no se parecía al individuo que Parker había descrito a la policía del estado en Augusta. Su cabello era más gris, llevaba gafas nuevas, y los ojos, que se distinguían mejor a medida que se acercaba, volvían a ser marrones. La barba de varios días estaba convirtiéndose en una auténtica barba, y caminaba con una levísima cojera del pie izquierdo. Cada uno de los cambios era mínimo, pero en conjunto prácticamente aseguraban que no se estableciera ninguna relación entre él y el hombre que buscaba la policía.

—Hola, señor Parker —dijo—. Creo que ha llegado la hora de que hablemos de nuevo.

Bob Johnston iba hojeando lámina a lámina el libro de cuentos de hadas, examinando cada ilustración bajo la lupa iluminada, cada vez más confuso.

Los defectos de las láminas ya no eran visibles. Todas se veían tal como Rackham había pretendido hacerlas originalmente.

Las figuras ultramundanas habían desaparecido por completo.

El Salvage BBQ estaba tranquilo cuando entró Parker, seguido de cerca por el inglés. A Parker le parecía extraño visitar un restaurante familiar, con sus mesas —casi todas para grupos—, sus máquinas de videojuegos y sus servilletas de papel en rollo, en compañía de alguien como el inglés.

Éste había advertido a Parker de que mantuviera las manos lejos de su arma y su móvil.

—Le están vigilando —dijo—. La vida del anciano podría depender de lo bien que se comporte.

Parker no había detectado el menor indicio de la presencia de la mujer, pero optó por no dudar de la palabra del inglés en esta ocasión.

El Salvage sólo tenía servicio de bar, así que Parker se pidió un refresco para él y una ginebra para el inglés. Eligieron una de las mesas más pequeñas y se sentaron de manera que ninguno de los dos diera la espalda a la puerta y ambos pudieran ver con una simple mirada a cualquiera que entrara. De cerca, y a diferencia de la impresión que le dio en el interior más oscuro del Great Lost Bear, el inglés parecía mayor. Tenía el rostro surcado de diminutas arrugas, como la piel de un animal antiguo, y sus pupilas, tras las lentes de contacto, estaban rodeadas de un tejido más cerca del amarillo que del blanco. Transmitía una sensación de cansancio, como alguien que sólo quiere dormir.

—Parece enfermo —dijo Parker.

—Me conmueve su preocupación.

—Era sólo un comentario. No creo que vaya a vivir mucho tiempo más, aunque eso no tenga que ver con su estado actual de salud.

El inglés se inclinó hacia delante ligeramente, como si quisiera hacerle una confidencia.

—Quienquiera o lo que quiera que ponga fin a mi vida —dijo— no será usted ni su mascota negrita.

—Le informaré de lo que ha dicho. Pondrá a prueba su sentido del humor. —Parker dio un sorbo a su refresco—. ¿Cómo le llamo? Y no me diga «Smith».

—Me llamo Quayle, pero si intenta buscarme cuando todo esto haya acabado, le garantizo que no me encontrará. Y casi acierta en su cálculo: no tengo intención de vivir mucho más.

—¿Qué quiere antes de morir, Quayle, al niño?

—Me parece que usted ya lo sabe. He oído su nombre en los informativos. ¿Qué es lo que se trajo de Indiana?

—No sé de qué me está hablando.

—En ese caso estoy perdiendo el tiempo, y Owen Weaver habrá muerto antes de que amanezca, a no ser que aprenda a respirar bajo tierra.

—¿Cómo puedo estar seguro de que lo tiene?

Quayle cerro el puño derecho y lo hizo girar delante de él, como un ilusionista callejero haciendo un truco. Cuando volvió a abrir la mano, un anillo de oro con una inscripción por dentro apareció en su palma.

—Tiene la fecha inscrita. Puede enseñárselo a su hija, si quiere. Ella le confirmará que pertenece a su padre. Pero dudo que sienta la necesidad de hacerlo. Sabe que estoy diciendo la verdad.

El tono de Quayle cambió. No era ni hostil ni conciliador, ni persuasivo ni amenazante. No admitía discusión, como el de un maestro de escuela que le explicaba las realidades de la vida a un alumno díscolo.

—Quiero el libro, señor Parker. Si me lo da, Owen Weaver vivirá y nadie volverá a verme jamás. Y si ahora me dice «¿Qué libro?», me obligará a concluir que es usted un cretino.

—No lo quisiera —dijo Parker. No veía ninguna razón para negarlo todo. Así sólo condenaría a Owen Weaver, si es que no estaba muerto ya. El libro era la única ventaja con que contaba Parker—. Suponga que sé dónde está el libro.

—Espléndido —dijo Quayle—. Estamos avanzando. Weaver afirma que el único ejemplar que conoce es el que nos llevamos de una estantería de la casa de su hija. Estoy inclinado a pensar que es verdad después de lo que tuvimos que hacerle para demostrarle nuestro interés en la recuperación del volumen.

Parker respiró hondo y controló el impulso de golpear a Quayle. Sus esfuerzos por contenerse fueron obvios para el otro hombre.

—Los huesos rotos se curan —dijo Quayle—. Incluso los viejos como los suyos.

—Necesitaremos una prueba de que sigue con vida —dijo Parker.

—La tendrá. Se le permitirá llamar a su hija. Lo que nos lleva de vuelta al libro. No me di cuenta de mi error hasta que la señorita Mors recuperó el ejemplar de casa de los Weaver. Era una primera edición, pero no la que estoy buscando. Por tanto, era cuestión de establecer cuándo se había producido el intercambio. Errol Dobey era comprador y vendedor de libros raros, y le habría resultado fácil encontrar un ejemplar apropiado para sustituirlo. Incluso se tomó la molestia de insertar algunas antiguas hojas de vitela, seguramente de su propia colección, o las compró baratas por internet. Era un esfuerzo tosco de disimulo, pero ni Dobey ni Karis entendían completamente qué tenían entre manos.

»Y cuando me enteré de que usted había viajado a Indiana, supe que no habría vuelto con las manos vacías. He descubierto muchas cosas sobre usted durante el tiempo que llevo aquí. Tendría que estar muerto, pero el hecho de que no lo esté sólo es indicativo de su resiliencia y de un poco de buena suerte. Es usted un hombre notable, pero sólo eso, pese a lo que los demás puedan creer. En cuanto a lo que cree usted, no me atrevería a conjeturar nada.

Parker no mordió el anzuelo, y rápidamente archivó el nombre de la mujer: Mors.

—Los añadidos de vitela —dijo—, ¿qué son? —No le dio a Quayle ninguna pista de que supiera de la existencia de la obra mayor de la que formaban parte.

Los ojos mortecinos de Quayle adquirieron una nueva luz, como llamas que hubieran prendido en un par de estanques contaminados.

—Mapas, o partes de ellos.

—¿Para encontrar un tesoro oculto?

—En cierta manera.

—Mucha gente ha muerto por ellos.

—No se hace una idea de cuánta. Bien, ¿dónde está el libro?

—Está a salvo, pero usted no.

Quayle despreció la amenaza con un gesto de la mano.

—No más a salvo que Owen Weaver, tal vez. Puede llamar a la policía, pero no encontrarán nada que me relacione con esos asesinatos, aparte de la presencia en Indiana de alguien que podría guardar un lejano parecido conmigo. Tengo formación en Derecho, señor Parker. Sé de lo que hablo. Pero mientras todo eso pase, Owen Weaver habrá muerto, y poco después morirá su hija, y el hijo de Karis Lamb, antes de que pasemos a todos los que le importan o le han importado alguna vez a usted, o a sus amigos, hasta que no quede nadie capaz de pronunciar sus nombres.

»Y eso no cambiará lo que va a suceder, porque al final el libro *será* encontrado. Llevo mucho tiempo detrás de él y nunca había estado tan cerca. Puedo esperar un poco más. Soy muy paciente. Usted, por el contrario, no tiene margen para negociar. Ya ha visto lo que estamos dispuestos a hacer. No añada a su propia hija a la lista de los muertos.

Con esas palabras, cualquier duda que hubiera albergado Parker sobre matar a Quayle se disipó. Con independencia de lo que fuera a pasar durante los próximos días u horas, al final encontraría a Quayle y Mors, y acabaría con sus vidas.

—Bien —dijo Parker—, ¿cómo lo hacemos?

112

Quayle salió primero y no pareció preocupado por tener que darle la espalda a Parker. Una vez fuera, apareció un coche, y Quayle se subió al asiento del pasajero. Cuando Parker llegó a la acera, el coche había girado por Forest Street a cierta velocidad y se había perdido en la noche.

Parker llamó primero a Louis y esperó a que se situara fuera del alcance del oído de los Weaver antes de ponerlo al día.

—Es lo que pensaba —dijo Parker—. A Quayle no le importa el niño. Sólo quiere el libro.

—¿Vas a dárselo?

—¿Qué otra opción tengo? Es un simple intercambio: el libro por Owen Weaver.

—Y nada de policía.

—Nada de policía. Él dice que la mujer matará a Weaver si ve a alguien de azul. Y sólo nos ha dado una hora para ponernos en marcha, así que no hay tiempo para llamar a contratistas externos.

—Lo que, a no ser que haya contado mal, nos deja a nosotros dos solos.

—Quayle me dijo que fuera solo.

—Eso no significa que tengas que hacerlo.

—Llama a Moxie. Dile que traslade a los Weaver, sólo por si acaso. Nos vemos en el Inn.

Parker llamó seguidamente a Bob Johnston y le dijo que estaba de camino para recoger el libro.

—Todavía está separado en piezas.

—Entonces vuelva a juntarlas.

Parker colgó, pero no volvió a su coche. Cruzó la calle hasta la parada de taxis que había al lado de la estación de autobuses, se metió en el único taxi que esperaba y le pidió a la conductora que diera un pequeño rodeo para acercarse poco a poco al East End. En cuanto arrancaron, mantuvo un ojo en el tráfico que venía por detrás, pero no detectó ningún indicio de que los siguieran. No quería llevar a Quayle directamente al libro.

—¿Le preocupa que le sigan? —preguntó la conductora. Era pequeña y de pelo cano, y su taxi olía a la clase de perfumes que las tiendas no se molestan en etiquetar para que no se los roben. Parker la había visto por la ciudad a lo largo de los años. Su permiso afirmaba que era Agata Konsek, y parecía lo bastante mayor para haber conducido carruajes de caballos en el pasado.

—No con usted al volante, espero.

—Vale. Sólo quería saberlo.

Agata Konsek había desaprovechado su vocación como espía —aunque, visto su nombre, tal vez no—, porque demostró una habilidad para esquivar a la gente que, obviamente, no se aprendía así como así. Se saltaba semáforos en rojo, atravesaba calles de sentido único y tomaba atajos por callejones, y todo sin dejar de mirar por el retrovisor buscando indicios de que los estuvieran persiguiendo, hasta que dio un giro de ciento ochenta grados tras pasar una curva ciega y cruzó dos carriles de la interestatal 295 a toda velocidad. Parker tal vez se hubiera sentido más impresionado todavía si no le hubiera hecho temer por su propia vida. Finalmente llegaron al edificio de Bob Johnston, donde Parker le pidió a Konsek que esperara. No vio luces encendidas, pero Johnston debía de estar esperándole, porque le abrieron por el portero automático antes de que pulsara el timbre. Subió hasta la planta de arriba y encontró a Johnston sentado a su escritorio, con el libro ensamblado sin ajustar a su lado, aunque las hojas de vitela seguían separadas de él.

—Ni siquiera me he molestado en intentarlo —dijo Johnston.

—¿Qué quería que viera?

—¿Por dónde le gustaría empezar?

—Bob, no tengo tiempo para juegos. Cuénteme la versión sencilla.

Johnston abrió el libro por la lámina de «El príncipe rana» y se lo pasó a Parker.

—No hay una versión sencilla —dijo Johnston—. A no ser que sea capaz de explicar los cambios.

Parker atisbó inmediatamente la alteración. El tapiz de la pared estaba de nuevo difuminado, la criatura con cabeza de toro ya no era visible. Hojeó un par de cuentos más, incluido «Blancanieves y Rosa Roja», con el mismo resultado. Ninguna de las figuras que previamente parecían haber sido añadidas a las láminas podían verse ahora.

—Han desaparecido todas —dijo Johnston—. Todas, sin falta. Y esto es sólo el aperitivo. El plato fuerte es éste. —Le enseñó a Parker una tercera hoja de vitela, de unos quince centímetros de largo y dos y medio de ancho—. Estaba oculto en el lomo del libro. Mi hipótesis es que procede de la misma época y lugar que las otras dos.

—¿La ha desplegado?

—Está en blanco..., más o menos.

—Bob...

—Mire, no puedo estar seguro. Al principio pensé que estaba mirando las venas del animal original, fuera éste el que fuese, porque, a la muerte de un ser vivo, la sangre se concentra en la piel. Por otro lado, los defectos naturales de un pergamino a veces pueden recordar a un mapa topográfico. Empecé a preguntarme si simplemente llevaba demasiado tiempo mirando esas páginas, pero me di un respiro para descansar la vista y, cuando volví, seguían allí: ríos, islas, costas.

Desplegó la hoja y dispuso la lupa y la luz.

—¿Ve?

Parker se colocó para ver a través de la lupa y vio que Johnston estaba en lo cierto. Las líneas eran muy débiles, pero no aleatorias. Confirmaba lo que Quayle le había dicho: eran fragmentos de un mapa.

—Si es un país —dijo Johnston—, no se trata de ninguno que yo conozca.

Parker se apartó de la mesa.

—¿Por qué lo habrán mantenido oculto? —preguntó.

—¿Por qué se esconden las cosas? Alguien no quería que se encontrara, pero tampoco le importaba que se perdiera. La hoja debió de ocultarse a toda prisa. El cosido del lomo no era perfecto, pero si la encuadernación hubiera sido debidamente reforzada, yo no lo habría visto en absoluto. Tal vez las otras dos piezas sean menos importantes que ésta, o estén incompletas sin ella. Ya sabe: se encuentra el libro, se sacan las hojas que están a la vista, se descarta el resto, pero quienquiera que posea sólo esas dos piezas todavía carece de toda la información.

Aunque el tiempo apremiaba, Parker se paró unos momentos a pensar. Se preguntó cuánto sabía en realidad Quayle del libro y su contenido. ¿Lo había visto alguna vez?, ¿hasta qué punto eran detalladas las descripciones disponibles? A juzgar por lo que Karis Lamb le había contado a Leila Patton, el hombre al que le robó el volumen se había pasado años buscándolo, y no era el único. ¿Sabía Vernay que contenía tres fragmentos o tenía la impresión de que sólo eran dos? Y, de ser así, ¿trabajaba Quayle con el mismo malentendido de partida?

De repente, Parker se encontró con que llevaba ventaja.

—Dígame solamente qué es esto —preguntó Johnston, que movía suavemente las manos enguantadas sobre la cubierta del libro, como un ciego que buscara signos de braille, aunque la pregunta era más retórica que otra cosa—. Estos fragmentos no son vitela. Es piel de algún tipo, pero no se quema. Mejor dicho, sí se quema, pero no *se queda* quemada.

—¿Qué quiere decir?

—Se reconstruye sola. Reduje a cenizas un pedacito, y una hora más tarde volvía a tener el fragmento íntegro. —Se quitó las gafas y se enjugó los ojos—. Tengo que admitir que no he dormido mucho desde que me lo trajo. Ha importunado mi descanso. Pero ha despertado mi interés. Quiero saber más.

—¿Sabe lo que dicen de la curiosidad?

—¿Ve algún gato por aquí?

—Sólo uno disecado.

—Murió, pero yo sigo vivito y coleando. La curiosidad no me ha hecho ningún daño.

—Todavía.

—Todavía —concedió Johnston—. Si le parece bien, me gustaría seguir examinándolo.

—No puedo dejarle el libro, ni los insertos. Es posible que nunca vuelva a verlos.

—No los necesito. Los añadidos a las ilustraciones no se reprodujeron cuando intenté hacer copias, pero conseguí una de la lámina «DD» del interior de la cubierta. Empezaré por ahí.

—En ese caso, averigüe lo que pueda... discretamente.

Johnston acompañó a Parker hasta la calle.

—¿Puedo preguntar qué va a hacer con él?

—Voy a intercambiarlo por una vida.

—Suena peligroso. ¿Va a llevar a su amigo Louis con usted?

—Sí.

—Seguramente es una buena idea. Dígale que no bromeaba con lo de la lista, si es que busca trabajo.

—Está medio retirado.

—Pero si un día se aburre...

A Parker empezaba a preocuparle Bob Johnston, y tomó nota mental para no cabrearlo en ningún caso.

—Se lo diré.

—Se lo agradezco.

Cuando Parker llegó al taxi, la puerta de la casa ya se había cerrado y todas las luces volvían a estar apagadas.

113

La llamada que servía como prueba de vida llegó al móvil de Holly Weaver mientras Parker estaba con Bob Johnston. Fue breve, pero confirmaba que Owen Weaver todavía respiraba, aunque Holly le dijo a Louis que su padre hablaba como si se sintiera agobiado. A esas alturas, Moxie había enviado a un conductor para que llevara a Holly y Daniel a una nueva ubicación, aunque Parker le pidió a Moxie que no le dijera a Louis cuál. Si los sucesos se desplazaban hacia el sur y resultaba que Quayle mentía acerca de sus verdaderas intenciones con los Weaver, Parker no quería que ni Louis ni él mismo tuvieran información que pudiera poner en peligro a la madre y al niño.

Parker sabía que podría estar equivocándose al no llamar a la policía. Por desgracia, era lo único que podía hacer. Quayle le presionaba a fondo, limitando sus opciones. Tampoco dudó ni por un instante que Quayle y Mors estarían más que dispuestos a deshacerse de Owen Weaver antes de desaparecer, aunque sólo fuera temporalmente. Acabarían volviendo por el libro, tal vez con nombres y apariencias nuevos, y entonces reiniciarían la matanza.

El aparcamiento estaba a oscuras cuando el taxi llevó a Parker de vuelta al Inn. En el ínterin, alguien había roto la luz principal de fuera, cubriendo de sombras la parte del aparcamiento donde estaba su Audi. Abrió la puerta y vio que las bombillas interiores no se encendían. No dijo nada al subirse, y tampoco mientras lo ponía en marcha y se alejaba.

Ni una palabra a la figura que estaba incómodamente tumbada sobre el suelo en la parte de atrás, oculta por una manta oscura, empuñando un arma.

Quayle llamó al móvil de Parker mientras Louis y él se dirigían ya hacia el condado de Piscataquis, como le había dicho antes de salir del Salvage.

—¿Tiene el libro? —le preguntó Quayle a Parker.

—Sí.

—En ese caso, anote este código postal.

Parker repitió el código mientras lo introducía en el GPS del coche, que al instante empezó a calcular la ruta, guiando a Parker hacia Waterville.

—¿Hay alguien en el coche con usted? —preguntó Quayle.

—No, pero soy mayor y no oigo muy bien.

—No se haga el listo si quiere que le devuelva a Owen Weaver con vida.

—Si Owen Weaver muere, no tendrá el libro.

Quayle colgó y Parker se encaminó hacia el noroeste. Waterville estaba a poco más de una hora de Portland. Si Parker no se equivocaba, ésta no sería más que la primera de una sucesión de paradas. Estaba bastante seguro de que en ese momento no le seguían, pero probablemente vería a alguien que no le quitaba el ojo cuando llegara a Waterville: o bien Quayle o la mujer, dependiendo de quién estuviera vigilando a Owen Weaver. Eso sería lo que habría hecho Parker, como también, de disponer del tiempo, habría colocado un dispositivo de seguimiento en el vehículo en el que viajaba, o le habría instalado un micrófono: cualquier cosa que le diera una pequeña ventaja. Por ahora, Parker no tenía forma de saber si habían manipulado su coche y por eso permanecía en silencio. No quería delatar la presencia de Louis. Quayle podría tener sus sospechas, pero si Parker lo manejaba todo correctamente, no pasarían de eso, sospechas.

Encontró la emisora 1st Wave en Sirius, bajó el volumen de la radio y dejó que los sonidos de la música de sintetizadores británica de los años ochenta llenara el coche.

No hizo caso al leve gemido de queja que surgió de atrás.

Parker bordeaba Waterville cuando el teléfono volvió a sonar.

—Salga de la interestatal y coja la 104 para entrar en la ciudad —dijo Quayle, y Parker así lo hizo. Quayle no cortó la comunicación y le dijo a Parker que se detuviese enfrente del McDonald's, en Main. Había vehículos aparcados a ambos lados de la calle y en los estacionamientos de los alrededores, incluidos tres o cuatro fuera del propio McDonald's. Parker esperó hasta que Quayle le dio una dirección de Ash Street, una bocacalle que había más adelante de Main. Esta vez, Parker no repitió la dirección en voz alta. Louis, que había estado siguiendo el recorrido en su propio teléfono, tendría que fiarse de él. Parker observó la calle a sus espaldas sin vislumbrar ningún indicio de que lo siguieran, pero al menos uno de los vehículos del aparcamiento del McDonald's estaba ocupado, y se veía claramente la figura de un conductor al volante. Habría pagado lo que fuera para que alguien comprobara si el conductor estaba solo. Eso se confirmó cuando recibió dos llamadas más que le devolvieron a la ruta anterior antes de pasar por una serie de calles residenciales, hasta que finalmente tuvo que esperar en un callejón sin salida en Butler Court.

Parker se puso tenso. Oyó a Louis cambiar de postura, y la puerta de atrás emitió un clic cuando la abrió ligeramente por si había problemas. La señal acordada era una tos de Parker, pero ese lugar no parecía el adecuado para una entrega o un intento de apoderarse del libro. Cuando el teléfono volvió a sonar, a Parker no le sorprendió del todo. El retraso, le parecía, se debía a que así se permitía que lo adelantara quienquiera que lo hubiera estado vigilando.

—Nuevo destino —dijo Quayle, y algo en su voz le dijo a Parker que esta vez sí era el definitivo. Estaban llegando al final. El GPS marcaba que se tardaría una hora y cuarto hasta el condado de Piscataquis cuando se apartó de la acera.

Y, como si hablara para sí mismo, dijo:

—Allá vamos.

Daniel Weaver se había quedado dormido, arrullado por el movimiento del vehículo. La cabeza reposaba sobre el regazo de su madre. El conductor le había dado a ésta una manta con la que taparlo, aunque en el coche hacía calor. Aparte de decirles que se llamaba Karl, preguntarles por la temperatura dentro del vehículo y señalar las botellas de agua que había en los compartimentos laterales de las puertas, el conductor le habló poco. No es que se despreocupara de ellos, más bien lo contrario: Holly lo pillaba mirándoles cada poco por el retrovisor, con ojos amables, pero sin ánimo de entrometerse. El coche era un Mazda Hatchback, limpio pero no llamativo. Un jazz suave sonaba en la radio.

Sólo cuando dejaron atrás Augusta, Holly le preguntó a Karl adónde los llevaba:

—A Bangor —había sido la respuesta—. Allí estarán más seguros.

Se acercaban a las afueras de la ciudad cuando Karl dejó la autopista. Hizo un par de giros más antes de detenerse delante de un par de casas protegidas por puertas de seguridad que se abrieron cuando se aproximaban. La silueta de una mujer se recortaba en la puerta de uno de los edificios. Esperó a que Karl ayudara a los Weaver a bajar del coche, con un Daniel aturdido después de que lo despertaran. Holly tardó un momento en darse cuenta de que la mujer tenía el síndrome de Down.

—Soy Candy —dijo—. Bienvenidos a la Tender House.

114

Parker estuvo seguro de haber tomado la decisión correcta cuando el GPS lo llevó por una calle que tenía el letrero de PRIVADO, flanqueada de árboles de hoja perenne que la invadían como esquirlas más oscuras recortándose contra el cielo nocturno. Cuando volvió a sonar el teléfono, se detuvo a un lado de la calle, y no miró por encima del hombro mientras la puerta trasera de la derecha se abría y Louis se deslizaba fuera.

—¿Por qué se ha parado? —preguntó Quayle, dándole a Parker la confirmación definitiva que necesitaba. Estuviera donde estuviese Quayle, veía el Audi.

—La calle está oscura. No quiero acabar en una zanja.

Parker se preguntó si Quayle utilizaría una lente de infrarrojos para observar el coche. De ser así, esperaba que los árboles trabajaran a su favor y que Louis se mantuviera agazapado. Contuvo el aliento, y sólo lo soltó cuando Quayle empezó a hablar de nuevo.

—Hay una bocacalle a su derecha, unos cuatrocientos metros más adelante. Tómela y siga conduciendo hasta que vea dos casas. Verá una lata de aceite en el patio. No pase de allí. Deténgase y espere, pero procure mantener las manos en el volante. Y dejé el teléfono en altavoz.

Parker siguió sus indicaciones. Condujo despacio por la calle hasta que llegó al desvío, que le llevó colina arriba. La carretera era aún más irregular y estrecha que antes. Si aparecía otro coche en dirección contraria, uno de los dos tendría que levitar, pero no se topó con ningún vehículo, y al rato dos viviendas aparecieron ante él. La primera parecía una bonita versión estándar de un campamento de verano de Maine: una cabaña de madera de una planta, en la que seguramente sólo habría dos dormitorios, un salón y un lavabo. El otro edificio era más grande y antiguo, tenía dos plantas coronadas por una cúpula curiosamente ornamentada, aunque la estructura en su conjunto hacía mucho que se había deteriorado, y cualquiera que se instalara ahí se habría visto obligado a compartirla con parte de la fauna local.

Parker se detuvo junto a la lata de aceite, pero mantuvo el motor encendido. No creía que Quayle planeara matarlo, o no antes de que el libro estuviera en su poder, así que cuando Mors salió de los arbustos a su izquierda, con un arma en la mano, se esforzó por no temer demasiado por su vida. De Quayle no había rastro.

—Apague el motor —dijo la voz de Quayle desde el teléfono.

Parker así lo hizo, y el silencio se adueñó del espacio. Mors no se acercó más, pero seguía apuntándole.

—¿Está armado?

—Sí —dijo Parker.

—Baje del coche y arrodíllese en el suelo —ordenó Quayle—. Dígale a la señorita Mors qué arma lleva y ella le descargará de su peso.

Parker abrió la puerta, mantuvo las manos en alto una vez fuera antes de arrodillarse sobre la grava húmeda. En cuestión de segundos, Mors estaba a su espalda.

—¿Dónde está? —preguntó ella.

—En una pistolera debajo de mi hombro izquierdo.

Ella lo rodeó hasta quedar frente a él.

—Meta la mano izquierda y sáquela, sólo con los dedos pulgar e índice.

Con torpeza, Parker extrajo el arma y la sostuvo ante él como un pescado.

—Tírela suavemente a mis pies.

Parker lo hizo. El arma fue a parar a un par de centímetros del pie derecho de Mors.

—¿Alguna más?

—No.

—Voy a cachearlo. Si encuentro más armas, le mataré.

Parker optó por no morir.

—Cuchillo en la espinilla izquierda, revólver en una funda de tobillo en la pierna derecha.

—Túmbese, manos detrás de la cabeza, dedos entrecruzados.

El suelo olía a gasolina derramada y, de cerca, Parker se fijó en el destello de cristales rotos. Intentó evitar que la cara le quedara encima mientras Mors sacaba el cuchillo y el revólver antes de cachearle de todos modos, por su propia tranquilidad.

—Debería ir al médico —dijo Parker cuando la cara de ella se acercó a la suya y él olió la pestilencia de su aliento—. Creo que podría tener cáncer.

Mors no respondió, pero al cabo de unos segundos utilizó un pie para separar las piernas de Parker antes de patearle con fuerza en las pelotas. La visión de éste se nubló, se encogió sobre sí mismo con los ojos cerrados.

—No sea maleducado —dijo Mors.

Parker se quedó quieto un momento, hasta asegurarse de que no iba a vomitar. Estaba poniéndose de rodillas de nuevo cuando Quayle salió de la casa antigua y bajó por el patio.

—No es prudente provocarla —dijo—. Ha tenido una vida muy difícil.

El dolor de Parker remitía lentamente, pero lo sustituían las náuseas. Ahora quería hacerle daño de verdad a Mors.

Quayle se acuclilló a su lado.

—El libro —dijo.

—Owen Weaver —replicó Parker.

—La cosa no va así. Si no tengo el libro en las manos en los próximos treinta segundos, asumiré el riesgo y le diré a la señorita Mors que le mate.

Parker no vio de qué serviría discutir.

—El libro está en el maletero.

—Tráigalo.

Parker se levantó como pudo. Se tambaleaba y le dolía al caminar, pero al menos se mantenía erguido. Mors y Quayle lo siguieron hasta la parte de atrás del coche, pero desde lados distintos. Se mostraban comprensiblemente desconfiados ante el maletero, por si Parker al final no había venido solo, pero estaban buscando en el lugar equivocado, que era lo único que importaba.

Parker abrió el maletero. El libro estaba en la caja de zapatos, con la portada hacia arriba.

—Démelo —dijo Quayle.

Parker cogió el libro sosteniéndolo de manera que Quayle viera las páginas en blanco insertadas pero sin ajustar.

—Owen Weaver —repitió Parker.

—¿Señor Weaver? —gritó Quayle—. Confírmenos que está vivo.

—Estoy bien —dijo una voz desde dentro de la casa. Parker supuso que Weaver se encontraba en la segunda planta porque una de las ventanas de la fachada estaba abierta.

Parker tendió el libro hacia Quayle, que estiró la mano. Cuando sus dedos estaban a punto de tocarlo, Parker dejó de agarrarlo, las secciones se separaron y el viento las esparció por el suelo.

Sucedieron entonces varias cosas simultáneamente.

Quayle siguió el movimiento de las hojas, desplazándose a la vez para intentar recogerlas. Mors movió el cañón de su arma y apretó el gatillo, no para disparar a Parker, sino a la figura de Louis que emergía de entre los árboles. Parker, atrapado entre dos armas, se lanzó al suelo provocando un doloroso estremecimiento en sus sensibles pelotas, y se arrastró hacia donde estaban sus propias armas.

Y, por último, la primera planta de la antigua casa estalló en llamas.

115

Holly Weaver preparó una taza de chocolate caliente para su hijo y otra de té para sí misma en la cocina de la Tender House. Hacía un buen rato que Daniel debería estar en la cama, pero no mostraba signos de querer dormir. Ella pensó que era como si el pequeño supiera que una conversación entre ambos era tan necesaria como inminente.

La Tender House estaba tranquila. Había cuatro habitaciones más ocupadas, dos por mujeres con sus hijos y dos por mujeres solas. Holly ya había intercambiado unas palabras con un par de ellas y se había aprendido sus nombres, pero las niñas —las dos de una edad parecida a la de su hijo— estaban acostadas ya cuando Daniel y ella llegaron. Daniel las conocería a la hora del desayuno a la mañana siguiente, les dijo Molly Bow, que se presentó una vez que Candy hizo pasar a Holly y Daniel.

Holly nunca había oído hablar de la Tender House, aunque conocía a bastantes víctimas de violencia doméstica. Era difícil ser una mujer en este mundo y no oír rumores, o incluso vislumbrar las pruebas, pero nunca había imaginado que ella misma acabaría en un refugio así. La hacía sentirse avergonzada. Quería llamar a las puertas y explicar que no estaba ahí porque un marido o un novio le hubiera pegado, amenazado con violarla o maltratado a su hijo. Se ocultaba detrás de esas paredes porque era posible que un hombre violento quisiera hacerles daño, a ella y al niño. Pero entonces se dio cuenta de que si hubiera hecho esa confesión, las otras mujeres bien podrían haber asentido con las cabezas en gesto de comprensión, y señalado que *todas* estaban en ese lugar por temor al daño o incluso la muerte que podían infligirles unos hombres, y que no importaba mucho qué máscara lucieran sus agresores, ni cuál fuera su relación con ellos. Ahí ninguna era ni mejor ni peor que las demás, y no había por qué avergonzarse de pedir ayuda cuando se enfrentaban a la rabia masculina.

Ahora Holly sentó a Daniel en la cama doble que iban a compartir, en una habitación con el punto justo de color y personalidad, abrazó a su hijo mientras éste bebía a sorbos el chocolate y dijo:

—Tengo algo que contarte.

116

Los acontecimientos pasan deprisa en un tiroteo, sobre todo cuando los participantes están muy cerca, como Heb Caldicott había aprendido por experiencia propia. El tiroteo de OK Corral duró sólo treinta segundos y al final dejó a seis de los nueve implicados muertos o heridos. Así que para cuando Parker recuperó su arma y estaba listo para disparar, Louis ya estaba desmoronado contra un árbol, sangrando abundantemente de una herida en el hombro derecho y otra en la ingle; Quayle y Mors se habían perdido en el bosque, con la mayor parte del libro, y el patio estaba bañado en el resplandor del incendio. En algún lugar dentro de la casa Owen Weaver gritaba.

Todo había tardado unos quince segundos en irse al infierno.

Parker atendió primero a Louis. La herida del hombro parecía sólo un rasguño, pero la de la ingle era grave. Parker se quitó la chaqueta, la enrolló con fuerza y obligó a Louis a hacer presión sobre la herida. Louis se quejaba, pero consiguió mantener la compresa en su sitio.

—Le he dado —dijo Louis—, pero no ha caído.

Parker quería ir tras Quayle y Mors. No deseaba otra cosa más que verlos desangrarse, pero no iba a dejar a Louis, y Owen Weaver estaba atrapado en el incendio. Por encima del crepitar y el rugido de las llamas, Parker creyó oír un coche que arrancaba, pero no le hizo caso. Llamó al 911 y dio al operador la dirección de la propiedad, mientras sacaba una manta del maletero del Audi y la empapaba en el recipiente de agua que llevaba allí para emergencias. Mojó un trapo, se lo ató alrededor de la cara lo mejor que pudo y se dirigió a la casa.

El calor y el humo eran intensos, y el fuego se cebaba en la escalera. No podría haber avanzado tan rápido ni desplazarse a esa velocidad sin un acelerante, y Parker supo entonces que Quayle nunca había tenido la intención de que ni él ni Owen Weaver sobreviviesen a esa noche. Parker se echó la manta sobre la cabeza, se cubrió la parte superior del cuerpo e intentó avanzar agachado, moviéndose tan rápido como podía escaleras arriba mientras el fuego le mordía los zapatos. Los bajos de sus vaqueros se prendieron, y sintió cómo empezaban a formarse ampollas en la piel de sus piernas, pero aguantó hasta llegar al rellano, que todavía estaba despejado, antes de agacharse para apagarse el fuego a palmadas.

Owen Weaver estaba tirado del costado en una habitación a la izquierda, todavía atado a una silla. Tenía los pies descalzos, el izquierdo terriblemente hinchado y con los dedos deformados; obra de Mors, supuso Parker. Imaginó que Weaver debía de haberse caído al intentar liberarse, y eso había sido lo mejor que podía haberle pasado. El fuego todavía no había llegado a esa planta, pero el humo sí, y en el suelo todavía el aire era respirable. Parker se arrodilló al lado del hombre semiinconsciente y examinó las bridas de plástico utilizadas para atarlo a los brazos y patas de la vieja silla Carver. El cuchillo de Parker seguía fuera, tirado en el suelo, y no podía arriesgarse a utilizar sus botas para romper los brazos y patas de la silla porque podría fracturar los brazos y piernas de Weaver.

Parker registró la habitación buscando algún cartón viejo. Lo enrolló para formar un cilindro y lo acercó a las llamas que ahora se extendían por el rellano. La escalera y sus paredes estaban ardiendo; Weaver y él no podrían salir por donde habían entrado, si es que tenían la buena suerte de escapar.

El cartón se prendió, Parker volvió junto a Weaver y cerró la puerta tras de sí. Colocó la llama contra las ataduras y observó cómo se derretían, quemando de paso la piel de Weaver, pero también espabilándolo hasta que recuperó la conciencia del todo. Cuando estuvo libre, Parker lo puso en pie y lo acercó a la ventana.

—Voy a sacarlo de aquí —le dijo Parker, mientras Weaver

mantenía el pie herido sin tocar el suelo—. Le dolerá cuando caiga al suelo, pero morir quemado vivo le dolería mucho más.

Weaver asintió, pero tenía los ojos vidriosos. Parker se dio cuenta de que el hombre sería en gran medida un agente pasivo en lo que les esperaba.

La ventana estaba cerrada a cal y canto y Parker tuvo que romper los cristales a patadas. Miró a la noche, esperando ver camiones de bomberos acercándose por la carretera, como pasaría en una película, pero no vio nada, aunque oyó, o imaginó oír, sirenas a lo lejos. Louis seguía despatarrado contra el árbol y levantó una mano para que Parker supiera que todavía resistía.

Las llamas emergían entre los tablones del suelo y el humo era ahora tan denso que Parker ya no podía ver la silla a la que había estado atado Owen Weaver. Se aseguró de que no quedaran filos cortantes de los cristales de la ventana antes de colocar a Weaver de manera que la parte inferior de su cuerpo quedara colgada y la mitad superior siguiera sobre el marco de la ventana. Agarrando los antebrazos de Weaver, Parker consiguió sacarlo por la ventana, con los pies oscilando a unos seis metros del patio.

—Voy a soltarle —dijo Parker—. Procure mantener las piernas dobladas.

Pero Weaver ya era como un peso muerto, tenía los ojos cerrados y la barbilla le caía sobre el pecho. Parker lo soltó. Weaver cayó torpemente, pero, por un milagro, lo hizo sobre su costado derecho,, librando en gran medida a su pie izquierdo de sufrir más heridas.

Segundos más tarde, Parker le siguió.

Esta vez, oyó sirenas de verdad.

117

Daniel dejó a Holly dormida en la habitación que compartían. La Tender House estaba en silencio cuando bajó las escaleras. No sabía adónde iba ni qué estaba buscando. Sólo sentía que necesitaba estar solo durante un rato.

Intentaba asimilar lo que le había contado su madre, aunque una pequeña parte de él siempre lo había sospechado; lo había vivido como una dislocación, y lo vislumbraba en la forma en que su madre lo miraba algunas veces, cuando creía que él no la veía. Ella era su madre, pero además había otra. Ella le había mentido, y también el abuelo, pero Daniel no estaba enfadado. Confuso, sí, pero no enfadado. No sabría decir por qué, pero así era.

Encontró la habitación de los juguetes y se sentó entre las muñecas, los juegos de mesa y los rompecabezas. Ante él había un gran cuadro de montañas que se recortaban sobre un cielo azul, todo ello pintado con colores brillantes, del tipo que sólo hay en los dibujos animados.

Dibujos animados, no cuentos de hadas.

Daniel oyó un ruido que procedía de una de las cajas de juguetes. Era casi como si hubiera tenido esa esperanza, y ésta hubiera hecho que sucediera.

Era el sonido de un teléfono de juguete que sonaba.

Rebuscó entre la madera y el plástico hasta que encontró de dónde provenía: un teléfono de plástico sobre ruedas, no muy distinto al que él había tenido, el teléfono al que le llamaba Karis.

Pero ella ya no era sólo Karis. Era algo más.

Daniel se puso el teléfono sobre el regazo, levantó el receptor de plástico y se lo puso en la oreja.

—¿Mamá?

Jennifer observaba a la figura gris arrodillada entre los árboles, hablando con una voz que sonaba como el crujido de hojas muertas.

Jennifer se había equivocado. Creyó que correspondía a su padre poner nombre a la mujer y así concederle la paz, pero se equivocaba. En esos últimos momentos, ya no era un vestigio de Karis Lamb. Karis Lamb era Antes, pero con el llanto de un niño se había transformado. Lo que vino Después era otra cosa.

Lo que vino fue Mamá.

Y mientras escuchaba la voz de su hijo reconociéndola finalmente como tal, el ser gris empezó a desvanecerse, desintegrándose en astillas, tierra y polvo, arrastrado a la oscuridad hasta que lo único que quedó era su recuerdo, guardado en el corazón de un niño.

Daniel colgó el teléfono. Estaba cansado. Ahora quería dormir.

Candy estaba en la puerta. Daniel no sabía cuánto tiempo llevaba allí.

—Ven —dijo—, te llevaré de vuelta con tu madre.

Y tras una leve vacilación, Daniel se cogió de su mano.

Owen Weaver sobrevivió. Tenía los pulmones dañados y siempre caminaría con una cojera, pero viviría.

Louis sobrevivió. Estaba preocupado por si su principal órgano sexual no volvía a ser el mismo, pero los médicos le tranquilizaron diciéndole que seguiría funcionando tan bien como antes, aunque no durante un breve tiempo. Parker, que tenía un tobillo roto, le aconsejó que tuviera pensamientos puros. Louis le dijo a Parker que se fuera a tomar por culo.

Y Angel sobrevivió, aunque ahora era más callado, y a veces se descubría contando los días que le quedaban por delante.

En el asunto de Daniel Weaver habría dolor y recriminaciones, juicios y vistas para decidir la custodia. Moxie Castin haría cuanto estuviera en su mano por todos los implicados y, dado que era un abogado muy hábil, nadie sería condenado a penas de cárcel, y Daniel Weaver llamaría mamá a Holly Weaver, y a nadie más. El cuento de la «La mujer del bosque» nunca entraría en el folclore del estado, y como todas las buenas historias, gran parte de su verdad estaba destinada a permanecer oculta.

El hombre llamado Quayle se desvaneció, y la mujer llamada Mors se desvaneció con él, aunque ella dejó un rastro de sangre a su paso, tanto figurada como literalmente.

Louis tenía razón. La había alcanzado.

Por el momento, Parker optó por guardar en una caja de seguridad la única hoja de vitela que había ocultado a Quayle, mientras Bob Johnston trabajaba para aclarar su procedencia.

Tiempo después, Parker se sentó con el agente especial Edgar Ross del FBI y le contó la mayor parte de lo que sabía sobre

Quayle y las hojas de vitela. Parker lo hizo con cierta reticencia. En el pasado, Ross había enviado a un detective privado a espiar a Sam, la hija de Parker —el porqué, éste no lo sabía—, aunque Parker había decidido callarse que sabía que la habían vigilado, al menos por el momento.

De manera que ya no se fiaba del todo de Ross.

Aunque, bien mirado, nunca se había fiado del todo de él.

119

El Patrocinador Principal estaba sentado en la biblioteca del Club Colonial, bebiendo un whisky escocés.

Pensando.

Preocupado.

Quayle y Mors se habían ido. No habían recurrido a los Patrocinadores para su regreso a Inglaterra, optando por una ruta de vuelta a casa vía México, lo que indicaba cierta falta de confianza. Y aunque los informes señalaban que Mors había resultado herida en el enfrentamiento con Parker, también dejaban claro que Quayle poseía las piezas de su precioso Atlas de mierda cuando se fue.

El Patrocinador Principal había invertido una gran cantidad de tiempo y energías obstaculizando la búsqueda del Dios Enterrado. Lo había hecho con la activa complicidad de varios de sus colegas Patrocinadores, todos los cuales estaban tan deseosos como él de que las cosas siguieran como estaban. Tenían riqueza, poder e influencia, que legarían algún día a la siguiente generación: sangre vieja en odres nuevos.

Pero si Quayle no estaba trastornado y el Atlas era capaz de hacer lo que afirmaba, el mundo ya estaba siendo reorganizado, sus límites trazados de nuevo en preparación para la llegada de los No-Dioses y la guerra contra el Antiguo. Los Patrocinadores no se librarían. Nadie se libraría.

No, a no ser que se detuviera a Quayle.

120

El funeral de Billy Stonehurst se celebró una despejada mañana de primavera entre flores, cantos de pájaros y un aire de renovación general de la vida, cuando ningún joven debería ser enterrado. Cantó un coro, y se ofreció comprensión y apretones de manos a los afligidos padres. Después se sirvió un bufet y bebidas en un salón de South Portland, no lejos del cementerio. Durante la recepción, la esposa de Bobby Ocean abofeteó varias veces a su marido. Luego se marchó y no volvió.

Dos semanas más tarde, Bobby Ocean emprendió la retirada de sus negocios y comenzó a vender sus empresas. Otras dos semanas después, su esposa y él anunciaron su separación. A esas alturas, Bobby Ocean estaba inmerso en el proyecto de crear, en memoria de su hijo, la Fundación William Stonehurst para las Ideas Americanas, que no tardaría en aliarse con el Partido Americano de la Libertad, el American Renaissance, el Consejo de Ciudadanos Conservadores y el Instituto de Política Nacional, entre otras organizaciones supremacistas blancas.

Bobby Ocean se había convertido en odio puro.

Parker se encontró casualmente con Gordon Walsh al salir de ver una película en el Nickelodeon. Walsh iba con una mujer que Parker no reconoció y ya no llevaba anillo de casado. Walsh le presentó a la mujer como Jessica, pero no dio más detalles. Parker y él se quedaron delante del cine mientras Jessica iba al lavabo. Era la primera vez que los dos hombres hablaban con tranquilidad desde la breve retención de Parker en Augusta.

—Quería disculparme por haberte llamado hijo de perra —dijo Walsh—. A ver, eres un hijo de perra esporádicamente, pero no quiero creer que eso te defina.

—Tendrías que vender la frase para una tarjeta de felicitación.

—Tengo otras. La sumaré al montón.

—¿Has visto lo de Bobby Ocean? —dijo Parker.

—¿El asunto de la extrema derecha? Sí. No es ninguna sorpresa, aun así...

—No pinta bien.

—No —dijo Walsh. Husmeó en el aire nocturno—. ¿Lo hueles?

Jessica apareció al lado de Walsh.

—¿El qué? —dijo Parker.

Walsh puso la mano izquierda sobre el hombro de Parker y usó la derecha para señalar en dirección a Commercial y la costa, y un aparcamiento todavía ennegrecido por el fuego.

—Un indicio de humo —dijo Walsh—. No tendrías que haber dejado que Louis quemara aquella camioneta.

Parker tardó un momento en responder.

—Tienes razón.

—¿Sí?

—No debería haber dejado que un negro desafiara a un racista. Tendría que haberlo hecho yo mismo.

121

Los creadores de crucigramas de *The Times* se enorgullecían de su trabajo, y raramente invitaban, o toleraban, una interferencia exterior en sus crucigramas. Se requirió mucha persuasión, la intervención de un agente del FBI y la promesa de algunos pequeños favores a la empresa matriz del diario —aparte de, desde luego, a los propios crucigramistas— para que se permitiera la inserción de un conjunto muy particular de referencias en el críptico crucigrama del 30 de marzo. Además, se oyeron muchos murmullos de descontento porque la inclusión de una de las referencias requeriría una disculpa a los amantes de los crucigramas de *The Times* al día siguiente, atribuyendo toda la responsabilidad del error a un asistente misterioso y anónimo para siempre.

El Jamaica Wine House de Londres, un pub con paredes forradas de paneles de madera, se encuentra en St. Michael's Alley, un callejón peatonal entre las calles Cornhill y Lombard, no lejos del Támesis. El 30 de marzo, poco después de mediodía, una figura vestida de terciopelo y *tweed* se sentaba a una tranquila mesa del fondo, bebiendo café y estudiando, como tenía por costumbre, el crucigrama del *Times*. El Jamaica era uno de los locales que frecuentaba, aunque no se le había visto por allí desde hacía cierto tiempo, y parecía más inquieto de lo habitual, además de mostrarse cortante con el personal.

Estaba dándole vueltas a la diez vertical, que decía: «Perseguido, con miedo o no, el pájaro había volado». Una referencia pobre pero obvia, pensó, y muy por debajo de los estándares de calidad usuales del crucigramista. Le pareció que *hunting quail* debía de ser la respuesta, pero la letra final tenía que ser una e para que encajara con *locomotive* («La razón, tal vez, de un asesinato en el Orient Express»), mientras que la penúltima seguramente era *bombshell* («Alarmante estallido de belleza»). Pero ¿cómo podía el compilador deletrear tan mal para confundir *«quail»* con *«Quayle»*?* Habría quejas al respecto.

El abogado Quayle se detuvo. Miró el nueve horizontal, otra extraña referencia que le había molestado por la torpeza de su construcción: «Se anima, como su jazz, pero sólo una vez el vehículo está seguro». Eso tenía que ser *Charlie Parker.*

Trazó círculos alrededor de las soluciones de las dos referencias en cuestión, aislando cuatro palabras.

CHARLIE PARKER
U
N
T
I
N
G
Q
U
A
Y
L
E

* El apellido *Quayle* es homófono de *quail* («codorniz»), pero su grafía es distinta. La referencia a Charlie Parker del párrafo siguiente remite al saxofonista de jazz del mismo nombre (1920-1955) —protagonista del cuento «El perseguidor», de Julio Cortázar, o de la película *Bird,* de Clint Eastwood— que sufrió un grave accidente de coche en 1936 que lo convirtió en adicto a los opiáceos. Las palabras del crucigrama se leen como una advertencia: «Charlie Parker / a la caza de Quayle». *(N. del T.)*

Quayle miró a su alrededor. Estaba solo y nadie lo observaba.

El problema era que ya no *se sentía* solo y que además se creía observado.

Dobló el periódico y salió del Jamaica para perderse entre la multitud.

AGRADECIMIENTOS

El teniente Brian McDonough, que había pertenecido a la Policía Estatal de Maine y ahora disfruta del que espero que sea un muy largo y feliz retiro, respondió amablemente mis preguntas sobre cuestiones de procedimiento para esta novela. Mi agradecimiento también a Stephen McCausland, portavoz de la Policía Estatal de Maine, por su colaboración. El doctor Fergus Brady, mi buen médico, me aclaró detalles médicos. Gracias también a Brian Cliff y Mari Rothman por responder a algunas de mis más extrañas preguntas. Todos los errores e invenciones en derecho o medicina son por entero responsabilidad mía. Como siempre, mi gratitud a mi editora estadounidense, Emily Bestler, y a todo el personal de Atria/Emily Bestler Books, incluidos —pero ciertamente no sólo ellos— Judith Curr, Lara Jones, Stephanie Mendoza y David Brown; a mi editora británica, Sue Fletcher, y todo el personal de Hodder & Stoughton, especialmente Carolyn Mays, Kerry Hood, Swati Gamble, Lucy Hale, Auriol Bishop y Alasdair Oliver; a mi agente, Darley Anderson, y su espléndido equipo; a Ellen Clair Lamb y Kate O'Hearn, por su amabilidad y apoyo; a John Dodson y el personal de Trend Digital Media; y a David O'Brien, alias Envoy, por componer la elegante banda sonora para el CD que acompaña a esta novela. Mi amor y gratitud para Jennie Ridyard, Alistair Ridyard y, sobre todo en esta ocasión, Cameron Ridyard, que creó el nuevo sitio web, que además es muy elegante: johnconnollybooks.com

John Connolly ha compilado seis bandas sonoras previas que acompañan a sus novelas y que básicamente incluyen canciones con una relación lírica o temática con su obra. La séptima, THE HONEYCOMB WORLD, es un poco distinta dado que presenta música compuesta especialmente e interpretada por el grupo Envoy, inspirada en las novelas de Charlie Parker. La suite completa se compone de veinte cortes, y está disponible en descarga gratuita para los lectores como agradecimiento por su apoyo a los libros de John. Para descargar su copia, vaya a www.womanin thewoodsbook.com

Para más información sobre el uso de la música en los libros, y para acceder a las listas de Spotify de las bandas sonoras anteriores, vaya a https://www.johnconnollybooks.com/curiosities

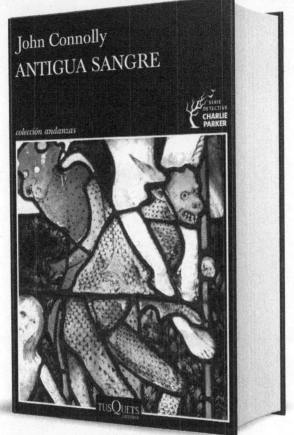

MAXI
TUSQUETS
EDITORES